AV

Der Nachweis der Grabbe-Zitate erfolgt unmittelbar im fortlaufenden Text in runder Klammer mit römischer Band- und arabischer Seitenangabe, z. B. (I, 123).
Zitiert nach: Christian Dietrich Grabbe: Werke und Briefe. Historisch-kritische Gesamtausgabe in sechs Bänden. Hrsg. von der Akademie der Wissenschaften in Göttingen. Bearb. von Alfred Bergmann. Emsdetten 1960-1973.

Grabbe-Jahrbuch 2016
35. Jahrgang

Im Auftrag der Grabbe-Gesellschaft
herausgegeben von
Lothar Ehrlich und Detlev Kopp

AISTHESIS VERLAG
Bielefeld 2017

Die Drucklegung des Grabbe-Jahrbuches 2016 förderten:

Landes-Brandversicherungsanstalt
Partner der ⬥ Finanzgruppe

Für die Menschen.
Für Westfalen-Lippe.

Kulturstadt
im Teutoburger Wald

Bibliographische Information der Deutschen Nationalbibliothek
Die Deutsche Nationalbibliothek verzeichnet diese Publikation in
der Deutschen Nationalbibliographie; detaillierte bibliographische
Daten sind im Internet über http://dnb.ddb.de abrufbar.

www.grabbe.de

Redaktionsschluss: 30. September 2016

© Aisthesis Verlag Bielefeld 2017
Postfach 10 04 27, D-33504 Bielefeld
Satz: Germano Wallmann, www.geisterwort.de
Druck: Hubert & Co, Göttingen
Alle Rechte vorbehalten

ISBN 978-3-8498-1203-4
www.aisthesis.de

Inhaltsverzeichnis

Detlev Kopp

Grabbe. Ein Dramatikerleben
I. Von seiner Geburt bis zum Erscheinen der *Dramatischen Dichtungen* (1827)

Karl Immermann hat überliefert, Grabbe habe in seiner Düsseldorfer Zeit (1835/36) zu ihm gesagt: „Ach was soll aus einem Menschen werden, dessen erstes Gedächtniß das ist, einen alten Mörder in freier Luft spazieren geführt zu heben." Diese eine Aussage, deren Wahrheitsgehalt längst widerlegt ist, gibt in vielerlei Hinsicht Aufschluss über die Befindlichkeit Grabbes in der vorletzten Phase seines kurzen Lebens, der nur noch sein letzter Sommer in Detmold folgen sollte. Aus diesem Satz klingt Resignation über ein misslungenes Leben, aber auch narzisstisches Selbstmitleid über die desolate Lage, das aber eben nicht (auch) auf eigenes Versagen, sondern ausschließlich auf überaus ungünstige Startbedingungen zurückgeführt wird, die das Leben von Beginn belastet und schließlich ursächlich zu seinem Scheitern geführt haben. Grabbe inszeniert sich als den vom Schicksal durch Geburt in widrige Verhältnisse Benachteiligten und zum Verlierer Bestimmten – auch in dieser biographischen Hinsicht das Gegenbild zum vom Glück so bevorzugten und dafür von Grabbe mit Inbrunst gehassten Goethe.

Aussagen Grabbes, in denen er den ihn immer wieder überkommenden Lebensüberdruss voller Pathos zelebriert, sind Legion. Sein Hang zum Selbstmitleid ist ein wesentlicher Charakterzug des wohl oft unter schweren Depressionen Leidenden. Aber war es wirklich so, dass Grabbes Leben wegen der besonderen Umstände seiner Herkunft den bekannten unseligen Verlauf nehmen musste?

1

Christian Dietrich Grabbe kommt am 11. Dezember 1801 im Detmolder Zuchthaus zur Welt. Sein Vater Adolf Henrich (1765-1832) hatte dort ein halbes Jahr zuvor eine Stellung als Zuchtmeister angetreten. Er bewohnt mit seiner Frau Amalia Catharina Dorothea (1765-1850) eine Dienstwohnung in der ersten Etage des 1754 eröffneten Zuchthauses, in der Grabbe als erstes und einziges Kind seiner Eltern geboren wird. Die Wohnung der Familie befindet auf der gleichen Etage wie die Räume der weiblichen Gefangenen. Die männlichen Delinquenten sind im Erdgeschoss untergebracht. Ein Mörder war während der gesamten Dienstzeit von Grabbes Vater nicht darunter. Die weitaus meisten der

Gefangenen sitzen wegen „Dieberei" ein. Die zweitgrößte Gruppe verbüßt eine
Strafe wegen Ehebruchs. Andere sind wegen Bettelns, „liederlichen Lebenswan-
dels" oder Abtreibung verurteilt worden. Es sitzen pro Jahr durchschnittlich 55
Strafgefangene ein, davon etwa doppelt so viele Männer wie Frauen. Bis 1843
gehört körperliche Züchtigung zum Strafvollzug im lippischen Zuchthaus. Voll-
zogen werden die Leibesstrafen nicht von Grabbes Vater, sondern von dem u. a.
dafür zuständigen Zuchtknecht, der die Delinquenten mit Weidenruten oder
Ochsenziemer auspeitscht. Anzunehmen ist, dass die Schmerzensschreie der
Gezüchtigten im ganzen Zuchthaus zu vernehmen waren, denn sie sollten ja
eine abschreckende Wirkung auf alle Inhaftierten entfalten. So werden sie auch
für den kleinen Christian Dietrich zu einem wahrgenommenen und prägenden
Eindruck geworden sein. Dies wird auch für den überaus derben Umgangston
der Gefangenen untereinander gelten. Und da sich die weiblichen Inhaftierten
in dieser Hinsicht kaum von den männlichen unterscheiden, wird es Grabbe
zeitlebens schwerfallen, sich nicht auch zynisch und abfällig über die Idealisie-
rung des weiblichen Geschlechts zu äußern.

Grabbes maßgeblicher Biograph, Karl Ziegler, der alle Mitglieder der Familie
persönlich kannte, berichtet von einer behüteten Kindheit Grabbes, weist aber
darauf hin, dass er von zarter und schwächlicher Konstitution war, nur selten
Umgang mit anderen Kindern hatte und die meiste Zeit mit seiner Mutter ver-
brachte, die ihn sehr verwöhnt habe. Zu häufigerem Umgang mit Gleichaltrigen
kommt es erst nach Grabbes Einschulung in die Detmolder Bürgerschule Ostern
1807. Doch auch hier, berichtet Ziegler, habe sich Grabbe immer etwas abseits
gehalten und das spielerische Treiben der Gleichaltrigen – so etwa das seinerzeit beliebte „Soldatenspielen" – mit distanzierter Herablassung beobachtet.
Ein gewisses Maß an Außenseitertum (vielleicht durchaus schon demonstrativ
gewolltem) ist also schon für den noch ganz jungen Grabbe kennzeichnend.

Ostern 1812 wechselt Grabbe zum Detmolder Gymnasium. Sein Interesse
gilt weniger den alten Sprachen, die im Mittelpunkt des neuhumanistischen
Unterrichts stehen, sondern vor allem der Geschichte und der Geographie.
Seine schulischen Leistungen sind durchweg gut. Er liest außerordentlich viel
– zunächst noch ohne jede Systematik, sondern zufallsgesteuert alles, was ihm
in die Hände gerät: Sueton und Plutarch ebenso wie Romane, Dramen und
Zeitschriften.

Ein Brief des Elf- oder Zwölfjährigen an seine Eltern, in dem er sie inständig
anfleht, sie mögen ihm Zimmermanns *Taschenbuch der Reisen* bestellen, dokumentiert überaus eindrucksvoll, welch geradezu existenzielle Bedeutung Lektüre
bereits für den kleinen Christian hat und wie effektvoll er dieses ihm elementare
Bedürfnis rhetorisch in Szene zu setzen weiß: schon ein sehr beeindruckender
früher Beweis schriftstellerischen Talents.

Ich habe einen heftigsten Wunsch, Wunsch sage ich die heftigste Begierde, die größte Leidenschaft, nach einem Buche. Aber ach alle meine Wünsche scheitern, meine Ruhe ist dahin auf lange, lange Zeit, es ist – es ist – – – – ich bin verwirrt, ich vermag es nicht zu schreiben es ist – – – o Gott – – – zu theuer. Zitternd schreib ich es. [...] doch geht es so erlaub es Vater, liebe Mutter! bedenk bedenkt, daß wahrscheinl. die Ruhe Eures Sohnes auf lange Zeit davon abhängt. Abschreiben möcht ich es aber es sind 14 Bände. [...]

Natürlich überzeugt das die Eltern. Die Bücher werden angeschafft.

Von den Lehrern Grabbes am Detmolder Gymnasium ist es sein Deutschlehrer Christian Ferdinand Falkmann (1782-1844), der dieses literarische Talent seines Schülers früh erkennt und fördert. Falkmann, später auch Lehrer von Ferdinand Freiligrath, Verfasser nicht nur im Lippischen bekannter und im Unterricht verwendeter „Stylübungen", muntert seine Schüler zu eigenständigen poetischen Versuchen auf, bei denen sich der junge Grabbe besonders hervortut. Als er einmal ein selbstverfasstes Märchen vorliest, beeindruckt das den Lehrer so sehr, dass er es ihn noch einmal vorlesen lässt und dann fragt: „Grabbe, wo haben Sie das her? Es ist ja, als ob man von Calderon oder Shakespeare etwas lese."

Bereits mit 17 Jahren verfasst Grabbe ein erstes dramatisches Werk, vermutlich eine Tragödie, mit dem Titel *Theodora*, das er im Juli 1817 an den Leipziger Verleger Georg Joachim Göschen schickt, in dessen Göschen'scher Verlagsbuchhandlung u. a. Werke von Schiller, Goethe, Wieland und Klopstock erschienen waren. In seinem einigermaßen nassforschen Begleitbrief, in dem er von der Wertschätzung des Stücks durch „mehrere Gelehrte" spricht, die u. a. „mehrere kühne Theaterstreiche" gelobt hätten (ein Hinweis darauf, dass Grabbe schon zu diesem frühen Zeitpunkt auf Innovation und Überraschung setzt), erdreistet er sich sogar, dem bedeutenden Verleger Bedingungen für die Inverlagnahme zu stellen: „[...] daß mein Werk wenigstens künftigen Ostern gedruckt ist. Gern sähe ich es auf Schreibpapier gedruckt und mit einem Kupfer zu irgend einer Szene verziert." Er fordert ihn frech dazu auf, „die Theodora den ersten oder den zweiten Tag nach dem Empfange durchzulesen, und mir [Grabbe] gleich darauf für jeden geschriebenen Bogen eine Pistole in Golde, zusammen also 32 ½ Pistole zu senden, so daß ich von Dato an in neun oder eilf Tagen die Bezahlung erhalte." Um dann generös fortzufahren: „Das Format des Buchs, die Menge der gedruckten Exemplare, die Wahl des Papiers und der Typen überlasse ich gerne dem Kundigen, Ihnen. [...]" Das klingt doch sehr nach Selbstüberschätzung und zeugt von einem gravierenden Mangel an Selbstreflexivität. Dass er sich als literarischer Niemand nun auf diese Weise einem Verleger andient, spricht zudem für eine ziemliche Naivität und den überheblichen – oder dummen – Verzicht auf kompetente Beratung. So nimmt es nicht Wunder, dass Göschen das Stück nach knapp drei Wochen zurückschickt und dazu lapidar notiert: „Schlug ihm sein Anerbieten aus, und sandte ihm das Manuskript – Theodora – zurück." Das Stück ist bis heute verschollen geblieben.

Um dieselbe Zeit beginnt Grabbe, sich intensiv mit den Werken Shakespeares zu beschäftigen. Ohne Wissen der Eltern hatte er dessen Tragödien in der Übersetzung August Wilhelm Schlegels bei einem Buchhändler in Lemgo bestellt. Erst ein halbes Jahr später, im Februar 1818, erläutert er den übergangenen Eltern die Gründe für das eigenmächtige Handeln in einer „Kritischen Beleuchtung". Den Tragödien Shakespeares, heißt es da, hat „Deutschland seine Bildung zu verdanken, denn sie regten zuerst Göthen den größten Deutschen auf; sie waren es, um welche Schiller, als er eine Stelle aus ihnen hatte vorlesen hören nach Stuttgart reißte und von ihnen befeuert die Räuber schrieb." Und nun verkündet Grabbe erstmals die Absicht, nach dem Studium „durch Schriftstellerei", genauer als Dramatiker sein Geld verdienen zu wollen, um dann „in Überfluss leben zu können". Und dazu benötige er Shakespeares Tragödien als Anschauungs- und Lehrmaterial, denn er könne „bloß das schreiben, was in Shakespeares Fach schlägt, Dramen." Um die letzten Zweifel zu zerstreuen, setzt er hinzu:

> Durch eine Tragödie kann man sich Ruhm bei Kaisern, und ein Honorar von Tausenden erwerben und nur durch Shakespeares Tragödien kann man lernen gute zu machen, denn er ist der erste der Welt, wie Schiller sagt, bei dessen Stücken Weiber zu frühzeitig geboren haben. Der Shakespeare ist aber so schwer zu verstehen, daß man Monate an einer Seite, wie an dem Monolog im Hamlet: „Seyn oder nicht Seyn" u. s. w. studiren muß und Jahre lang, wenn man Etwas daraus lernen will, darum wünschte ich ihn eigen zu haben.

Und als ob er befürchte, sich dann doch etwas zu weit aus dem Fenster gelehnt zu haben, beschwört er den Vater im Nachsatz: „Zeig ja! diesen Brief Niemand, Niemand!" Auch in diesem Fall haben die Eltern ein Einsehen, und es bleibt bei der Bestellung der Bücher.

Eigentlich hätte Grabbe Ostern 1819 vom Gymnasium abgehen sollen, doch wird der Abgang um ein Jahr verschoben. Seine Lehrer halten ihn „zwar in Hinsicht seiner Kenntnisse für vollkommen reif zur Universität, aber nicht in Hinsicht seines frühen Alters, von dem man jugendliche Ausbrüche fürchtet." Wäre Grabbe ein in jeder Hinsicht unauffälliger Schüler gewesen, hätte er das angestrebte Reifezeugnis sicherlich erhalten. Dass es ihm zunächst verwehrt wird, lässt darauf schließen, dass stadtbekannt gewordene Eskapaden des Schülers seine Lehrer bewogen haben, ihm die Möglichkeit zu geben, sein Temperament vor dem Übertritt ins Studium und dem damit verbundenen Wegzug aus Detmold in den Griff zu bekommen. Unter den Schülern der Abgangsklassen des Gymnasiums hatte sich in den Jahren, in denen Grabbe ihnen angehörte, ein recht ungezügelter Lebensstil entwickelt, zu dem u. a. Kartenspiel, Rauchen und Alkoholgenuss gehörten. Auch hier tut sich der Schüler Grabbe besonders hervor. Vor den Augen eines unerwartet in einer Konditorei auftauchenden Lehrers bestellt er, um diesen zu provozieren und seinen Mitschülern zu imponieren, sechs Liköre und trinkt sie nacheinander aus. Ist ein solches Verhalten in der Tat eher ein Indiz für charakterliche Unreife, so zeugen die neuerlichen Versuche des 18- bis 19-jährigen Schülers Grabbe, eine Tragödie – *Herzog Theodor von Gothland* – zu schreiben, durchaus von literarischer Frühreife. Im März 1820 erhält Grabbe das Abgangszeugnis des Gymnasiums und kann nun überlegen, was und wo er studieren will. Die Eltern haben schon lange im Voraus dafür gespart, dem einzigen Sohn ein akademisches Studium zu ermöglichen. Ihr größter Wunsch ist es, den Sohn einmal als Pfarrer von der Kanzel predigen zu hören. Doch ein Theologiestudium kommt für den alles andere als religiösen Grabbe nicht in Betracht. Er entschließt sich zu einem Jurastudium an der Universität Leipzig. Erleichtert wird die Finanzierung des Studiums dadurch, dass ihm und einem anderen Schüler von der lippischen Fürstin Pauline jeweils die Hälfte eines Stipendiums für die Jahre 1820 bis 1822 zuerkannt werden. Dies ist ein weiteres Indiz dafür, dass der junge Grabbe durchaus zu Hoffnungen Anlass gibt, in Zukunft Hervorragendes (nicht zuletzt auch für sein Heimatland Lippe) leisten zu können. „Von Grabben Senior und Junior habe ich eine gute Idee", hatte die Fürstin im Februar 1818 in einem Promemoria geschrieben, „der Vater ist brav und pflichttreu, der Sohn fleißig, ordentlich und von ausgezeichneten Gaben, er wird zu seiner Zeit wohl Anspruch auf die Stipendien des heiligen Kreuzes und der 11 000 Jungfrauen machen können." Wenn es im April 1820 auch nur die Hälfte dieses Stipendiums wird, so bedeutet dies doch eine große Auszeichnung für den Schulabgänger.

Damit enden Kindheit und Jugend Christian Dietrich Grabbes. Er hat sie in der Übersichtlichkeit eines provinziellen Residenzstädtchens (mit weniger als 4 000 Einwohnern) eines Duodezfürstentums verbracht – den Großteil davon sogar im Zuchthaus und auf dem dazu gehörigen Zuchthof, welcher der Lieblingsspielplatz des Kindes war. Diese besonderen Umstände werden sicherlich zu seinem Außenseitertum und seiner außerordentlichen Schüchternheit beigetragen haben. Der ihn mit großem Wohlwollen beobachtende Archivrat Clostermeier berichtet von einem „bizarren Zug" in Grabbes Charakter" und seiner „unbeschreibliche[n] Menschenscheu":

> [W]enn er mir auf der Straße begegnet, so könnte er mich nicht mit einer größeren Gleichgültigkeit grüßen, als wenn ich ein von Constantinopel angekommener Fremder wäre. Und doch weiß der junge Mensch, daß ich mich für ihn interessire. Mehrmals habe ich bei guten Gelegenheiten dem Vater zu erkennen gegeben, wie gerne ich zu *der* Bildung seines Sohnes, die er im väterlichen Haus nicht erhalten hat, etwas

beitragen wolle, und daß ich es gerne sehen würde, wenn er zuweilen mein Haus fre-
quentirte, worin er von meiner Frau und Tochter eben so gut aufgenommen werden
würde, als von mir selbst. Die Antwort des Vaters war immer: dazu kann ich meinen
Christian nicht bringen. Ich schwieg also zuletzt.

Der junge Grabbe ist ein schwieriger Charakter. Seine Schüchternheit versucht
er durch ein stolzes Gehabe zu überspielen – ein Verhaltensmuster, das er zeitlebens nicht ablegen wird.

Die Literatur, insbesondere die dramatische, hat bereits für den Jugendlichen
den größten Stellenwert. Er liest nicht nur außerordentlich viel, er ist auch ein
begeisterter Theatergänger. 1817 bis 1818 gastiert die Karschinsche Truppe im
Detmolder Komödienhaus und spielt u. a. Schiller und Lessing, Singspiele und
kleine Opern und die neuen Erfolgsdramatiker Iffland und Kotzebue. So oft er
kann, besucht der junge Grabbe diese Aufführungen und wird von der Welt des
Theaters ganz in den Bann gezogen. Sein Biograph Ziegler berichtet:

> Wenn er vor den Lampen saß, dann verfolgte er das Spiel in allen seinen kleinsten
> Wendungen mit der gespanntesten Aufmerksamkeit, bald aufglühend vor Lust, bald
> vor Schmerz und Ärger das Gesicht verziehend. Seinen, freilich oft spöttischen Criti-
> ken merkte man an, daß ihm auch nicht der kleinste Zug entgangen war.

2

Im Mai 1820 schreibt sich Grabbe an der Universität Leipzig ein und beginnt
ein Jurastudium. Leipzig ist mit nahezu 40 000 Einwohnern im Vergleich zu
Detmold eine Großstadt. Zudem strömen zu Messezeiten Tausende von Aus-
stellern und Messebesuchern in die Stadt und vermitteln dem Provinzler Grabbe
erstmals einen Eindruck von großstädtischer Betriebsamkeit und Massen: Ein-
drücke, die noch in die Gestaltung der großstädtischen Massenszenen von *Napoleon oder die hundert Tage* (1830/31) eingehen werden. In vielen seiner Briefe an
die Eltern schildert er das wirbelige Treiben zu Messezeiten und dabei von ihm
gemachte Beobachtungen wie diese:

> Unter meinem Fenster stehen Seifensieder- und Leineweber-Buden; da solltet Ihr das
> Schimpfen hören; gestern schimpfte eine Seifensiederin einen andern Seifensieder 4
> Stunden lang bei einem Athem aus. Zum Prügeln kommt es aber niemals.

In den Anfangssemestern betreibt Grabbe sein Studium durchaus ernsthaft
und besucht regelmäßig rechtswissenschaftliche Vorlesungen, u. a. bei dem Phi-
losophen Wilhelm Traugott Krug über das Naturrecht. Daneben setzt er aber

seine Arbeit an der bereits in Detmold begonnenen Tragödie *Herzog Theodor von Gothland* fort. Er hat wenig Umgang mit anderen Studenten, vom studentischen Verbindungsleben hält er sich fern. Zu den wenigen intensiveren Kontakten gehört der zu dem aus Frankfurt am Main stammenden Georg Ferdinand Kettembeil, seinem späteren ersten Verleger. Ansonsten bekommt er gelegentlich Besuche anderer aus Detmold stammender Studenten. Über diese gelangen Gerüchte nach Detmold, die Grabbe einen sehr freizügigen Lebenswandel und übermäßigen Alkoholkonsum nachsagen. Für den Grabbe-Biographen Ziegler sind es mehr als nur Gerüchte:

> [Er] gab [...] sich häufig einem wilden zügellosen Leben hin, es war als ob er sich in den Armen der Sinnlichkeit, in dem Genuß der heißesten Getränke betäuben wollte; er stürmte förmlich auf seine Gesundheit los in einer Weise, die auch die stärkste Natur schien ruinieren zu müssen [...]

Ob diese Behauptungen – sogar von „Orgien" ist die Rede – zutreffend sind, ist nicht mehr zu klären – ganz ohne Wahrheitsgehalt sind sie sicherlich nicht. Sicher aber ist, dass Grabbe im Februar 1822 kurz davor ist, den *Gothland* abzuschließen. Am 26. des Monats teilt er seinen Eltern mit: „Mein Stück kommt täglich seiner Beendigung näher", und er prognostiziert vollmundig: „es wird mich gewiß sehr berühmt machen."

Im Winter 1821/22 muss in Grabbe der Entschluss gereift sein, Leipzig zu verlassen und an die Berliner Universität zu wechseln, denn in dem eben erwähnten Brief an die Eltern dankt er diesen dafür, dass sie ihm den Wechsel nach Berlin bewilligt haben – mit dem Vorteil für sie, dass „die berliner Post weit schneller als die leipziger" in Detmold ankommt, der Umzug also trotz größerer Entfernung die Kommunikation beschleunigen wird.

Im April 1822 schreibt sich Grabbe an der Berliner Universität ein und bezieht eine Wohnung in der Alten Friedrichstraße, unweit von Unter den Linden. Auch sein Leipziger Kommilitone Kettembeil studiert inzwischen in Berlin, wo beide weiter Kontakt halten. In der preußischen Hauptstadt ist Grabbe in einer veritablen Großstadt mit mehr als 200 000 Einwohnern angekommen. Zwar besucht er auch hier rechtswissenschaftliche Vorlesungen, sein Hauptinteresse aber gilt der Fertigstellung seiner Tragödie *Herzog Theodor von Gothland*, die am 11. Juni 1822 erfolgt. Schon im August kann er den Eltern berichten, dass er „von vielen hiesigen Schriftstellern" aus Interesse am *Gothland* aufgesucht werde: „Mein Werk fällt den Leuten, die es lesen so sehr auf, daß sie beinahe wirblich vor Überraschung werden." Der Kreis, in dem Grabbes *Gothland* so große Aufmerksamkeit erregt, besteht aus dem Medizinstudenten Ludwig Gustorf (geb. 1798), dem Jurastudenten Karl Köchy (geb. 1800) (beide hatten während des Studiums in Göttingen Heinrich Heine kennengelernt und verkehrten auch in Berlin mit ihm), dem Gerichtsreferendar Friedrich von Uechtritz (geb. 1800) und – gelegentlich – Heine (geb. 1797) selbst. Allen gemeinsam ist die Begeisterung für Literatur, an der sie sich, bis auf Gustorf, auch aktiv versuchen. Haupttreffpunkt dieses Kreises ist die Wohnung Köchys in der Behrenstraße. Man liest Shakespeare in verteilten Rollen, Neuerscheinungen etwa von Tieck oder Immermann und macht einander mit eigenen literarischen Texten bekannt. Grabbes *Gothland*, das steht fest, erregt in diesem Kreis – und darüber hinaus – großes Aufsehen. Grabbe berichtet den Eltern:

> Mein Werk schafft mir allmählig immer mehr Freunde, Bekannte und Bewunderer [...]. Das Stück ist aber so ausgezeichnet und groß, daß mir alle rathen, ich müßte es nur außerordentlich geistreichen Männern zeigen, weil das gewöhnliche Volk es nicht verstände. Ein Doctor Gustav sagte mir, daß mir meine Sachen, wenn erst eins gedruckt worden wäre, sehr hoch bezahlt werden würden.

Und er schließt an: „In 14 Tagen bin ich noch dazu mit einem Lustspiel fertig, von dem die meisten noch mehr erwarten, als wie von meinem Trauerspiel."

Tatsächlich schließt Grabbe die Arbeit an diesem Lustspiel – es wird unter dem Titel *Scherz, Satire, Ironie und tiefere Bedeutung* in die Literaturgeschichte eingehen – Mitte September ab. Von Uechtritz liest es im Freundeskreis vor. Vielleicht wird es auch auf Köchys portablem Puppentheater zur Aufführung gebracht. Binnen kürzester Zeit hat der 21-Jährige zwei Stücke verfasst, die auf eine solche Resonanz bei den Freunden stoßen, dass er von seinem bevorstehenden Erfolg als Dramatiker überzeugt ist. Was es dazu noch braucht, ist die öffentliche Anerkennung durch eine literarische Autorität, deren ästhetisches Urteil als unanzweifelbar gelten kann. Für diese Autorität hält Grabbe Ludwig Tieck. Tieck, nach Goethe wohl der renommierteste lebende deutsche Dichter um 1820, lebt als sächsischer Hofrat in Dresden. Ihm schickt Grabbe am 21. September 1822 seinen *Gothland*. Sein Begleitbrief und insbesondere dessen Nachschrift bringen unmissverständlich zum Ausdruck, worauf Grabbe hofft. Natürlich nicht nur „[e]in paar beurtheilende Zeilen", wie er im Bescheidenheitsgestus schreibt. Er will „das nähere Interesse" Tiecks erregen, denn könne er das dokumentieren, „so würde mein schriftstellerisches Loos entschieden seyn." Er betont „die Kühnheiten [s]einer Composition, von denen [...] wahrlich keine einzige ohne näheren Bedacht hingesetzt" sei. Und er teilt dem Empfänger recht forsch mit, dass er „ohngefähr über drei Wochen" einen Antwortbrief von ihm erwarte. Während der eigentliche Brief noch einigermaßen im Rahmen der Konventionen bleibt (ein blutjunger Unbekannter schreibt an eine gestandene Autorität und schließt seinen Brief mit der Versicherung, ihr „gehorsamster und tiefster Verehrer" zu sein), so fährt die Nachschrift ganz andere Geschütze auf:

Im Bewußtseyn, daß ich wenigstens etwas Ausgezeichnetes, wenn auch nichts Gutes geleistet habe, fodre ich Sie auf, mich öffentlich für einen frechen und erbärmlichen Dichterling zu erklären, wenn Sie mein Trauerspiel den Producten der gewöhnlichen heutigen Dichter ähnlich finden.

Das ist hoch gepokert. Und es ist natürlich eine Unverschämtheit. Es spricht aber für eine vorbehaltlose Entschlossenheit und für – zumindest zu diesem Zeitpunkt – ein großes, wenn nicht übersteigertes Selbstbewusstsein Grabbes. Er ist sich seiner Sache (vielleicht sogar *zu*) sicher und wagt viel. Seine Zuversicht, Eindruck auf Tieck machen zu können, resultiert in erster Linie aus seiner Gewissheit, etwas ganz Besonderes geschaffen zu haben, etwas, das sich manifest von der übrigen Literatur der Zeit unterscheidet und deshalb größte Aufmerksamkeit verdient. Ist dem wirklich so?

Grabbes *Gothland* verdankt seine Alleinstellung in der zeitgenössischen deutschsprachigen Literatur in erster Linie seinem antiidealistischen und antiklassischen, letztlich antihumanistischen Furor. Darüber hinaus ist das Stück massiv antireligiös und versucht, einen negativen Gottesbeweis zu führen: Ist die Welt, so grausam und kriegerisch wie sie de facto ist, tatsächlich von Gott so geschaffen und auch so gewollt, dann muss dieser Gott die Inkarnation des Bösen sein.

Das Stück inszeniert in z. T. angestrengtem (bisweilen auch unfreiwillig komischem) Zynismus den moralischen Niedergang des zunächst tugendhaften und religiös gefestigt scheinenden schwedischen Herzogs Theodor von Gothland zum Brudermörder, Verräter, Überläufer, der bis zu seinem eigenen bitteren Ende auch Ehefrau, Vater und Sohn ins Verderben stößt. Sein diese Entwicklung bewirkender Gegenspieler ist der Neger Berdoa, Anführer des feindlichen Heeres der heidnischen Finnen. Den treibt sein fanatischer Hass auf die christlichen Weißen, an denen er sich für früher erlittene Erniedrigungen (körperliche Züchtigungen und Versklavung) wirkungsvoll rächen will. Pars pro toto will Berdoa, zu dem Grabbe sicherlich inspiriert wurde durch den Mohren Aaron aus der blutrünstigen Tragödie *Titus Andronicus* (um 1590) des jungen Shakespeare, durch Intrigen den anfangs noch tugendhaften Gothland zu völliger Amoralität verleiten und ihn – und mit ihm alle, die ihm teuer waren – vernichten:

> Den Herzog Gothland, der mir furchtbar sein soll, / Will ich zum Kinderspott erniedrigen! / Mein Leben setz ich an das seinige; das Herz / Reiß ich ihm aus und werfs Hunden vor / Es zu zerfleischen, und vermag ichs es nicht, so / Zersprenge Zornwut meine Brust! (I,1, S. 19)

In seiner auf permanente Tabuverletzung setzenden Raserei wütet das Stück gegen nahezu alles, was im idealistisch-romantischen Diskurs (das Wahre, Gute und Schöne) als wertvoll gilt. Die Liebe zwischen den Geschlechtern wird auf pure

Geilheit reduziert: „Die Liebe / Ist Wollust; wer verliebt ist, der ist geil" (III,1, S.112). Die Überhöhung weiblicher Reinheit und Schönheit wird in misogynen Ausfällen in ihr Gegenteil verkehrt: „Deine Göttin ist ein Mensch / Wie du! Hat sie auf ihrem Kopf viel Haare, / Was du so rühmst, so hat sie sicher auch / Viel Ungeziefer drauf, und ihre Nas / Ist schleimig, wie die Nasen anderer Leute! / Sie trinkt und ißt so gut als du / Und so wie du gibt sie's auch wieder von sich!" (III,1, S. 115) Der aufklärerische Glaube an die Möglichkeit einer Entwicklung zum Besseren wird als realitätsfernes Wunschdenken des Menschen denunziert, der sich das Gute in die Weltgeschichte hineinliest, „[...] weil er / Zu feig ist, ihre grause Wahrheit kühn / Sich selber zu gestehn!" (III, 1, S. 81) Diese „grause Wahrheit" lasse nur den Schluss zu, dass kein guter Gott, sondern eine ganz und gar negative Macht für den Zustand der Welt verantwortlich sein muss, sei es „[a]llmächtger Wahnsinn" (III, 1, S. 81) oder „[a]llmächtge Bosheit" (ebd., S. 82). Das Fazit, das Grabbe seinen Gothland aus der Einsicht in die Substanzlosigkeit aller Werte und Ideale ziehen lässt, ist an Negativität nicht mehr zu steigern: „Ja, Gott / Ist boshaft, und Verzweiflung ist / Der wahre Gottesdienst", denn „[w]eil es verderben soll / Ist das Erschaffene erschaffen!" (III,1, S. 83)

Das ist fürwahr starker Tobak. Und es kann wohl kaum daran gezweifelt werden, dass sich das noch vom jugendlichen Schüler begonnene Drama (dessen Faktur auch dem zeitgenössischen Schicksalsdrama und dem Byronismus dieser Jahre einiges verdankt) allzu angestrengt und völlig humorlos in frauen-, humanitäts- und religionsfeindlichen Hasstiraden ergeht, die sich gelegentlich zu wahren Paroxysmen steigern. Hier will einer um jeden Preis provozieren, um Beachtung im Literatursystem zu finden. Die Maßlosigkeit im Negativen passt bestens in eine Zeit, in der Melancholie und Pessimismus den geistigen Zustand einer jungen Generation prägen, die von der Stagnation bzw. der Restauration nach den bewegten Zeiten der Französischen Revolution und Napoleons enttäuscht sind. Der für diesen Typus des jungen, illusionslosen – zerrissenen – Intellektuellen stehende „Byronic Hero" gibt für den jungen Grabbe ein perfektes Rollenmuster ab, an dem er sich orientieren und modellieren kann. Im *Gothland* gelingt ihm sogar noch eine Steigerung der ‚Zerrissenheit' in unversöhnbare Verzweiflung.

Und natürlich wird das vom lebens- und literaturerfahrenen Tieck durchschaut. Aber er nimmt den jungen Dramatiker, der ihm mit *Gothland* eine ihn interessierende Talentprobe hat zukommen lassen, ernst. Er hält ihn nicht nur für einen Trittbrettfahrer des Zeitgeistes. Deshalb schreibt er sehr ausführlich – an einen gerade einmal 21-Jährigen, von dem er nichts weiß und kennt als diese wild-wütende Spätpubertätssuada mit literarisch vielversprechenden Anklängen, mögen sie auch noch sichtbar von Shakespeare und Lord Byron inspiriert sein. Und er ist ehrlich besorgt um den jungen Dramatiker. Zwar nicht in der von Grabbe gesetzten Frist, aber auch nicht viel später, am 6.12.1822, schreibt er ihm u. a.:

[...] Wie schwer mir aber gerade bei diesem Producte ein eigentliches, wahres Urtheil wird, kann ich Ihnen in einem kurzen [!] Briefe nicht eilig auseinandersetzen. Daß es sich durch seine Seltsamkeit, Härte, Bizarrerie und nicht selten große Gedanken [...] sehr von dem gewöhnlichen Troß unserer Theaterstücke unterscheidet, darinn haben Sie vollkommen Recht. Ich bin einigemal auf Stellen gestoßen, die ich groß nennen möchte, Verse, in denen wahre Dichterkraft hervorleuchtet. Auch ist Ihr Stück so wenig süßlich sentimental, unbestimmt und andren nachgeahmt, daß es gewissermaßen zum Erschrecken sich ganz einzeln stellt, im Entsetzlichen, Grausamen und Cynischen sich gefällt und dadurch nicht nur nicht allein jene weichlichen Gefühle ironisirt, sondern zugleich alles Gefühl und Leben des Schauspiels, ja selbst diesen Cynismus zerstört. [...]

Und nachdem er Grabbe darauf hingewiesen hat, dass das Stück an einem „unpoetischen Materialismus" leide, fährt er fort:

Daß alle jene Stellen, die mir vorzüglich gefallen haben, alle mehr oder minder den Zweifel an Gott und Schöpfung ausdrücken, alle den Ton einer tiefen Verzweiflung ausklingen, und mich schließen lassen, daß Sie schon viele herbe und traurige Erfahrungen müssen gemacht haben. Sie sind noch obenein jung (wie ich aus dem Ungestüm der Dichtung fast glauben muß) so möchte ich in Ihrem Namen erbangen, denn wenn Ihnen so früh die ächte poetische Hoffnungs- und Lebenskraft ausgegangen ist, wo Brod auf der Wanderung durch die Wüste hernehmen?

Tieck lässt trotz aller Anerkennung im Einzelnen und der Sorge um seinen Autor insgesamt keinen Zweifel daran, dass er das Stück für nicht gelungen hält. Er kritisiert die „große Unwahrscheinlichkeit der Fabel und [die] Unmöglichkeit der Motive" und betont: „Hier fände ich kein Ende mit meiner Kritik." Und die Einflüsse von Shakespeares *Titus Andronicus* betreffend macht er geltend: „Sie gehen aber viel weiter als der Engländer. Das Gräßliche ist nicht tragisch, wilder roher Cynismus ist keine Ironie, Krämpfe sind keine Kraft [...]." Tiecks Fazit ist:

Ihr Werk hat mich angezogen, sehr interessirt, abgestoßen, erschreckt und meine große Anteilnahme für den Autor gewonnen, von dem ich überzeugt bin, daß er etwas viel Besseres liefern kann [...]

Als Grabbe den Brief Tiecks an seinem 21. Geburtstag aus den Händen des damaligen Rektors der Berliner Universität, des Historikers Friedrich von Raumer, empfängt, ist er zunächst überglücklich, eines solch ausführlichen Briefes vom großen Tieck überhaupt für würdig befunden zu sein. Wichtiger als dessen kritische Einwände sind ihm die Bemerkungen, aus denen er Zuversicht und

Glauben an sein schriftstellerisches Talent ziehen kann. Dass der nach Goethe berühmteste lebende deutsche Dichter von ihm als einem „talentvollen Manne" spricht, stärkt sein Selbstbewusstsein. Dass ihn Tieck sogar noch auffordert: „lassen Sie uns bekannter mit einander werden", muss ihm wie ein Ritterschlag erschienen sein. Tieck aber, so ist zu befürchten, wird diesen Satz später mehr als einmal bereut haben, denn von nun an wird er den jungen, ehrgeizigen Dramatiker nicht mehr los.

Grabbe lässt sich einige Tage Zeit, bevor er antwortet. Er wird den Brief Tiecks unzählige Male gelesen und sehr genau überlegt haben, wie ihm am besten (sprich wirkungsvollsten) zu antworten ist. Ungeschickt wäre es, sich mit den kritischen Einwänden des Dichterfürsten auseinanderzusetzen. Klug umschifft Grabbe diese Klippe, indem er behauptet, „statt eine jämmerliche Autorenempfindlichkeit zu fühlen", „vielmehr entzückt [darüber zu sein], Ihres Tadels werth gewesen zu seyn."

Er entscheidet sich dafür, auf die Karte der Tieck'schen Empathie zu setzen. Die in dessen Brief an Grabbe deutlich werdende Sorge um die psychische Gesundheit des jungen Dramatikers weiß dieser weiter zu steigern, indem er darauf setzt, Mitleidseffekte zu erzeugen, die Tieck zu noch größerer Anteilnahme und deshalb vielleicht auch zu praktischer Unterstützung auf dem Weg zum schriftstellerischen Erfolg animieren könnten:

– Die Vermuthung, daß ich noch jung bin, ist gegründet; ich zähle erst 21 Jahre, habe aber leider schon seit dem siebzehnten fast alle Höhen und Tiefen des Lebens durchgemacht und stehe seitdem still.

Erinnern wir uns: Zwischen Grabbes 17. und 21. Geburtstag liegen die letzten Schuljahre in Detmold, zwei Jahre Studium in Leipzig und die Zeit in Berlin. Dafür, dass in dieser Zeit von „einer tiefen Verzweiflung" Grabbes die Rede gewesen sein kann, fehlen die Belege. Die Briefe an die Eltern berichten anderes, und auch sonst liegt kein Zeugnis vor, das einen solch desolaten Seelenzustand dokumentieren würde. So bleibt doch der Verdacht, dass er sich Tieck gegenüber als ein Verzweifelter inszeniert, um sich dessen Zuwendung zu erschleichen. Rhetorisch geht er dabei durchaus geschickt vor:

Wenn in meinem dramatischen Versuche hin und wieder der Ton einer tiefen Verzweiflung hervorklingt, so thut mir das besonders deswegen leid, weil es aussehen möchte als wenn ich auf Lord Byrons Manier mit meinem Schmerze renommiren wollte, und daran habe ich nicht gedacht [...]

Man kann nur annehmen: wohl doch! Auch der nächste Satz ist rein strategisch formuliert. Grabbe hat ja eben die Arbeit an seinem Lustspiel *Scherz und Ironie*

– so heißt das Stück zunächst – abgeschlossen. Er weiß nur zu genau, dass konstitutive Anregungen zu diesem Lustspiel auch auf Tiecks Märchenkomödien, vor allem auf *Der gestiefelte Kater* (1797), zurückgehen. Sicher hofft er nicht zuletzt deshalb, für das Lustspiel größere Zustimmung des „Meisters" zu erfahren als für die Tragödie. Er sendet ihm das Lustspiel mit seinem zweiten Brief, in dem er auf Tiecks Antwort eingeht. Da ist es in zweifacher Hinsicht klug, wie folgt fortzufahren:

> [...] ich will mich von jetzt an bemühen, bloß heitere Sachen zu dichten, weil sie mir ferner stehen [...] jedoch dichte ich auch nicht in leidenschaftlicher Bewegung, sondern besitze, was vielleicht sonderbar scheint, während des Schreibens die starrste Kälte [...].

Er nimmt zum einen Tiecks kritischen Einwand auf, mit dem *Gothland* (noch) keine gelungene Tragödie geschrieben zu haben, und kann sich zum anderen wieder und in einer Variante als existenziell Leidender in Szene setzen.

Und natürlich greift er auch das Angebot Tiecks auf, nähere Bekanntschaft miteinander zu machen, was „die wohlthätigsten Folgen [für Grabbe!] haben würde".

Den Eltern berichtet er wenige Tage später von dem für ihn so wichtigen Kontakt. Hier spricht er Klartext, und es wird evident, welch große Hoffnung sein strategisches Verhalten Tieck, „nach Göthe der erste in Deutschland", gegenüber lenkt:

> [...] dieser Brief kann mir außerordentlich nützlich werden, denn wenn z. B. nur Jemand weiß, daß ich mit Tieck, der fast Niemanden eines Briefwechsels würdigt, correspondire, so ist das mehr Empfehlung als wenn ich ein Adelsdiplom in der Tasche hätte. [...]

3

Doch bleibt eine erneute Antwort Tiecks und damit auch eine Stellungnahme zum Lustspiel aus. In dieser Zeit, um die Jahreswende 1822/23, beschließt Grabbe, sein Studium zu beenden. Eine anschließende Rückkehr nach Detmold schließt er nun kategorisch aus. Den Eltern schreibt er:

> auch bin ich erböthig, mich zum Beweise, daß ich auf der Universität etwas profitirt habe, examiniren zu lassen, aber daß ich in Detmold, wo mich Niemand verstehen sondern höchstens nur verachten kann, auf immer leben soll, werdet Ihr mich nicht zumuthen.

Erstmals spricht er davon, daß seine Freunde

> Correspondenzen mit den größten deutschen Bühnen eröffnet haben, um mir auf irgend einer einen Platz mit einem angeseh'nen Gehalt zu verschaffen.

Belege dafür gibt es jedoch nicht. Grabbe scheint sich in einer überaus euphorischen Phase zu befinden und versichert den Eltern, „daß bald in allen Blättern von [ihm] geschrieben wird." Es scheint allerdings, als schätze er seine Lage nicht wirklichkeitsadäquat ein. Tieck schweigt, und für eine sich abzeichnende Anstellung an einem Theater gibt es keinerlei Anzeichen. Im Grunde ist die Situation so, dass Grabbe für die Zeit nach dem Studium dafür sorgen muss, von irgendetwas leben zu können – und das, so viel ist zumindest klar, auf keinen Fall in Detmold. Die Lage spitzt sich zu. An Tieck hatte er am 16. Dezember seinen Antwortbrief samt dem Lustspiel geschickt. Drei Monate später hat dieser immer noch nicht geantwortet. Einen Verleger für den *Gothland* hat er auch noch nicht gefunden. Immerhin ist die Reaktion einer prominenten Leserin des Manuskripts Beweis dafür, dass das Stück den erwünschten Schockeffekt tatsächlich erzielen kann. Heine, vom *Gothland* durchaus angetan, hatte ihn zur Lektüre an Karl August Varnhagen von Ense geschickt. So kommt das Stück dessen Gattin Rahel in die Hände, die es zu lesen beginnt. Sie ist zunehmend entsetzt und lässt gegen Mitternacht Heine rufen, damit er das Manuskript zurücknimmt, mit dem sie keine Nacht im Haus verbringen wolle, da sie dann unmöglich Schlaf finden könne. Zumindest als die Provokation, die es sein soll, funktioniert das Stück. Aber weiter bringt das Grabbe nicht.

Sicherlich ist er in dieser Zeit zunehmend enttäuscht darüber, dass Tieck nicht schreibt und sich zu seinem Lustspiel nicht äußert.

Was ist das für ein Stück, dessen späterer Titel *Scherz, Satire, Ironie und tiefere Bedeutung* nicht nur in die Literaturgeschichte, sondern auch in den Thesaurus Geflügelter Worte eingehen wird?

Zunächst einmal – und das ist nicht wenig – ist es eines der seltenen deutschsprachigen Lustspiele, das wirklich lustig ist. Und es ist dies nicht nur im vordergründigen Sinn gelungener Unterhaltung, sondern es ist subversiv, anarchisch und in hohem Maße selbstreflexiv und -ironisch. Es ist in diesen Hinsichten ein frühes Zeugnis der literarischen Moderne. Seine Rezeption in den Avantgardebewegungen des späten 19. und frühen 20. Jahrhunderts ist konstitutiv für Grabbes Einschätzung als einem Modernen avant la lettre, als einem Theaterrevolutionär und Bürgerschreck. Wie erzielt er diese Effekte?

Was das Stück zuallerst besonders macht, ist, dass es keine Handlung im herkömmlichen Sinn hat. Was vordergründig als Handlung erscheint, ist allenfalls ein holzschnittartiges Hilfsgerüst, das sich in seiner Klischeehaftigkeit selbst ironisiert.

In der rudimentären Kernhandlung geht es natürlich um die Liebe, die, nachdem alle Intrigen überstanden sind, in eine Hochzeit münden soll und wird. Liddy, die Nichte eines Barons, dessen sehr überschaubarer Herrschaftsbereich nur aus seinem Schloss, einem kleinen Dorf und dessen ländlicher Umgebung besteht, ist mit einem Herrn von Wernthal verlobt. Der hat aber weit mehr Interesse an ihrer Mitgift als an ihr selbst, denn er ist hochverschuldet und könnte sich durch die Eheschließung sanieren. Sein Konkurrent ist der Lüstling Freiherr von Mordax, der ausschließlich an den körperlich-weiblichen Vorzügen Liddys interessiert ist. Weitere in die „Handlung" involvierte dramatis personae sind ein gewitzter, aber völlig versoffener Schulmeister, dessen vertrottelter Schüler Gottliebchen, ein über die Maßen eitler, aber völlig talentloser Dichter mit (sprechendem) Namen Rattengift, ein abgründig hässlicher, eben von seiner Grand Tour aus Italien heimgekehrter empfindsamer junger Mann mit dem (ebenfalls sprechenden) Namen Mollfels, ein Bauer, ein Schmied, vier Naturhistoriker, dreizehn Schneidergesellen, der Baron und – vor allem – der Teufel (und seine Großmutter) sowie – ganz am Ende des Stücks – sogar Grabbe selbst.

Bewegung in diese ländliche ‚Idylle', die, wie man am Ende des Stücks wissen wird, alles andere als eine solche ist, bringt kein anderer als der Teufel. Da in der Hölle gerade Putztag ist, weicht er auf die Erde aus und landet im Dorf des Barons. Obwohl Sommer ist, erfriert der an die Hitze des Höllenfeuers Gewohnte auf freiem Feld. Hier finden ihn vier Naturhistoriker und geraten in einen heftigen Disput darüber, um was für ein Wesen es sich bei dem trotz hochsommerlicher Hitze Erfrorenen wohl handeln könne. Als mögliche Identitäten werden genannt: Rezensent (vor allem wegen der „großmäuligen Lippen" und „göttlicher Grobheit"), Pastorstochter, Teufel oder (wegen der „enorme[n] Häßlichkeit") deutsche Schriftstellerin. Die durch Evidenz gedeckte Hypothese ‚Teufel' wird zurückgewiesen, denn er „paßt nicht in[s] System" der Wissenschaft. So einigt man sich auf die Schriftstellerin wegen der „triftigern Argumente". Der Teufel kommt zu sich, ist in der Welt und kann damit beginnen, seine teuflischen Intrigen zu spinnen. Die wesentliche besteht darin, die Hochzeit von Liddy und ihrem Verlobten von Wernthal zu hintertreiben und sie dem geilen Freiherrn von Mordax zuzuführen, der bloß ihre „Zitzen" liebt und sich schwört: „Ich will sie heirathen oder totstechen!" Unter den Bedingungen, dass er seinen ältesten Sohn Philosophie studieren lässt und dreizehn Schneidergesellen („[w]eil es die unschuldigsten sind") ermordet, will der Teufel ihm Liddy verschaffen. Mordax, dessen einzige Befürchtung die ist, er könne sich bei der Ermordung der dreizehn Schneider beschmutzen, rät er, „eine Serviette vor[zu]machen". So kann zur Tat geschritten werden, die dann pantomimisch in Szene gesetzt wird.

Mit dem Verlobten Liddys, von Wernthal, dem es ja nur um ihre Mitgift geht, schachert der Teufel in einer skurrilen Auktion, bei der Schönheit und eine „feine,

weiche Hand" den Preis steigern, Verstand ihn mindert und Unschuld so gut wie
nichts wert ist, um die Braut. Der Verlobte ist für eine hinreichend große Summe
gern bereit, auf Liddy zu verzichten und sie wem auch immer zu überlassen.

Just zur selben Zeit kommt der empfindsame Bildungsbürger Mollfels von
seiner Reise nach Italien zurück. Er ist seit jeher in Liddy verliebt, rechnet sich
aber wegen seiner abgründigen Hässlichkeit keine Chancen bei ihr aus. Neben
den ehrfurchtsvollen Erinnerungen an die antiken Überreste („Dort schämt
man sich ja beinahe, daß man lebt.") hat er aus Italien Kondome mitgebracht, die
noch von einiger Bedeutung sein werden.

Die ,Handlung' des Stücks, die in ihrer gewollten Schlichtheit auch die
zeitgenössische Trivialkomödie in der Iffland-Kotzebue-Tradition persifliert,
ist aber keineswegs linear voranschreitend. Sie wird unterbrochen von allerlei
Szenen, in denen es Grabbe um ein weit wichtigeres Anliegen geht: um die satirische Generaloffensive auf das literarisch-kulturelle System seiner Zeit. Ziele
seiner satirischen Attacken sind neben den Erfolgsautoren der Zeit (deren Texte
gerade einmal dazu geeignet sind, „halbfaule[] Heringe" darin einzuwickeln,
deshalb „Heringsliteratur"), die Rezensenten, die „Reimschmiede", langweilige
Schauspieler, singende „Vetteln" usw. usw. Neben diesen von einem ignoranten
Publikum gefeierten ,Kulturschaffenden' bekommen auch die kanonisierten
„Klassiker", allen voran Schiller, eine satirische Breitseite verpasst. Der grassie-
rende Schiller-Kult wird vom Teufel gegenüber dem verdutzten Möchtegern-
poeten Rattengift dadurch ad absurdum geführt, dass er ihn darüber aufklärt,
dass dessen „unsterbliche[] Heroen der Tugend", so etwa der Marquis Posa oder
Wallenstein, in der Hölle sitzen, als hängebäuchiger Kuppler und Bierschenk der
eine (Posa), als Zitatphrasen dreschender („hier ist nicht Raum zu schlagen")
Rektor des höllischen Gymnasiums, dem gerade ein „große[r] papierne[r] Zopf
angesteckt" wird, der andere. Die einzige Rettung für die deutsche Literatur, so
lässt es Grabbe den Baron in einem wenig motivierten und aus dem Rahmen fal-
lenden Monolog fabulieren, ist nur von einem „gewaltige[n] Genius" zu erwarten, „der mit göttlicher Stärke von Haupt zu Fuß gepanzert, sich des deutschen
Parnasses annähme und das Gesindel in die Sümpfe zurücktriebe, aus welchem
es gekrochen ist". Es steht zu befürchten, dass Grabbe mit diesem Genius wohl
sich selbst gemeint haben könnte.

Das Lustspiel ist aber weit mehr als nur Literatursatire. Sehr vieles von dem,
was von den Zeitgenossen für Errungenschaften des wissenschaftlich-techno-
logischen Fortschritts und der modernen Zivilisation gehalten wird, gibt das
Stück der Lächerlichkeit preis. Was als Aufklärungspädagogik mit ihren hehren
Idealen der Menschheitserziehung und dem Glauben an die Perfektibilität angetreten ist, ist längst zur Prügelpädagogik verkommen, für die ein ohrfeigenverfer-
tigender Trunkenbold von Dorfschullehrer steht. Die geschichtsphilosophisch

aufgeladene Hoffnung des klassisch-idealistischen Projekts auf die veredelnde Wirkung von Kunst und Literatur wird durch die faktische Dominanz von Immoralität, Mediokrität und Dummheit als realitätsfernes Wunschdenken, als Ideologie, entlarvt. Nicht allein die irdische Wirklichkeit, selbst der doch eigentlich als Inbegriff des Bösen Furcht und Schrecken einflößende Teufel ist banal, wird im Stück, so wie die Welt hier desillusioniert wird, entdiabolisiert und zu einem frechen, gemeinen, geilen und zudem feigen Intriganten miniaturisiert, der wahrlich keinen Schrecken mehr verbreitet, sondern fast schon Mitleid erregt, wenn er, vom Kondomköder angelockt, jämmerlich in der ihm gestellten Falle hockt und dem Schulmeister Pfötchen geben muss. Der Teufel erscheint geradezu menschlich schwach. Und er muss, um erfolgreich zu intrigieren, nur auf die allen Zuschauern bekannten menschlichen Untugenden setzen: auf Geldgier, Eitelkeit, Lüsternheit und Dummheit. So einfach, das scheint das Stück zu lehren, sind die Menschen vom Weg der Tugend abzubringen. Doch selbst da hat Grabbe noch eine Volte parat: Gerade der als Inbegriff des Asozialen gezeichnete Schulmeister ist es am Ende, der Moral beweist, geschickt den Teufel überlistet und so die Verbindung zwischen Liddy und Mollfels überhaupt erst ermöglicht. Und der am Ende glückliche Mollfels beweist, dass auch das abgründig Hässliche (und nicht nur das Schöne) mit dem sittlich Guten zusammengehen kann.

Um seine Zuschauer (Leser) zum Lachen zu bringen, nutzt Grabbe sehr unterschiedliche Formen des Komischen. Neben der Satire und der Ironie sind dies auch ganz handfeste Mittel. Grabbe legt sich in dieser Beziehung nach unten keine Grenzen auf, schreckt auch vor Zoten, Kalauern und schlüpfrigen Zweideutigkeiten nicht zurück. Er bewegt sich damit z. T. auf einem bewusst den ,guten Geschmack' verletzenden grobkomischen Niveau, das auf das zeitgenössische Publikum durchaus schockierend hätte wirken können, wäre das Stück denn gespielt worden. Denn wie Grabbe Rattengift sagen lässt:

> Heutzutage muß die Komik fein sein, so fein, daß man sie gar nicht mehr sieht; wenn dann die Zuschauer sie dennoch bemerken, so freuen sie sich zwar nicht über das Stück, aber doch über ihren Scharfsinn, welcher da etwas gefunden hat, wo nichts zu finden war. Überhaupt ist der Deutsche viel zu gebildet und zu vernünftig, als daß er eine kecke starke Lustigkeit ertrüge.

Was für seine biedermeierlichen Zeitgenossen gelten mag, für Grabbe gilt es eben nicht. In seinem Lustspiel gelingen ihm Szenen (fast könnte man sagen Sketche), die zu den Sternstunden theatralischer Komik gehören. Zwei seien besonders hervorgehoben: In der 2. Szene des 2. Akts sitzt der Dichter Rattengift „an einem Tische und will dichten". Schon diese Szenenanweisung verdeutlicht,

was es noch mit der dichterischen Inspiration, dem ‚freien Flug der Phantasie',
auf sich hat: gar nichts mehr. Der Dichter ist zu einem elenden Kunsthandwer-
ker verkommen, der zwar noch über technische Fertigkeiten verfügt, die Formen einigermaßen beherrscht, aber ohne jede Substanz ist, ohne jede auch nur
einigermaßen mitteilenswerte oder gar bedeutsame Botschaft: „Ach, die Gedanken! Reime sind da, aber die Gedanken, die Gedanken!" Sie wollen sich nicht
einstellen. Also beschließt der jämmerliche Dichter: „eben über den Gedanken, daß ich keinen Gedanken finden kann, will ich ein Sonett machen." Diese
Eingebung steigert seine Begeisterung über die eigene ‚Genialität' zu höchstem
Selbstgenuss:

> und wahrhaftig, dieser Gedanke über die Gedankenlosigkeit, ist der genialste
> Gedanke, der mir nur einfallen konnte! Ich mache gleichsam darüber eben darüber,
> daß ich nicht zu dichten vermag, ein Gedicht! Wie pikant! Wie originell! *Er läuft
> schnell vor den Spiegel* Auf Ehre, ich sehe doch recht genial aus!

Nachdem wir dem Dichter eine Weile bei seinem kuriosen Dichtversuch zuge-
sehen haben, gebiert sein Genius am Ende den folgenden gänzlich absurden
Reim: „So wie der Löwe, eh der Morgen grauet / Am Pferde, seiner schnellen
Feder kauet –". Den vor Eitelkeit beinahe berstenden Dichterling befällt geradezu Angst vor dem Ausmaß seiner dichterischen Potenz: „Nein, nein! So eine
Metapher gibt es noch gar nicht! Ich erschrecke vor meiner eigenen poetischen
Kraft!" Wirkungsvoller lassen sich Kunstideologie und Genieästhetik kaum ent-
larven als in dieser bis zur Kenntlichkeit entstellten Karikatur eines Epigonen
der Geniezeit, für den Grabbe vermutlich durch einen Dichtertypus wie August
von Platen angeregt worden ist. Für den Teufel ist natürlich ein Leichtes, das ver-
meintliche Originalgenie an seiner exorbitanten Eitelkeit zu packen und mit der
Behauptung, Calderon lese in der Hölle seine Gedichte und lasse ihn grüßen,
zum Spießgesellen bei seiner Intrige zu machen.

Eine andere Szene, die in keiner Inszenierung des Stücks ihre komische
Wirkung verfehlt, ist die Besäufnisszene in der ersten Szene des dritten Akts.
Rattengift und Mollfels besuchen den Schulmeister. Man beschließt, sich mit
zwölf Flaschen Wein eine lustige Nacht zu machen. Zunächst lässt sich alles
noch recht gesittet an. Rattengift und Mollfels diskutieren über die geeig-
neten Mittel und Formen, literarisch erfolgreich zu sein. So rät Mollfels dem
nach dichterischer Anerkennung hungernden Rattengift: „Dichten Sie künftig
nichts als Trauerspiele! Wenn Sie denselben nur die gehörige Mittelmäßigkeit
verleihen, so ist es unmöglich, daß Sie nicht den rauschendsten Applaus ein-
ernteten!" In einer neuerlichen Polemik gegen die Gegenwartsliteratur, die sich
„vorzüglich" am „Geschmack der Damen" orientiere, die jetzt als die „oberste

Appellationsinstanz" gelten, führt Mollfels aus, dass selbst Homer und Shakespeare, veröffentlichen sie ihre klassischen Texte erst jetzt, von der Kritik als Verfasser eines „unsinnige[n] Gemengsel[]" (*Ilias*) oder eines „bombastische[n] Saustall[]" (*König Lear*) beurteilt werden würden. Natürlich nimmt der formverliebte Rattengift gegen Mollfels' Plädoyer, das die weichgespülte Gegenwartsliteratur verdammt und für die gezielte Regel- und damit Tabuverletzung votiert, die Regel in Schutz, sie gilt ihm als „unerläßlich", als „Beinkleid des Genies". Mollfels hingegen, hier wohl wirklich das Sprachrohr Grabbes, fordert vom Künstler, dass er „sich an seinen eignen Genius halten" und alle Schranken zerbrechen soll, wenn er sie „jämmerlich schmal" findet. Übereinkunft ist zwischen den beiden Antipoden in nüchternem Zustand nicht zu erzielen, entspricht doch Rattengift genau dem ,Beuteschema' von Mollfels, wenn dieser von den Regierungen fordert, „endlich einmal ein Schock Poeten wegen ihrer elenden Gedichte hinzurichten". Mit steigendem Alkoholgenuss ändert sich das. Nachdem sich die Zecher nach dem Vorbild des lebens- und sufferfahrenen Schulmeisters die Köpfe mit Bettlaken umwickelt haben, um sich vor den Folgen späterer Stürze zu schützen („Wegen des Umfallens besaufe ich mich gerne mit verbundenem Kopfe!"), wird die Runde immer lebhafter und enthemmter. Der Schulmeister gibt eine zotige Anekdote aus seiner Jugend zum Besten. Rattengift wird von einer tiefen Einsicht in seine dichterische Unfähigkeit überwältigt („Sind meine Gedichte nicht das abgedroschenste, schalste, anspeiungswürdigste Geschmiere?"). Das sonst geprügelte und gedemütigte Gottliebchen, vom Wein berauscht, begehrt erstmals gegen seinen Peiniger, den Schulmeister, auf („Du schlechter Schulmeister, du! Hast mich prügelt! hast mich schlagen! hast mich schimpft! Bin betrunken! Prügle dich wieder! schlage dich wieder!") Am Schluss der Szene fürchtet Mollfels, dass er vom Tisch, an dem er sitzt, fallen konnte. „Da ist freilich nichts zu raten, als daß du daraufsteigst!", empfiehlt ihm der Schulmeister. Also steigt Mollfels auf den Tisch, *„damit er nicht herunterfällt, und fällt herunter"*. Daraufhin erhebt der Schulmeister *„ein schreckliches Geschrei und schlägt die Hände über dem Kopfe zusammen"*:

> O Schicksal, Schicksal, unerflehliches Schicksal! Keine menschliche Klugheit vermag dir vorzubeugen, kein Sterblicher dir zu entrinnen! Ohngeachtet Mollfels auf den Tisch klettert, muß er dennoch herunterfallen! O du grimmiges, marmorhaftes Untier!

Das ist auf bestechende Weise infantil, und es ist absurdes Theater pur. In der Zeit, als es geschrieben wird, ist es von einer beispiellosen Radikalität im völligen Verzicht auf Sinnproduktion. Vielleicht ist es diese Radikalität der Sinnverweigerung, die Tieck befremdet und ihn davon abhält, sich über das Stück zu

äußern. Zwar enthält es Elemente, die er selbst in seinen romantischen Literaturkomödien entwickelt und verwendet hatte (so etwa das Aus-der-Rolle-Fallen
der dramatis personae, die romantische Ironie, die Selbstreflexion), doch geht
Grabbe in seiner Unbedingtheit noch deutlich weiter. In seinem Stück ist keine
romantische Ironie mehr am Werk als eine Möglichkeit, sich poetisch über das
Reale zu erheben und es intellektuell-spielerisch auszuhalten. Für Grabbe ist die
Realität, wie sie ist, das Einzige, was es gibt. Ein Darüberhinaus ist nicht mehr
denkbar.

> Grabbes Komödie ist also ein grober, brutaler, bewußt unschöner Angriff auf die
> ganze Welt. Sie läßt keinen Zweifel, daß jedermann in deren Drecke sitzt, und auch
> der Dichter sich nicht überheben kann. (Hans-Georg Werner, 1989)

Um gerade Letzeres augenfällig zu machen, betritt eine Figur namens Grabbe
am Schluss des Stücks die Szene, was der sich um die Minderung seines Punschanteils sorgende Schulmeister wie folgt kommentiert:

> O so schlage der Donner darein! Kommt mir der Kerl mit seiner Laterne noch spät in
> der Nacht durch den Wald, um uns den Punsch aussaufen zu helfen! Das ist der ver
> maladeite Grabbe, oder wie man ihn eigentlich nennen sollte, die zwergigte Krabbe,
> der Verfasser dieses Stücks! Er ist so dumm wie'n Kuhfuß, schimpft auf alle Schrift
> steller und taugt selber nichts, hat verrenkte Beine, schielende Augen und ein fades
> Affengesicht! Schließen Sie die Tür zu, Herr Baron, schließen Sie vor ihm die Tür zu!

Ungeachtet dieser Warnung sorgt am Ende Liddy dafür, dass Grabbe Einlass findet und sich in das Schlusstableau der ‚Guten‘ integrieren kann:

> Schulmeister, Schulmeister, wie erbittert sind Sie gegen einen Mann, der Sie geschrie
> ben hat! *Es klopft* Herein! *Grabbe tritt herein mit einer brennenden Laterne / Der Vor
> hang fällt*

Was am Ende bleibt, ist zwar die Einsicht, dass am schlechten Zustand der
Wirklichkeit nichts zu ändern ist, dass „nichts zu machen ist" (so Hugo Ball
1915 zu *Scherz, Satire…*), aber die vollständige Ironisierung, der konsequente
Versuch, die Welt und sich selbst nicht ernst zu nehmen, macht frei (zumindest
von Illusionen) und letzlich auch Spaß (wenn auch einen durch Melancholie –
überzeugend in der Figur des Mollfels gestaltet – gebrochenen). Es nimmt nicht
Wunder, dass *Scherz, Satire, Ironie und tiefere Bedeutung* Grabbes erfolgreichstes
Stück geworden ist, mit dem er auf immer dem Kanon deutscher Theaterliteratur angehören wird.

4

Auf eine Reaktion von Tieck wartet Grabbe weiter vergebens. Im Januar 1823 schreibt er an dem „ländlich-heitere[n]" Trauerspiel *Nanette und Maria*, im Februar arbeitet er an dem „streng-historischen" Stück *Sulla*. Sein Studium hat er beendet. Nun gilt es also für ihn, die Weichen für den weiteren Berufs- und Lebensweg zu stellen. Da für ihn feststeht, dass er auf gar keinen Fall zurück nach Detmold will, um dort sein Anwaltsexamen abzulegen und Advokat zu werden, seine Hoffnungen auf eine Anstellung an einem Theater sich aber auch nicht realisieren lassen, beschließt er im März 1823, Berlin zu verlassen und wieder nach Leipzig zu gehen. Wohl nicht zuletzt in der Hoffnung, doch wieder an den Erstkontakt zu Tieck, der nur unweit in Dresden lebt, anschließen und durch dessen Vermittlung unter Umständen am dortigen Theater unterkommen zu können. In einem neuerlichen Brief an Tieck zieht Grabbe am 8. März erneut alle rhetorischen Register, um die Aufmerksamkeit und das Mitleid des ‚großen' Tieck zu erregen:

> Nahe am Untergang blicke ich noch einmal auf der Erde umher, und sehe Keinen, Keinen als Sie zu dem ich mich wenden möchte; ich flehe um nichts als diesen Brief zu lesen.

Im Folgenden schildert er Tieck seine Kindheit („von armen Eltern geboren") und Schulzeit („überflügelte vielleicht manche meiner Lehrer") und seine schon früh erfahrene Außenseiterstellung im provinziellen Detmold („meine e[t]was kleinstädtischen Landsleute mochten oder wollten dieß jedoch nicht begreifen"). Mit der Wahrheit nimmt es Grabbe bei diesem Abriss seiner ersten beiden Lebensjahrzehnte nicht immer genau. Wichtiger als der Wahrheitsgehalt ist ihm die kalkulierte Wirkung des Mitgeteilten auf Tieck. Er erinnert ihn an die Übersendung des *Gothland* und des Lustspiels, für die er trotz großen Zuspruchs im Bekanntenkreis leider keinen Verleger gefunden habe. Da es auch mit Bewerbungen an Berliner Theatern (für die es keine Belege gibt) nicht geklappt habe, „galt es [nun] das Letzte". Er sei nach Leipzig gereist, „um an dem hiesigen Theater [s]ein Glück zu versuchen", habe aber bislang noch nicht gewagt, dort vorzusprechen, u. a. weil er „gewärtigen" müsse, dass ihm wegen seines „schlechten Rockes die Thür gewiesen wird". Dann wird es ernst:

> Wenn meine Buchstaben schreien könnten, so würden Ewr Wohlgeboren mir gewiß vor Mitleid bald antworten; ich rufe Sie bei allem Heiligen [!] an, mir einige kurze Stunden zu widmen, um mein Lustspiel zu lesen, und mir [...] in zwei Tagen darauf zu antworten; es ist keine Frechheit daß ich Sie hierum bitte, es ist Verzweiflung; [...]

Er hofft, das Lustpiel mit einem empfehlenden Schreiben Tiecks an einen Verleger verkaufen zu können. Und er spekuliert auch darauf, dass ihm Tieck bei einer Bewerbung am Dresdner Theater behilflich sein könnte. „o verstoßen Sie mich nicht!" fleht er am Ende seines Briefes und versucht die Wirkung noch zu steigern, indem er sybillinisch düstere Zukunftsvisionen heraufbeschwört: „Wer weiß, wo ich in acht Tagen bin, wenn ich keine Antwort von Ihnen erhalten sollte!"

Dieses Mal erhält er die ersehnte (aber nicht überlieferte) Antwort. Aus Grabbes Reaktion auf Tiecks Antwort, die am 18. März 1823 erfolgt, geht u. a. hervor, dass dieser herbe Kritik an „Gemeinheiten" in Grabbes Lustspiel geübt haben muss, die Grabbe zu bagatellisieren versucht, indem er Lustspiel wie Tragödie einer Periode zuordnet, die er inzwischen überwunden habe und die ihm nun schon so fern sei, „daß ich neulich, als ich im Stillen mein Trauerspiel wieder durchsah, glühend roth wurde." Seine „neuesten Producte" seien so völlig anders, dass Tieck ihn „in mehrfacher Hinsicht nicht wieder erkennen" werde, wenn er sie lesen würde: „Jugendlicher Keckheit, die ihre Narretei einsieht, pflegt man ja von allen Fehlern am leichtesten zu verzeihen, und ich bitte zagend um Nachsicht." Da er auf Tiecks Einsatz für die von diesem doch eher mit kritischer Distanz als mit großem Lob bedachten Stücke nun nicht mehr rechnen kann, versucht Grabbe diesen dazu zu bewegen, ihm bei dem Bemühen um ein Engagement als Schauspieler behilflich zu sein. Zwar will er sich nicht ausführlicher über sein „Talent" äußern, da dies nach „Selbsthudelei" aussehen könnte, versichert aber dennoch ohne falsche Bescheidenheit:

> Ich versichere nur ganz einfach, daß ich meine Stimme ohne Anstrengung vom feinen Mädchendiscant [!] bis zum tiefsten Bass modulieren kann […] Auch lautet es läppisch, aber ich muß es doch sagen, daß ich in dem Augenblick keine Rolle wüßte, die ich mir nicht binnen zwei Wochen zu spielen getraute […]

Das zeugt (wieder einmal) nicht eben von geringem Selbstwertgefühl. Kurios aber wird es gänzlich, wenn Grabbe fortfährt

> Da ich aus Westphalen bin, wo man das Hochdeutsche im Gegensatz zum Plattdeutschen um so reiner ausspricht, und da ich noch dazu drei Jahre lang in Leipzig und Berlin auf meine Mundart geachtet habe, so brauche ich wegen meines Dialekts wohl nicht bange zu seyn.

Tatsache ist, dass das lippische Plattdeutsch, wie es Grabbes Mutter ausschließlich spricht, auch die Sprache Grabbes unüberhörbar prägt. Und das wird ihm u. a. beim späteren Vorsprechen große Probleme bereiten und einem Engagement als Schauspieler entgegenstehen. Aber zu diesem Zeitpunkt ist es Grabbe aber sehr ernst damit, sich als Schauspieler zu versuchen, wenn man ihn denn

ließe. Er ist bereit, „klein an[zu]fangen" und sich „in alle Schranken [zu] fügen",
und auch bei einer ganz kleinen Gage würde er „selbst den reichsten Banquier in
Deutschland nicht beneiden." Wie immer drängt er auf rasche Antwort:

> muß ich Sie ersuchen, mir, wenn es möglich ist, wenigstens mit *einem einzigen* Worte
> und zwar – – mit der nächsten Post zu antworten. Sie können ja von Ihrem Bedien-
> ten, bloß das Wörtchen „Hoffnung" oder „wahrscheinliche Anstellung" in den Brief
> schreiben lassen, – es soll mir genug seyn [...]

In diesen Tagen – Mitte März 1823 – sucht Grabbe in Leipzig den Schauspieler
Eduard Jerrmann auf, in der Hoffnung, dieser könne ihm dabei behilflich sein,
zu einem Theaterengagement zu kommen. Glaubt man dem, was Jerrmann dreißig Jahre später über diesen Besuch berichtet, so ist er einigermaßen kurios ver-
laufen. Zunächst macht der Jerrmann natürlich völlig unbekannte Grabbe einen
überaus schüchternen und linkischen Eindruck, ist abgerissen gekleidet („Bild
des Elends"), von ungesundem Aussehen („abgemagertes Antlitz"). Wie viele
andere auch, die Grabbe begegnet sind, berichtet Jerrmann, ihm sei an dessen
Gesicht nichts weiter aufgefallen als die „hohe, freie Stirn". Stammelnd habe der
Besucher versucht, sein Anliegen vorzubringen: „Glühendes Roth bedeckte [...]
die noch vor Kurzem so todesbleiche Wange; der Körper war vorwärts gebo-
gen und die Augen wurzelten am Boden." Als dann endlich die Beklommenheit
gewichen sei, habe sich Grabbe jedoch von ganz anderer Seite präsentiert. Er
wolle zwar zum Theater gehen, aber lange wolle er nicht Schauspieler bleiben;

> nur so lange, um mir den nöthigen Credit bei meinen Collegen und dem Bühnenchef
> verschafft zu haben, daß sie meinen Worten glauben, daß sie nach und nach fähig wer-
> den, in meine Ideen einzugehen, den Weg zu betreten, den ich ihnen bezeichnen werde
> zur Wiederherstellung der Kunst, der wahren Kunst, von der man jetzt weder auf noch
> vor der Bühne kaum eine schwache Ahnung mehr hat! Was *ist* denn die Schauspiel-
> kunst? [...] ist sie etwas Anderes als die albernste Unterhaltung, zu der alberne Direc-
> tionen einen albernen Zeittödtungsstof wählen, den ein Haufen Zuschauer beklatscht,
> weil das Ding seinen Abend totdtschlägt, ohne sein Gehirn zu belästigen? [...]

Kennt man Grabbes Briefe, hat man seine theaterkritischen Schriften gelesen,
die Jerrmann nicht kennen konnte, als er diesen Besuch erinnerte, so kann man
sich durchaus vorstellen, dass Grabbe tatsächlich so (oder so ähnlich) gesprochen hat. Und vielleicht hat der Schauspieler Jerrmann es sich deshalb so gut
merken können, weil Grabbes Kritik am Theater seiner Zeit in ihrer Schärfe so
ungewöhnlich, vielleicht aber auch so berechtigt war.

Durch Vermittlung von Jerrmann und Tieck kommt es auch zu einem Besuch
Grabbes bei dem Leipziger Philosophieprofessor Amadeus Wendt, der Tieck
brieflich von diesem Treffen berichtet. U. a. schreibt er:

Dieser Mensch scheint durch sein Naturell seine Kenntniße, seine durch verschiedene Lagen erhöhte Versatilität bestimmt zu seyn, durch die mannichfaltigsten Zustände sich hindurchzuschlagen, bis die Kraft sich zerrieben oder er in Anschauung eines Höheren Ruhe finden kann. Ich wünsche ihm das Beste [...]. Es ist eine der Eigenthümlichsten Naturen, die mir begegnet sind: kräftig in seiner Äußerung und doch voll ungemein viel Reflexion über sich selbst!!

Als sich zeigt, dass alle Bemühungen um eine Anstellung als Schauspieler in Leipzig vergeblich bleiben, reist Grabbe am 25. März 1823 nach Dresden, dem Wohnort Tiecks, ab. In einem Brief an die Eltern schwärmt er von seiner neuen Umgebung in den höchsten Tönen: „Hier in Dresden, wo ich wenigstens einige Jahre bleibe, ist die schönste Gegend, welche ich jemals gesehen habe [...] Seyd glücklich, denn ich bin es auch, – ich habe mein Auskommen [...]". Dieses sichert ihm für eine kurze Zeit eine finanzielle Zuwendung, die ihm Heinrich von Könneritz, der General-Intendant des Dresdener Hoftheaters, zukommen lässt. Aber zu einer Anstellung – sei es als Schauspieler, sei es in einer sonstigen Funktion – kommt es aber auch an diesem Theater nicht. Zwar hat Grabbe nun den ersehnten persönlichen Umgang mit Tieck, ganz und gar ersprießlich scheint dieser aber nicht zu sein. Insbesondere Grabbes Vorlesen eigener und fremder Texte scheint Tieck – dem legendären und gefragten Rezitator – je länger je mehr gehörig auf die Nerven gegangen zu sein. Nachdem er sich anfangs in Dresden wohlfühlt und an neuen Stücken arbeitet, zeichnet sich für Grabbe immer deutlicher ab, dass er auch hier keine Anstellung finden kann. In einem Zustand „erhöhter Bitterkeit" reist er am 24. Juni aus Dresden ab, zunächst zurück nach Leipzig, wo er sechs Wochen bleibt. Dann reist er nach Braunschweig, wo er beim Verleger Vieweg einen Auftrag Tiecks erledigt und dann den Leiter des Nationaltheaters, Ernst August Friedrich Klingemann, aufsucht, um sich erneut zu bewerben – wieder ohne Erfolg. In einem Brief an Tieck schildert Klingemann den Eindruck, den Grabbe auf ihn gemacht hat:

So will sich [...] bei Herrn Grabbe alles gewaltsam Luft machen, und ein von Innen heraustobender Sturm läßt nicht zu, daß sich etwas ruhig bilde und gestalte. – Als Dichter ist mir Herr Grabbe merkwürdiger gewesen; es ist viel Eigenthümlichkeit und Phantasie in seinen Werken [...]

Aber als Schauspieler tauge er überhaupt nicht, „da es ihm an aller äußern Haltung mangelt." Quasi als Trostpflaster kauft er ihm eine Abschrift seines in Dresden fertiggestellten Stücks *Nannette und Maria* ab: Grabbes erste Einkünfte als Schriftsteller. Die folgende Station Grabbes auf dem trostlosen Rückweg Richtung Detmold ist Hannover. Hier unternimmt er den nächsten und letzten vergeblichen Versuch, an einem Theater als Schauspieler angestellt zu werden. Als er einsehen muss, dass sich seine Pläne nicht realisieren lassen, bleibt ihm nur die Rückkehr nach Detmold mit der wenig verlockenden Aussicht auf eine Laufbahn als Jurist daselbst.

5

Ende August schleicht er sich „Nachts um 11 Uhr in das verwünschte Detmold ein" und weckt seine Eltern, die ihn „mit Freudenthränen empfangen", wie er am 29. an Tieck schreibt. Voll von trübsinnigem Selbstmitleid inszeniert sich Grabbe als der einsame Unverstandene, der schuldlos unter denkbar ungünstigen Startbedingungen leiden muss:

> Mein Malheur besteht einzig darin, daß ich in keiner größern Stadt, sondern in einer Gegend geboren bin, wo man einen gebildeten Menschen für einen verschlechterten Mastochsen hält.

Ungeachtet seiner verdrießlichen Lage arbeitet Grabbe weiter an neuen Stücken. Im selben Brief berichtet er Tieck von seiner Arbeit an *Sulla* (dem späteren *Marius und Sulla*) und spricht zum ersten Mal von einer „Idee zu einem anderen Faust, der mit dem Don Juan zusammentrifft", woraus sich später die Tragödie *Don Juan und Faust* entwickelt.

Zurück in der gehassten Heimatstadt lässt sich Grabbe zunächst gehen, vernachlässigt sein Äußeres und versucht, durch ostentativen Zynismus zu schockieren. Auf Grüße früherer Bekannter reagiert er mit allen Zeichen größter Gleichgültigkeit und einem Satz wie „Sieh, ich meinte, du wärst schon lange gestorben." Da sich keine neuen Perspektiven eröffnen, zieht er am 22. September noch einmal die Karte Tieck. Ihn, „seit Shakespeare der größte romantische Genius", fleht er aus seinem „Geburtsneste, wo man die Litteratur nur vom Hörensagen kennt" an:

> O Herr! Jedes Wort von Ihnen gilt viel; wenn Sie mir in Dresden, Berlin oder Leipzig irgendwo ein schmales Unterkommen bei einem Buchhändler oder Theater u. s. w. schaffen könnten, so hätten Sie mich und zwei alte Leute [seine Eltern] glücklich gemacht.

Doch Tieck hat jetzt endgültig genug von dem Plagegeist. Nie wieder wird Grabbe von seinem Gönner hören. Den Umständen zum Trotz scheint sich der Gemütszustand Grabbes über den Winter 1823/24 zum Besseren gewendet zu haben. Sehr viel authentischer als in den sehr berechneten Briefen an Tieck gibt er in seinen Briefen an den Berliner Freund Gustorf Auskunft über seine Gemütslage. Hatte er diesem im September – etwa gleichzeitig mit dem letzten

Brief an Tieck – noch geschrieben: „In diesem Detmold, wo ich abgeschnitten von aller Litteratur, Phantasie, Freunden und Vernunft bin, stehe ich (Dir in's Ohr gesagt) am Rande des Verderbens", so schreibt er wenige Monate später – im Februar – an denselben Adressaten:

> Wäre übrigens meine Situation nicht etwas [!] triste, so würde ich ziemlich vergnügt seyn, weil mir die Wissenschaften wirklich wieder Spaß machen [...]. – Wer weiß, ob ich im Lippeschen nicht aller Vorurtheile ungeachtet in eine erträgliche Carriere gerathe [...]

Zu diesem Zeitpunkt hat er sich schon entschlossen, das juristische Examen abzulegen. Am 27. März 1824 reicht er bei der Examenskommission der fürstlichen Regierung seine Proberelation ein und bittet um einen Termin zur mündlichen Prüfung, die er am 2. Juni erfolgreich absolviert. Damit erfüllt er die Voraussetzung, als ein „expektivierter" Advokat die Ausübung einer Advokatur zu beantragen. Dies wird ihm am 8. Juni von höchster Stelle bewilligt. Der gerade 22-Jährige, der eben noch mit seinen furiosen Stücken die deutschen Bühnen erobern oder – falls dies nicht gelingen sollte – doch wenigstens als Schauspieler reüssieren und grundlegende Veränderungen initiieren wollte, ist auf dem Boden der Tatsachen zurück: Advokat in Detmold. In dieser Zeit ist das ein hartes Brot. So auch für Grabbe. Die wenigen Klienten, die mit Bagatellen zu ihm kommen, sorgen nur für ein sehr geringes Einkommen. Zufrieden kann er damit nicht sein. Was ihm darüber hinweghilft ist ein immenses Lektürepensum. Er wird zum fleißigsten Benutzer der Öffentlichen Bibliothek seiner Heimatstadt. Was er wann ausleiht und wohl auch wirklich liest, hat Alfred Bergmann zuverlässig recherchiert und aufgelistet: ein wahrlich beeindruckendes Pensum. Es umfasst vor allem historische Fachliteratur, aber auch Philosophie. Literatur im eigentlichen Sinne liest er natürlich auch, bevorzugt Lessing, Goethe, Seume, Shakespeare. Im bürgerlichen Leben der kleinen Provinz aber ist er immer noch nicht angekommen. Sein Umgang sind weiterhin vor allem trinkfreudige junge Männer, die wenig darauf geben, in gutem Ansehen zu stehen. „Leider verliert [er] sich noch immer im gemeinsten Umgange", schreibt ein Beobachter aus Detmold an seinen Sohn, einem früheren Freund Grabbes.

Da die Advokatur kein hinreichendes Einkommen ermöglicht, bewirbt sich Grabbe ab Dezember 1825 um eine Stelle im Staatsdienst des kleinen Fürstentums Lippe, zunächst um die des Amtsschreibers im kleinen Städtchen Oerlinghausen. Diese Bewerbung wird ebenso abgelehnt wie die im Januar 1826, als Grabbe sich um die Stelle des Amtsauditors in Horn bemüht. Im September bittet der ihm immer wohlgesonnene Archivrat Clostermeier den Fürsten Leopold II., ihn zu seinem Nachfolger zu bestimmen. Im Oktober wendet sich Grabbe an den Regierungsrat von Meien, der u. a. der Militärreferent der fürstlichen

Regierung ist. Er erklärt sich bereit, „unter jeder Art und Bedingung" „die interimistische Dienstbesorgung des jetzt kränkelnden Auditeurs Rothberg [zu] übernehmen". Von Meien setzt sich beim Fürsten für Grabbe ein („da er sich nicht nur theoretisch sondern ex post auch schon practisch in verschiedenen Geschäften qualificirt und seine Verlaßbarkeit und Solidität gezeigt hat"), und tatsächlich ist Grabbes Bewerbung dieses Mal erfolgreich. Er wird Gehilfe des durch Krankheit an der Amtsausführung gehinderten Auditeurs, dessen Geschäfte er de facto fortan führt. Der Vorschlag Clostermeiers hingegen, Grabbe zu seinem Nachfolger als Archivrat zu bestimmen, wird von der Regierung abgelehnt.

Grabbe ist jetzt bereits seit über drei Jahren wieder in Detmold. Die literarische Arbeit hat er weitgehend aufgegeben. Zwar schreibt er den *Gothland* für seinen Freund Moritz Petri ab und versucht sich im Frühjahr 1827, „bloß um zu versuchen, ob [er] noch dichten könn[]e", an zwei Szenen des Stücks *Don Juan und Faust*, doch die überschäumende Produktivität der Studentenzeit ist dahin. Da geschieht etwas völlig Unerwartetes. Datiert vom 28. April 1827 erhält Grabbes Vater ein Schreiben aus Frankfurt am Main, in dem der frühere Kommilitone und Freund Grabbes aus Leipziger und Berliner Tagen, Georg Ferdinand Kettembeil, nun Erbe eines Verlags, ihn darum bittet, einen Brief an seinen Sohn weiterzuleiten, da ihm dessen Aufenthaltsort unbekannt sei. Dieser Brief ist nicht überliefert, wohl aber Grabbes weitschweifige Antwort an Kettembeil vom 4. Mai.

Zunächst ruft er dem als „Bester Freund!" Angesprochenen einige gemeinsame „recht heitere, schöne Stunden" in Erinnerung, um sich sodann wieder als desillusionierten Einzelgänger in Szene zu setzen:

> I c h und J e t z t , ein Fisch im Morast, der doch nicht stirbt, sondern sich durchdrängt. Die Welt ist mit bisweilen eine I, denn alles ist eins und einerlei, und nicht einmal N u l l .

Dem gespreizten Lamento folgt kontrapunktisch die Desinformation: „[...] ich bin Hausherr und Familien-Vater, eben jetzt sitzt meine junge Ehefrau neben mir". Doch nur, um ganz besonders deutlich machen zu können, dass er „der Alte" geblieben ist:

> – mon dieu! Wie der Kettenbeil [!] erschrickt! Vor einem Schreckschuß! – nein, mein Freund, ich bin der Alte, Junggeselle so viel als möglich und unverheiratet pro every time [...]

Nach einem Abriss der letzten Jahre im Telegrammstil, in dem er es mit der Wahrheit nicht sehr genau nimmt, weist Grabbe darauf hin, dass „in 3 Jahren beinah" niemand einen Vers von ihm erblickt habe und resümiert: „Du siehst ich bin

kein aufdringlicher Dichter." Stattdessen habe er „[z]u vieler Leute Erstaunen"
das Examen bestanden und arbeite nun als Advokat. Dass diese Entwicklung
durchaus als Erfolgsgeschichte anzusehen ist, unterstreicht er mit der keineswegs
zutreffenden Behauptung, „selbst die ersten Personen des Landes beehren mich
mit ihrem Zutrauen". Auf gar keinen Fall möchte Grabbe bei dem beruflich
erfolgreichen Freund den Eindruck erwecken, er sei gescheitert. Im Gegenteil:
Dass er nun den Auditeur vertritt (und zwar ohne nennenswerte Entlohnung)
wird Kettembeil wie ein Karrieresprung dargestellt: Die Regierung habe ihm,
„dem Menschen, der hier im Lande keine bedeutende Connexion besitzt, [...]
die Geschäfte des Militairauditeurs, also die Gerichtsbarkeit über 1200 Mann
Soldaten (die aber natürlich nicht alle in a c t i v e m Dienst stehen)" übertragen. Lange lässt sich der Briefschreiber Zeit, bis er auf das zentrale Anliegen des
jungen Verlegers eingeht, denn dieser hat ihm in Aussicht gestellt, seine frühen
Stücke zu publizieren. Obwohl die ungeahnte Aussicht auf die Möglichkeit,
endlich ein gedruckter Schriftsteller zu werden, Grabbe sicherlich in einen ex-
tremen Erregungszustand versetzt haben wird, bemüht er sich nach Kräften, den
entgegengesetzten Eindruck zu vermitteln. Voller Ironie schreibt er:

> Ewr Wohlgeboren sind so gütig, sich meiner früheren poetischen Arbeiten zu erin-
> nern, ja, machen mir Hoffnung, daß Dasjenige, was wir früher gemeinschaftlich
> wünschten, eben durch Sie realisirt werden könne, nämlich der Abdruck jener
> Poesien.

Und er kündigt an, er werde dem Freund nun „k a l t auseinander setzen", was
er „über diese Sache denke". Er behauptet, „der D r u c k [seiner] Siebensachen"
sei ihm eigentlich „ganz gleichgültig" gewesen, denn sie hätten auch ungedruckt
– z. B. auf Tieck – gewirkt, und später, „in das Geschäftsleben getaucht", habe
er „jene dramatischen Geschöpfe" –„fast ganz" vergessen. Und dann erst folgt
ein Satz, der ahnen lässt, was das Angebot des Freundes wirklich ausgelöst hat:

> Du erinnerst mich daran, ich danke Dir, denn sollte der Abdruck jener Erzeugungen
> möglich seyn, so möchte mein Leben einen angemessseneren Wendepunct bekom-
> men. Also dieß: drei Stücke, von sehr verschiedenem Inhalt, Deine alten Bekannten,
> liegen vollständig in Abschrift noch stets bei mir fertig und kannst Du sie, sobald
> Du verlangst, gleich nach Frankfurt überschickt erhalten. Diese 3 Stücke sind: 1) das
> teufelhafte Lustspiel (Scherz und Ironie), 2) der Gothland, 3) Nannette und Maria.
> Bei dem Abdruck des Letzteren ist gar kein Bedenken, aber 1 und 2! Schwerlich gibt
> es in der Litteratur etwas Tolleres und Verwegeneres. Doch eben dadurch würden
> diese Producte vielleicht die Aufmerksamkeit um so mehr erregen; gibt es darin tiefe
> Schatten, ja abscheuliche Fehler, so haben sie aber auch Lichtseiten, wie keiner unse-
> rer dermaligen jungen Poeten sie schaffen möchte.

Einiges spricht dafür, dass Grabbes Eingeständnis der „Schatten" ehrlich gemeint ist. Aussichten auf Erfolg beim Publikum haben die Stücke seines Erachtens dennoch: Denn „trotz der in nr. 1 und 2 alles überbietenden Frechheit oder Verwegenheit, weht ein Geist darin, der sicher hier und da imponirt, ja vielleicht zerschmettert." Und um den möglichen Eindruck großmäuligen Renommierens sogleich wieder zu relativieren, setzt er hinzu:

– Aber ferner: mir selbst sind diese meine Werke bereits zu fremd und zu sehr widerlich geworden, als daß ich denken könnte, auch nur Ein Wort darin zu corrigiren, obgleich dieß wegen der Censur nöthig seyn möchte. Dafür aber würde ich dem Verleger unbedingt jede Abänderung in denselben überlassen; er könnte dieß meinethalben durch den ersten besten dienstfertigen Studenten besorgen.

Natürlich übertreibt Grabbe hier wieder. So gleichgültig – das wird sich zeigen – sind ihm seine „Pasteten", wie er seine Stücke spöttisch bezeichnet, keineswegs geworden. Der lange Brief endet mit Grabbes Versicherung, Kettembeil sei ihm „eine Stimme in der Wüste gewesen" und gehöre „zu den Wenigen" oder sei „vielleicht der einzige", dem er „ein aufrichtiger liebender Freund bleibe".

De facto löst die Aussicht auf den Druck seiner Stücke bei Grabbe sogleich wieder größte Betriebsamkeit aus. Kaum vier Wochen vergehen – einige Briefe werden in dieser Zeit zwischen Verleger und Autor gewechselt –, da kann Grabbe schon am 1. Juni 1827 seine für die Publikation bestimmten Texte übermitteln: „anbei der Tiefsinn, ausstaffirt mit V o r w ö r t e r n".

Der Brief an Kettembeil vom 1. Juni 1827 ist einer der seltenen Briefe Grabbes, in denen er Klartext spricht. Ganz unverstellt lässt er seinen künftigen Verleger an seinen Überlegungen teilhaben und scheut sich auch nicht, eigene Unzulänglichkeiten einzugestehen und Möglichkeiten anzudeuten, wie sie am wirkungsvollsten zu verbergen wären. Denn das sagt er in diesem Brief ganz unmissverständlich: Für wirklich gelungen hält er seine frühen Stücke nicht (mehr): „[I]ch bin, wenn ich eitel bin, eher auf alles andere eitel als auf meine früheren Poesie-Produkte, – ich fühle, sie jetzt weit überflügeln zu können [...]." So erwartet er auch keineswegs, mit der Publikation die ungeteilte Anerkennung des Lesepublikums und der Literaturkritik erzielen zu können, sondern setzt vielmehr darauf, Beweise von schriftstellerischem Talent zu liefern, die gespannt auf neuere und bessere Werke aus seiner Feder machen sollen. Eines der so unterschiedlichen Stücke, der schockierende *Gothland*, das „toll-komische[ ]" Lustspiel, „die ziemlich unschuldige ‚Nannette'" oder der *Sulla*, mit dem er beweisen will, dass er „sich vielleicht auf historischen Blick versteht", wird schon bei jedem Leser Gefallen finden: „Eine Saite hat wenigstens jeder Gebildete, welche bei Lektüre meiner 4 Tiere (dear, Teure, vi, Vieh, Vieh- (loso) Vieh) anschlägt." Darüber hinaus sollen „Vorworte", die die Stücke kontextualisieren und kommentieren, „schützen" und „helfen", d. h., möglichen kritischen Invektiven zuvorkommen. Sie sind, wie er sagt, „so trocken, daß sie vielleicht manche Stelle der Stücke retten". So spricht keiner, der vor Selbstbewusstsein nur so strotzt und sich in Eigenliebe sonnt, sondern einer, dem die Urteils- und Kritikfähigkeit auch hinsichtlich der eigenen Leistung und seiner Defizite noch nicht abhanden gekommen ist. Schon kurze Zeit später werden wir Grabbe ganz anders erleben. Was ihn der erkannten Mängel zum Trotz dennoch zuversichtlich stimmt, ist zum einen seine Überzeugung, dass die für die Publikation vorgesehenen Dramen „mehr Kern, Feuer pp. als die Eseleien der sämtlichen heutigen Dramatiker" aufweisen, also trotz ihrer Unzulänglichkeiten dennoch qualitativ weit besser sind als die literarische Konkurrenz. Und zum anderen, dass sie sich – vor allem der *Gothland* – so fundamental von aller zeitgenössischer Literatur unterscheiden und durch ihre Exzessivität so massiv provozieren, dass es „Lärm" geben muss, der sich auf die Nachfrage, den „Abgang", überaus förderlich auswirken wird. Noch betrachtet Grabbe das ganze Unternehmen als einen großen Spaß, mit dem er sich über die mangelnde Urteilsfähigkeit und die Einfalt des literarischen Publikums lustig machen möchte: „Mon dieu, ich hätte gern noch einmal die Welt zum Narren, und Du hast mir die Lust geweckt [...]." Die erste Publikation, die dann den Titel *Dramatische Dichtungen* erhalten wird, soll aus Grabbes Sicht in erster Linie lediglich als Eintrittsbillett in die Literatur fungieren, dem das eigentliche Werk dann folgen soll: „aber ich will ewig verflucht sein (möchte ich ausrufen), wenn ich eher etwas drucken lasse, als bis ich durch den Druck des früheren Zeuges so weit gekommen bin, daß man mir entgegenkommt. Toll will ich eintreten und vernünftig enden."

Der Grabbe des 1. Juni 1827 wirkt noch vergleichsweise entspannt und – bei allem nur schwer zu unterdrückendem Ehrgeiz und Geltungsdrang – durchaus noch selbstironisch distanziert, wenn er den Brief wie folgt beschließt: „Alter Kettembeil, trink ein Glas Rheinwein zu meinem Gedenken [...], – erheitere mich bald mit einer Antwort, genieß das Leben, betrachte das Heiraten als eine Spekulation, das Kinderzeugen als notwendiges Übel, die Menschen als erste vom Dampf getriebene Maschinen, das Leben als ein Mittel zum Vergnügen, und mich als Deinen Grabbe." Bis die *Dramatischen Dichtungen* in zwei Bänden dann tatsächlich erscheinen, vergehen noch fast vier Monate. Ende September 1827 sind sie gedruckt. Neben den erwähnten Stücken (*Herzog Theodor von Gothland, Scherz, Satire, Ironie und tiefere Bedeutung, Nannette und Maria*) und dem Fragment *Marius und Sulla* enthalten sie noch die Abhandlung *Über die Shakspearomanie*, die Grabbe eigens für diese Publikation schreibt und am 26. Juli an Kettembeil sendet. Die primäre Wirkungsabsicht dieses kuriosen Texts ist pure Irritation. Grabbe, wie viele seiner Briefe und die Faktur des

Gothland beweisen, war immer ein bekennender und praktizierender Skakespea-
rianer, keinem Dramatiker hat er mehr gehuldigt. Doch jetzt, mit diesem durch
und durch auf Verblüffung setzenden Text, will er just das Gegenteil beweisen
und sich als einen großen Kritiker Shakespeares und seiner Nachahmer installie-
ren, obwohl er bekennt: „Der Mann hat keinen aufrichtigeren Verehrer als ich,
es kennen ihn auch wenige besser [...]." Und warum dann diese kontrafaktische
Argumentation? Grabbe will so eine literarische Debatte entfachen, die ihm
„Eintritt in die kritischen Journale schafft". Dass sich die Abhandlung zu seinen eigenen Stücken „ganz kurios" verhält, „soll[...] den Nichtkenner verwirrt
machen" und ihm „eine Partei Anhänger und eine Partei Kläffer" verschaffen,
ihn also – so Grabbes Vision – ins Zentrum einer öffentlichen Literaturdebatte
rücken. Man muss feststellen: Je näher die Publikation rückt, um so mehr weicht
die anfänglich noch ironische Distanz zum eigenen Werk dem immer verbisse-
ner werdenden Bestreben, mit möglichst großem Eklat in die literarische Welt
zu stürmen und das eigene Terrain so deutlich zu markieren, dass ein Nichtbe-
achtet-Werden völlig unmöglich wird. Der Ton wird kriegerisch, der Wirkungs-
anspruch wird maßlos:

> Geht unsere Sache gut, wie ich gar nicht zweifle, *so wache ich auf.* Wo ich Endzweck
> sehe, bin ich unermüdlich. Zwei Trauerspiele, zwei Komödien, sechs Abhandlungen
> über Literatur und ihre Heroen, eine Masse Kritiken, auch Wissenschaftlichkeiten,
> Trotz und Überbietung von allem, was mir in den Weg kommt, - das schaffe ich Jahr
> für Jahr. Und hielte ich das nicht alles im vollstem Ernste für Kleinlichkeiten, welche
> nur durch die Albernheit der meisten übrigen Skribenten eine scheinbare quantita-
> tive Größe erlangen, so spräche ich nicht davon, weil es Prahlerei schiene.

Bedenkt man, dass diese befremdlichen Höhenflüge schon starten, bevor die
Dramatischen Dichtungen überhaupt erschienen sind, muss man wohl befürchten, dass hier einer im Begriff ist, jede Bodenhaftung zu verlieren. Aber sicher
ist: Ohne das Angebot des ehemaligen Studienkollegen und jetzigen Verlegers Kettembeil, seine frühen Stücke in seinem Verlag zu veröffentlichen, wäre
Grabbe wohl nie gedruckt und wären seine späteren großartigen Werke wie
Napoleon oder die hundert Tage oder *Hannibal* wohl nie geschrieben worden.
Und eben dies war das von Grabbe mit den *Dramatischen Dichtungen* vorrangig angestrebte Ziel, endlich ein gedruckter Autor zu werden: „Ist mein Zeug
gedruckt, stehe ich allgemein literarisch bekannt da, so ist hier [in Lippe, DK]
[für m]ich ein tüchtiger Sprung offen, sc.[ilicet] nicht zum Schauspiele, sondern
zum beherrschenden Kenner, cum pecuniis." Die Veröffentlichung der *Dramatischen Dichtungen* sollen eine entscheidende Wende in Grabbes Leben bringen
– und das haben sie zweifellos auch bewirkt.

CHRISTIAN KATZSCHMANN/MARTIN PFAFF/JÜRGEN POPIG/
PHILIP TIEDEMANN

Grabbe und Büchner auf dem Theater der Gegenwart

Podiumsgespräch im Rahmen der Tagung „Innovation des Dramas im Vormärz: Grabbe und Büchner" der Grabbe-Gesellschaft und des Forum Vormärz Forschung am 12. September 2015 in der Lippischen Landesbibliothek Detmold. Leitung und Redaktion: Jürgen Popig
Transkription: Christopher Preuß

Jürgen Popig: Zuerst möchte ich die Teilnehmer des Podiums vorstellen. Neben mir sitzt Christian Katzschmann. Ihn muss man in Detmold nicht mehr groß bekanntmachen. Ich fasse mich kurz: Er hat über Thomas Bernhard promoviert und ein Praktikum an der Staatsoper Unter den Linden gemacht. Anschließend ist er als Dramaturg an das Theater Halberstadt/Quedlinburg gegangen. Seit 2005 arbeitet er als Chefdramaturg am Landestheater Detmold. In dieser Zeit hat sich Herr Katzschmann immer wieder mit Grabbe beschäftigt. Er betreute Inszenierungen von: *Scherz, Satire, Ironie und tiefere Bedeutung* in der Regie von Marcus Everding, *Die Hermannsschlacht* in der Regie von Kai Metzger, welche nur zum Teil aus dem Grabbe-Stück bestand und mehr eine Collage geworden ist, sowie als jüngstes die *Gothland*-Inszenierung von Tatjana Rese. Darüber, was in den vergangenen Jahren mit Büchner in Detmold gemacht wurde, bin ich nicht so gut informiert. Martin Pfaffs Aufführung von *Leonce und Lena* habe ich gesehen. Welche Inszenierungen gab es noch?
Christian Katzschmann: *Woyzeck* im Grabbe-Haus von Swentja Krumscheidt vor zwei Spielzeiten und nun *Dantons Tod* in der Inszenierung von Martin Pfaff. Weitere Inszenierungen gab es nicht.
Jürgen Popig: Mehr Stücke gibt es ja auch nicht.
Christian Katzschmann: Nun, es gibt ja auch Dramatisierungen von *Lenz*.
Jürgen Popig: Stimmt, und in Heidelberg haben wir zum Beispiel *Der Hessische Landbote* gespielt. Neben Christian Katzschmann sitzt Philip Tiedemann. Ihn habe ich eingeladen, da er sowohl ein Werk Büchners als auch eines von Grabbe inszeniert hat. Philip Tiedemann hat als Regieassistent am Freiburger Theater angefangen. Er ging dann ans Burgtheater Wien und von dort ans Berliner Ensemble, wo er einige Jahre Oberspielleiter war. Philip Tiedemann inszeniert an vielen europäischen Theatern: unter anderem in Oslo, in Wien, am Staatstheater Stuttgart und an den Schauspielhäusern Hamburg und Düsseldorf. Und er hat eben Grabbes *Hermannsschlacht* am Theater

Osnabrück und Büchners *Leonce und Lena* am Theater und Orchester Heidelberg herausgebracht.

Martin Pfaff schließlich ist der neue Schauspieldirektor am Landestheater Detmold. Er hat in Mainz studiert und ging als Regieassistent ans Deutsche Theater Berlin. Dort hat er angefangen zu inszenieren und zwischenzeitlich auch schon in Detmold, Osnabrück, Lüneburg, Saarbrücken, Kiel, Kassel, Chemnitz, und ich weiß nicht, wo noch überall, inszeniert. Mir ist seine Inszenierung von *Leonce und Lena* hier in Detmold noch in guter Erinnerung. Eine Inszenierung, die mich auch sehr beeindruckt hat, war Zuckmayers *Des Teufels General* in Saarbrücken.

Unser Thema lautet: „Grabbe und Büchner auf dem Theater der Gegenwart", und der Befund ist eigentlich offensichtlich. Die drei Stücke Büchners werden mit schöner Regelmäßigkeit und Häufigkeit aufgeführt. Grabbe tut sich da sehr viel schwerer. Erstaunlicherweise hat es nach unserer Stuttgarter *Gothland*-Inszenierung von 1993 viele weitere Aufführungen dieses frühen Theaterstücks von Grabbe gegeben. Hier kann man überlegen, weshalb das plötzlich so gerne aufgegriffen wurde, während im Gegenzug der einzige Hit, den Grabbe für das Theater geschrieben hat, die Komödie *Scherz, Satire, Ironie und tiefere Bedeutung*, die ja lange das einzige von ihm gezeigte Stück war, in der letzten Zeit nicht mehr auf den Spielplänen auftauchte. Wie Lothar Ehrlich recherchiert hat, wird in der laufenden Spielzeit sogar kein einziger Grabbe inszeniert. Weshalb ist das so? Ich habe die drei Theaterleute auf dem Podium vorab um kurze Statements zu Büchner und Grabbe gebeten. Dabei ist interessant, dass Martin Pfaff und Christian Katzschmann eher die Unterschiedlichkeit der beiden Autoren betonen, während Philip Tiedemann eine Gemeinsamkeit feststellt. Philip, Du hast vom „homo ludens" gesprochen, welchen Du bei beiden Dichtern siehst.

Philip Tiedemann: Ich sage einmal vorweg, da Prof. Ehrlich in seinem Vortrag meinte, dass man mit Urteilen bzw. Thesen vorsichtig sein muss, und ich weiß, dass ich mich damit sehr angreifbar mache, indem ich einfach solche pauschalen Dinge in den Raum stelle, aber das ist man als Regisseur, wenn Sie erlauben, gewohnt. Wenn man sich nicht angreifbar macht, dann hat man den falschen Beruf ergriffen. Für mich sind die Figuren bei beiden Autoren sehr stark „Spiel-Figuren". Dadurch kam ich auf den auch von Schiller benutzten Begriff, dass dies eben nicht der homo ludens, sondern – man verzeihe, wenn ich das so sage, mein Latein ist furchtbar – ein „homo ludetus" ist, also der Mensch als Spielobjekt, mit dem gespielt wird oder dem mitgespielt wird. Das mag auch ein wenig der jeweiligen Biografie geschuldet sein. Nun könnte man dies noch weiter ausdifferenzieren – vielleicht liegt darin auch schon eine Antwort, warum man sich zurzeit auf deutschen Bühnen so wenig um

Grabbe kümmert – bei Büchner hat man das Gefühl, dass es etwas fast Marionettenhaftes hat. Bei etwa *Leonce und Lena* kommt das ja sogar explizit vor. Das Marionettenspiel ist komischerweise immer ein Spiel von Erwachsenen gewesen. Es ist zu kompliziert. Wenn sie ihrem Kind mal eine Marionette in die Hand gegeben haben oder den Fehler gemacht haben, Geld dafür auszugeben, dann haben sie festgestellt, dass der Spaß nicht lange währt. Dafür muss man Techniken entwickeln. Deshalb könnte man zugespitzt sagen, dass Büchner eine Art Kindertheater für Erwachsene ist, bei Grabbe, behaupte ich, dass da sehr viel mehr die Verwandtschaft zum Volkstheater eine Rolle spielt. Wenn ich hier an das Puppenhafte denke, dann denke ich tatsächlich mehr an das deutsche Kasperletheater und die schöne Gleichzeitigkeit von Tragik und Komik. Aus dieser Tradition heraus wurde auch in unserer Inszenierung der *Hermannsschlacht*, falls sie jemand gesehen haben sollte, ordentlich gehauen und gestochen und gelitten und geliebt und intrigiert. Vorhin sprachen wir über eine Passage aus *Napoleon*, bei der ich nachfragte, wie das nun genau ist, wenn da jemandem der Kopf weggeschossen wird und derjenige daneben dann sinngemäß sagt „Na siehste, das hast du nun davon, hättest du mir mal mein Geld zurückgezahlt". Ich glaube, dass diese Gleichzeitigkeit dem deutschen Bildungsbürger nach wie vor schwerfällt – das Kasperletheater als eine echte Darstellung von Welt zu akzeptieren. Gleichzeitig haben wir doch einige Potentaten in unserer Welt, wo man das Gefühl hat, dass das nicht so weit entfernt ist. Das sei vorab, bevor ich einen noch längeren Monolog halte, geantwortet.

Jürgen Popig: Vielleicht kannst Du auf deine beiden Inszenierungen näher eingehen. Interessant finde ich, dass Du *Die Hermannsschlacht* in Osnabrück auf der großen Bühne inszeniert hast und *Leonce und Lena* in Heidelberg im sehr viel kleineren, intimeren Rahmen. Was kannst Du über deine Erfahrungen mit den beiden Aufführungen sagen?

Philip Tiedemann: Also wenn man Kasperletheater sagt, dann droht immer, darin einen Verniedlichungseffekt zu sehen. Wir wollten aber gigantisches Kasperletheater. Das ganze Ding war groß und hoch und die Figuren waren ja die Menschen, das war also überdimensioniert. Ich kann mich erinnern, es stellte die Technik vor größere Probleme, als ich forderte, dass die gesamte Bühne mit Theaterblut geflutet werden müsste. Da mussten dann Leitungen gelegt werden, die dann während der Proben verstopften; die Schauspieler rutschten aus, woraus dann eine Art von Komik entstand und ich unten stand und lachte, während die oben nicht mehr lachten. Das war also *Die Hermannsschlacht* von Grabbe in Osnabrück. Bei *Leonce und Lena* hatten wir nun die Möglichkeit, das sehr schöne, alte und restaurierte Theater von Heidelberg in der Altstadt als erste Aufführung wiederzueröffnen. Dort gibt es überall Blätterchen und Stuck, also eine Art neoklassizistischer Stil. Dort passte *Leonce und Lena* wunderbar hinein. Diese ganze in Stuck belegte Welt und Natur, wie so ein schlechtes Jagdschlösschen. Wir haben da noch einen künstlichen Rasen reingelegt. Anfangs hatte ich die Idee, mit Putten und solchen Sachen wie beim Golfsport zu arbeiten. Diese Welt mit einem Prinzen, der sich dort nicht mehr wohlfühlt, und mit all diesen Figuren – ich hatte mir eine Musik schreiben lassen, die dann insbesondere das Finale als ein Quodlibet vertonte, welches alle gesungen haben und das aus Motiven bestand, die sich durch das ganze Stück gezogen haben. Die gesamte Aufführung war spieldosenhaft mit einer Minidrehbühne, nicht roboterhaft, aber mit ganz feiner genauer Taktung, welche so wunderbar in dieses Theater passte, und war eher auf eine Verkleinerung angelegt. Man hätte sagen können, das Ganze wäre ein Miniaturdrama gewesen. Ich kann mich dunkel daran erinnern, dass eine böswillige Rezension davon sprach, das sei „Alice im Wunderland", und wie könne man Büchner damit vergleichen – ich fand das genau richtig.

Jürgen Popig: Danke sehr. Christian Katzschmann, Sie haben große Unterschiede zwischen den beiden Autoren gemacht.

Christian Katzschmann: Zunächst sehe ich bei beiden Autoren Gemeinsamkeiten in der Radikalität, mit unterschiedlichen Mitteln und unterschiedlichen Formen im Theater soziale Bruchlinien wahrzunehmen und darzustellen, also gesellschaftliche Stimmungslagen und Veränderungen. In den Stücken beider Autoren sind es aber die Unterschiede in der Form, die dann bei Grabbe Bearbeitungen der Texte meines Erachtens notwendiger machen, um sie heute verstehbar auf die Bühne zu bringen. Bei beiden Autoren gibt es den Rückgriff auf historische Personen, Woyzeck oder Danton. Dann gibt es jeweils den Blick auf gesellschaftliche Verwerfungen, bei Büchner insbesondere in *Dantons Tod* oder auch in *Leonce und Lena* beim Beschreiben der Generation Y um 1825. Beim Sichtbarmachen von sozialen Bruchlinien sind es nach meinem Dafürhalten bei Grabbe eher Prinzipien, die kontrastiert werden, Repräsentanten bestimmter Haltungen und Ideen, etwa in der *Hermannsschlacht* oder bei *Gothland*. Büchner stattet für meine Begriffe seine Figuren mit einem größeren psychischen Potenzial aus. Das macht die Stücke unter Umständen heute auch leichter rezipierbar, ihre Intimität und große Emotionalität. Grabbe ist in dieser Hinsicht strenger und kantiger.

Jürgen Popig: Sie sagen, bei Grabbe müsste mehr gemacht werden. Aber was muss gemacht werden und warum?

Christian Katzschmann: Auch Büchners Stücke sind extrem komprimiert und enthalten dementsprechend sehr viel gedankliche Vorleistung in jedem Satz als Kondensat von Thesen, Überlegungen und geschichtlichen Entwicklungen, die schwer selbst aufzudröseln und zu vermitteln ist. Dem Rezipienten und einem selbst fehlen viele geschichtliche Bezüge und die Zusammenhänge historischer Figuren in dem Maße, wie Büchner sie referiert. Dies muss durchdrungen werden, um so den Schauspielern, bei welchen diese Hintergründe nicht präsent sind, einen intellektuellen und dann emotionalen Zugang zu dem Stoff zu ermöglichen. Bei Grabbe hingegen ist zuallererst die Materialfülle ausufernd. Im Falle von *Gothland* stellt sich die Frage, auf welche Aspekte man sich konzentriert und worauf sich der dramatische Fokus richtet. Was sind die Anteile, die überhaupt darstellbar sind? Problematisch ist hierbei auch die komplexe Dramaturgie, die von Grabbe vorgesehen ist. Wie ist dies mit den Mitteln des Theaters darstellbar? Da ist mehr – und manchmal auch brutalere – Arbeit am Text nötig als bei Büchner. Bei Büchner wird aus dem Kondensat und der brüchigen Form wie bei *Woyzeck* nichts herausgenommen; dort muss keine Auswahl getroffen werden.

Jürgen Popig: Aber gerade bei *Woyzeck* muss doch eine Auswahl getroffen werden, weil es bloß in verschiedenen Teilmanuskripten überliefert ist.

Christian Katzschmann: Man kann den Setzbaukasten anders zusammenbauen, aber meistens verzichtet man auf keinen Bestandteil.

Jürgen Popig: Und mit dem brutalen Umgang bei Grabbe meinen Sie Kürzungen?

Christian Katzschmann: Kürzen und auch den Setzbaukasten anders zusammensetzen.

Jürgen Popig: Ich habe drei Grabbe-Inszenierungen betreut: *Herzog Theodor von Gothland* in Stuttgart, *Hannibal* in Stuttgart und *Die Hermannsschlacht* in Osnabrück. Und eigentlich kann ich Ihren Befund nur zum Teil bestätigen. Mir erschien es so, dass diese drei Dramen unglaublich theatralisch waren und sich eigentlich fast leicht spielen ließen. Das sind immer ganz explizite Theatersituationen. Ich muss dazu sagen, ich habe mit Büchner weniger Erfahrung. Ich habe zweimal *Leonce und Lena* betreut und weiter bisher nichts. Daher bin ich für einen seriösen Vergleich vielleicht nicht erfahren genug, was Büchner betrifft. Aber mir erschienen die Grabbe-Stücke gut spielbar und ganz theatralisch zu sein, daher bin ich auch so daran interessiert, diesen Autor immer wieder auszuprobieren und nach und nach durchzusetzen. Ich verstehe die Zurückhaltung ihm gegenüber nicht so recht. Martin, vielleicht erzählst Du etwas über deinen Zugang?

Martin Pfaff: Ich glaube, ich kann die Synthese beisteuern. Denn man liest etwas und denkt: „Ach, das ist ja einfach", aber dann stellt man fest, dass alles wahnsinnig übertrieben ist. Wenn ich mich mit diesen Autoren beschäftige, dann habe ich das Gefühl, in ganz schlechten Liebesbeziehungen zu sein: Man begehrt sie, aber sie nerven wahnsinnig. Diesen Widerspruch muss man irgendwie hinkriegen. Was man da hinkriegen muss, ist zuallererst die Lösung der Frage, mehr als bei glatten Stücken, weshalb man sich damit beschäftigt.

Einerseits spürt man: der Stoff ist sehr energetisch, toll, radikal und konsequent, man will sich aus einer Lust heraus damit beschäftigen, und der Kopf schaltet sich ein und sagt: „Können wir nicht irgendetwas machen, was klarer ist und eine deutlichere Aussage hat?" Das ist eine spannende Baustelle, die auch einen Sogeffekt auslöst. Man macht sie ja nicht nur aus konzeptionellen, vorgeschalteten Gedanken, sondern aus Intuition oder Begierden. Auf der anderen Seite darf man dem heutigen Status eines Autors nicht auf den Leim gehen. Diese Autoren waren beide als Künstler gescheitert und wir machen um sie heute Genialitäts-Heiligenscheine und denken, man müsse das jetzt zelebrieren, durchkonjugieren und heilig auf der Bühne lassen. Mit gescheitert meine ich, auf der einen Seite diesen Maniker Grabbe, der sich verkannt fühlte und um Anerkennung flehte, andererseits – fast hybrisgleich – Mozart und Goethe mit *Don Juan und Faust* in den Schatten stellen wollte. Da wollte er mittels seiner Dramatikerkraft die „Synthese der Titanen" schaffen.

Auf der anderen Seite ist dieser wunderbare junge Mann, 23 oder 24, was mich immer wieder erstaunt, bei welchem man auf den Leim geht, da er das Schreiben gar nicht so wichtig nahm. Man sollte einmal einen wissenschaftlichen Aufsatz über „Die Geschichte des Jungschriftstellers, der unter Zeitnot litt" schreiben. Diese Pointen sind ja alle bekannt, wie etwa bei *Leonce und Lena*: „Ich will Geld verdienen und nehme an einem Wettbewerb teil. Ich mache das so hektisch, dass der Termin für die Scripteinreichung schon langst vorbei ist." Bei *Dantons Tod* gibt es ganz ähnliche Gründe. Er schreibt da seinem Verleger: „Sorry, ich hatte nur fünf Wochen Zeit, aber bitte gib mir das Geld, ich muss flüchten!" Also warum schreibt jemand? Ich glaube nicht, dass Büchner sich darum bemüht hat, im konventionellen, etablierten Theater Fuß zu fassen oder dafür zu schreiben. Ich glaube, sein Ansatz war, dass er das Schreiben als eine andere Untersuchungsmethode begriff, sich Problemen und Stoffen abseits seiner konkreten naturwissenschaftlichen Tätigkeit als Mediziner zu nähern. Natürlich durchdringt sich das auch, so könnte man auch über die naturwissenschaftliche Autorperspektive bei Büchner sprechen. Wie protokollarisch ist das? Wie seziert er? Aber nun konkret am Beispiel meiner *Leonce und Lena*-Arbeit habe ich gemerkt, wieviel Spaß es mir machte, mit diesem Autor zu arbeiten. Man merkt, man kann diesen Text benutzen. So wie Christian Katzschmann es beschreibt. Man hat da eine Szene, etwa wenn die Amme und Lena sich morgens treffen und die Hochzeit vorbereiten wollen, und man denkt sich in der Textvorbereitung: „Scheiße. Das ist eine halbe Seite. Das Stück ist doch in einer halben Stunde erzählt." Dann fängt man aber an, dieses Kondensat zu bespielen, und man merkt, man kann unglaublich schön Zwischenräume erzählen und man bekommt damit die Notwendigkeit, Bilder zu schaffen. Warum muss man das machen? Wenn man es linear durcherzählt ist es a) wahnsinnig schnell vorbei und b) ist es im konventionellen, linearen Sinne unergiebig. Bei *Leonce und Lena* kommt man im Prinzip gar nicht mit. Büchner hat da in aller Hektik ein Exposé geschrieben: Ich fliehe nach Italien. 1. Szene: Ich treffe bei einer Vorübergeh-Situation die Amme und Lena und verliebe mich spontan. Jetzt hat sich der Autor gesagt, die folgenden Szenen müsse er noch schreiben. Er macht die Annahme, dass folgende Dinge im Off passiert sind: Ich habe sie nochmal getroffen, sie begeistert mich mit ihrer melancholischen Schönheit, ich identifiziere mich total, ich projiziere hinein, ich wolle sie heiraten, sie sagt, sie sei sich noch nicht so sicher – das ist also alles backstage passiert. Erst bin ich verliebt, weil ein hübsches Mädchen vorbeigeht, nächste Szene: Ich will mich umbringen, weil sie mich nicht heiraten möchte. Das dem Zuschauer in irgendeiner Form emotional nachvollziehbar zu machen, ist sehr schwierig – oder man muss diese Figur irgendwie diskreditieren. Jedenfalls muss dies durch szenische Fokussierungen stabilisiert werden.

Jürgen Popig: Wie bist Du damit umgegangen?

Martin Pfaff: Ich habe mir gedacht, ich kann Leonce da nicht in Italien in einem realen Setting rumlaufen lassen, daher habe ich das surreal explodieren lassen. Das können sie sich im Internet angucken, da gibt es noch Fotos, die richtig schlecht geworden sind, da man Theaterschnee schlecht fotografieren kann. Ich habe mir gedacht, diese Reise nach Italien muss zu einer Innenwelt Leonces werden. Wir haben den ersten Teil vor der Reise nur auf der Vorbühne spielen lassen und dort war ein riesiger Schmuckvorhang, der von den Detmolder Malern wunderschön bemalt wurde. Dies war also ein klassisches, konventionelles Theater zelebrierendes Setting von unserer etablierten, abgebrühten, konventionell überblickbaren, verbindlichen Lebenswelt des Theaters. Und dann ging der Vorhang auf und man dachte sich „Ach, jetzt wird es spannend!" Die Bühne war leer und dann mit dem ersten Satz von Leonce explodierte sie in Schnee und es schneite die gesamte Italienreise hindurch und Italien wurde zum Schneegestöber. Das war natürlich eine Metapher für die Verlorenheit von Leonce, für die Verpixelung in seiner Suche nach sich selbst, bis er dann wieder im Nachhinein in der Bündigkeit des Staates und des Marionettentheaters zur absurden Pointe seiner selbst wurde. Dadurch war das Popmusik. Einfalt in Ekstase. Also nicht die Frage, wie man das jetzt kleinteilig realistisch beglaubigt bekommt, sondern daraus einen emotionalen Song über die Innenwelt Leonces machen. Dann kann das auch gespielt werden.

Meine These: Gegenüber den Projekten von Schiller und Goethe, welche zeigen wollten, was Norm ist und dies in der Weimarer Klassik zu einer Einheit schmieden wollten, haben diese zwei Jungs folgendes gesagt: Grabbe – „Ich mache Wacken-Festival, besoffen Heavy Metal-Musik aufm Acker" und das ist eben theatralisch und geil, aber manchmal auch viel zu platt und zu fett. Und auf der anderen Seite Büchner, der in seiner hektischen Mittelstandsart gesagt hat: „Ich muss die Welt erlösen, hab aber keine Zeit dafür und dabei kommt raus, dass ich eben ein paar coole Popsongs schreibe", zum Beispiel der Satz von Leonce – ich kann das nur paraphrasieren – „ich sitze wie unter einer Luftpumpe, die Luft ist scharf und dünn" – daraus könnte man einen Tocotronic-Song machen. Nun arbeite ich an *Dantons Tod* und denke mir, warum muss man diese Nüsse knacken. Es macht zwar Spaß, aber Scheitern ist durchaus vorprogrammiert. Dazu muss man Mut haben. Nun die Synthese: Man muss herausfinden, ob man eine theatralische Antwort auf diese Baustellen und diese schlechten Stücke findet, die nicht feige ist. Das sind unfreiwillige prä-postdramatische Texte in ihrer Fragmentierung und ihrer Zerfasertheit, in ihrer medialen Heterogenität und ihrer Fokussierung auf mal Bilder hier, mal Lyrik da und auf diese Verwirbelung muss man eigentlich eine postdramatische Theaterantwort finden, um das zu einem schönen Abend zu machen.

Jürgen Popig: Warum inszenierst Du dann *Dantons Tod*?

Martin Pfaff: Weil ich das Stück begehre. Ich finde diese Sätze so toll. Und, was mich gerade an Büchner so fasziniert, ist, dass er gar nicht so sehr ein Experte für Politik ist, aber ein Experte für Angstzustände. Das begeistert mich. Ob das die Lebensplatz-Angst von Leonce ist, der sich fragt, was er mit seiner Identität in der Welt leisten kann, und in einem Vakuum zu implodieren fürchtet, die Existenzangst Woyzecks, die sich förmlich in diese psychotische Situation potenziert, die unglaublich tolle und traurige und naheliegende Angst der Dantonisten, die befürchten, dass die Utopie für Menschen eine Nummer zu groß ist, diese aber trotzdem durchsetzen wollen, weil sie sie geil finden und es denken können, es also auch machen müssen, wie Dürrenmatt sagt, und, nachdem sie es mit der Utopie versucht haben, merken, dass sie dafür nicht stark genug sind. Danach beginnt die Scheiße: Dantonisten und Robespierre-Anhänger haben vollkommen andere Ansichten und beginnen, Lobbyismus zu betreiben, dazu gibt es noch mit dem Volk eine dritte Partei, die sich zu Wort meldet. Das wird dann im besten Fall schnell geköpft. Das ist also ein Angstexperte. Damit kann man sich gerne beschäftigen.

Jürgen Popig: Wir sind gespannt auf deinen *Danton*. Grabbe hast Du aber noch nicht inszeniert, oder?

Martin Pfaff: Nein. *Don Juan und Faust* habe ich bei der Vorbereitung auf Goethes *Faust* gelesen. Da zeigt sich Grabbe als Maniker und es ist wirklich absurd. Ich hätte Lust, das mal zu inszenieren. Diese Manie macht sehr viel Spaß. Da kommt plötzlich dieser Hedonist, dieser Utilitarist auf diesen gescheiterten Idealisten, das sind natürlich tolle Kosmen unserer heutigen Welt. Was sich da für verzweifelte Kometen begegnen, das finde ich sehr spannend; und dann habe ich einen Satz in diesem *Don Juan und Faust* gefunden, der im Prinzip für mich die Konzeption meiner *Faust*-Inszenierung begründet hat: „Aus Nichts schafft Gott, wir schaffen aus Ruinen! Erst zu Stücken müssen wir uns schlagen, eh wir wissen, was wir sind und was wir können!" Mit diesem apokalyptischen Ausspruch ist ja im Prinzip die ganze Gretchen-Story schon in einem Satz gesagt. Auch diesen Heavy-Metal-Sound fand ich toll. So wurde dann die Inszenierung auch eine sehr düstere, gothic-artige, absurde Albtraumwelt.

Jürgen Popig: Das klingt fast so, als wenn wir uns bald auf *Don Juan und Faust* in Detmold freuen dürfen.

Martin Pfaff: Wir haben da noch nie wirklich darüber gesprochen. Ich fände es sehr spannend, nur weiß ich nicht, da wir diese Spielzeit bereits *Faust* machen, ob es so gut wäre, da eine Woche später gleich *Don Juan und Faust* zu spielen. Wenn es mir das Theater Heidelberg anbietet, dann mache ich das gerne.

Jürgen Popig: Mal sehen. Mein Vorhaben wäre zunächst, darin hat mich die Tagung bestärkt, ein Doppelprojekt mit *Dantons Tod* und *Napoleon*. So könnte man etwa das eine Stück einem und das andere Stück einem weiteren Regisseur anbieten und sie an einem Wochenende herausbringen und im Doppelpack spielen. Das wäre sehr reizvoll, denn, wir haben es bei der Tagung immer wieder gehört, es scheint, dass die beiden Stücke immer wieder aufeinander antworten oder reagieren oder sich das eine im anderen spiegelt. Man kann auch überlegen, ob derselbe Regisseur beides inszeniert, aber vielleicht ist die andere Variante spannender. Dieses Projekt möchte ich erst einmal in Heidelberg verfolgen, aber ich denke gern auch mal über *Don Juan und Faust* nach.

Gibt es denn aus dem Publikum Fragen an die Regisseure oder die Dramaturgen?

Beitrag aus dem Publikum: Eine Frage an Herrn Tiedemann. Sie haben vom Kasperletheater gesprochen und von den „gespielten" Figuren. Würden Sie bei beiden Autoren von der Spielkonzeption her eine Tradition zum barocken Theater hin schlagen können mit dem Stichwort „Willensfreiheit"?

Philip Tiedemann: Können kann man das. Ob das in dieser Tradition steht oder gestellt werden muss, das weiß ich nicht. Bei Grabbe kann ich das jetzt nicht hundertprozentig beschreiben, vielleicht weiß ich dafür zu wenig. Bei Büchner ist die Willensfreiheit, glaube ich, ein großes Thema. Auch wenn man *Scherz, Satire, Ironie und tiefere Bedeutung* anschaut, ist das eine Tradition, die sich etwa auf Aristophanes bezieht. Der Versuch der Spiegelung von Makrokosmos und Mikrokosmos spielt da eine große Rolle. Ob das dann philosophisch die Willensfreiheit abschafft oder eine solche negiert, das weiß ich nicht. Es geht nur darum, dass diese Phänomene sichtbar gemacht werden.

Jürgen Popig: Möchtet Ihr dazu etwas ergänzen?

Christian Katzschmann: Ich hatte, als Martin sprach, den Gedanken, dass es bei der Schwierigkeit, diese beiden Autoren heute für die Bühne zu gewinnen, um die Lesbarkeit der Welt geht, die bei beiden angestrebt ist. Diese ist bei beiden radikal und mit dem Versuch durchzudringen oder erklären zu müssen versehen – also mit einem großen Ansatz in einem Stück auf große geschichtliche Ereignisse oder soziale Phänomene zuzugreifen –, der sowohl sezierend als auch zuspitzend sein soll und Lösungen anbietet. Dieser Versuch, die Lesbarkeit der Welt mit einem Stück zu liefern, ist für das Publikum heute eine noch stärkere Herausforderung, insbesondere weil heutige Autoren nicht diesen fundamentalen Anspruch haben. Es fasziniert einen, aber zugleich ist es auch fremd.

Beitrag aus dem Publikum: Einer von Ihnen hat vorhin das Stichwort Übertreibung gebraucht und mich würde nun interessieren, in welchem Zusammenhang. Ist das eine Übertreibung der theatralischen Geste? Ist es eine Übertreibung der Sprache?

Martin Pfaff: Ich meinte Übertreibung einfach, weil teilweise so eine Überkonstruktion am Werk ist. Also wenn ich dann sehe, Schillers *Kabale und Liebe* ist well-made, *Maria Stuart* noch mehr well-made, und dann kommen diese Jungs und bauen Konstrukte. Da geht's an den Königshof, nach Italien, dann gibt es diesen Zeitsprung, wodurch Konstruktionen entstehen, die extremer sind, die nicht mehr durch Verbindungsglieder gemacht werden, sondern rapide ein Motivblitzen erzeugen. Bei Grabbe ist es natürlich dieses Manische – das bewerte ich gar nicht, aber es ist vorhanden –, also ich lasse einfach zwei Titanen auftreten. Das ist, als wenn ich heute sage, ich mache einen Film, wo sich gleichzeitig *Der Herr der Ringe* und *Star Wars* treffen, wo man denkt: „Muss das denn sein? Die beiden sind doch jeder für sich schon fett genug." Aber Grabbe macht das halt.

Jürgen Popig: Das ist die Struktur, da stimme ich Dir zu. Wobei ich Büchner weit mehr „well-made" empfinde als Grabbe. Aber bei Grabbe geht das einher mit einer sprachlichen Übertreibungsform, also mit dem Immer-noch-was-daraufsetzen, auch bei dem Benutzen von Metaphern. Das mag ein Rezeptionshindernis sein. Grabbes Sprache ist viel weiter weg von dem, was wir im Theater gewohnt sind. Geht Ihnen das auch so?

Peter Schütze: Eigentlich wurde es gerade angesprochen bei *Don Juan und Faust*, das „Ich muss besser sein als Goethe und Mozart zusammen".

Martin Pfaff: Und dadurch zeigen, dass ich überhaupt etwas bin.

Peter Schütze: Und dann dieses wunderbare Zitat „Aus Nichts schafft Gott, wir schaffen aus Ruinen!" Also: Man muss fragmentieren und man muss, was Büchner ganz stark macht, wieder defragmentieren. Das Schöne bei Büchner, vor allem bei *Leonce und Lena* und *Woyzeck*, ist der Übersatz, den man sich dazu tun kann, wenn man beim nackten Konstrukt nicht bleiben will. Man weiß aber genau, es ist irgendwo fragmentarisch, und man kann es neu zusammensetzen. „Baukasten" hat Herr Katzschmann dazu gesagt.

Martin Pfaff: Das ist auch Übertreibung. Aber wieso fällt es bei Grabbe so auf? Weil es eben teilweise schlecht ist. Zum Beispiel dieser Satz, den ich zitiert habe, der beginnt in einem ganz tollen Rhythmus „Aus Nichts schafft Gott, wir schaffen aus Ruinen!", aber jetzt fällt der Rhythmus: „Erst zu Stücken müssen wir uns schlagen, eh wir wissen, was wir sind und was wir können!" – da kommt noch so ein Appendix an Erklärungen. Zuerst hat er da ein Pathos aufgebaut zwischen „das ist Gott" und „das sind wir", aber jetzt, oh Gott, muss er noch hinkriegen, dass die Leute es verstehen. Das ist dann natürlich tragikomisch. Wagner-Motive, das ist ja Perfektion und geht über Stunden, das ist eine Wolke, die sich immer weiter verdüstert – und bei Grabbe zerfasert es einfach so.

Peter Schütze: Ganz sichtbar ist, dass Wagner einen Effekt über den anderen gesetzt hat. Also die Musik, die angeblich im Kopf schon da war, auf den Text, der erst mal nachgeschrieben wurde, durchkomponiert. Dann kommt das Bild dazu, dann kommt die Theatralik dazu und plötzlich haben wir ein Riesending an Musikdramatik. Hier heißt es aber erst mal: Weg damit! Da ist der Rebell natürlich auch gleichzeitig Prometheus und Gott. Erstmal weg damit und jetzt baue ich wieder neu aus den Fragmenten. Dadurch kommt diese Übertreibung. Aber ich muss, indem ich das Alte auseinandernehme und neu zusammensetze, neue Wege gehen und nach vorne schaffen, auch übertreffen. Dieses Übertreffen hat etwas Tragikomisches, das habt Ihr am Landestheater Detmold ja auch toll beim *Gothland* hinbekommen. Diese Komik ist immer wieder und überall in den Grabbestücken aufzufinden. Bei Büchner ist es schwieriger. Dort ist immer die Frage: Was mache ich persönlich daraus? Was mich interessieren würde, ist die Frage nach dem Horizont. In der neueren Dramatik, welche mit der Moderne einsetzt, rückt das Ich immer mehr in den Vordergrund, also das Erleben und die Probleme des Schreibers selbst, also eventuell sozial und geschichtlich interessante Probleme, welche zuerst einmal mich selbst und meine eigene Biographie betreffen. Das fängt zum Beispiel bei Strindberg an. Wir haben gesagt, es ist toll; wir tauchen in diese Welten, die der Autor schon kaputt gemacht und neu zusammengesetzt hat, ein; es ist irgendwie ganz toll, was der mir erzählt. Aber was mich jetzt als nächstes interessiert, ist die Frage: Wie setze ich das mit meinem eigenen Zeiterlebnis zusammen? Gibt es da eine Kohärenz? Gibt es da etwas, das mich anspringt, es dann also ein Stück weit zu einem „Begehren" macht? Gibt es so etwas bei Grabbe? Gibt es so etwas bei Büchner?

Christian Katzschmann: Was mich anspringt? Beides sind Autoren, die politisch nicht korrekt sind. Beim *Gothland* ist die Männerwelt egoman, verstiegen, brutal. Es gibt im Stück nur eine weibliche Figur mit Anteilen von Mitleid und Verständnis. Grabbe stellt zur Diskussion, ob ich vom Schicksal abhängig oder aus eigenem Antrieb böse bin. Die Waage tendiert natürlich zu „aus eigenem Antrieb", da gibt es zwischen den Fronten im Stück keinerlei Unterschied. In der Radikalität, es so zu zeigen, ist Grabbe einzigartig, und das ist der Strenge, Hoffnungslosigkeit und Verzweiflung von *Woyzeck* sehr nahe. Eigentlich will das Publikum so etwas aber gar nicht sehen.

Jürgen Popig: Auf das Publikum können wir ja vielleicht gleich noch zu sprechen kommen, aber Herr Kopp hat sich schon eine ganze Weile gemeldet.

Detlev Kopp: Ein großer Unterschied zwischen diesen beiden Dramatikern, was die theater-praktische Seite angeht, ist, dass es im Gegensatz zu Büchner von Grabbe noch ein Stück gibt, welches überhaupt noch nicht vom Theater entdeckt worden ist. Es gehört zu meinen absoluten Lieblingsstücken von Grabbe und ich halte es in gewisser Beziehung für das modernste und avancierteste Stück, was er je geschrieben hat: *Der Cid*. Das Stück ist als Opernlibretto geschrieben worden. Norbert Burgmüller ist darüber aber hinweg gestorben und so ist es nie realisiert worden. Wir hatten 1993 auch eine Theaterpraktiker-Runde hier in Detmold zu denselben Fragen wie heute, ausgenommen Büchner. Dort war es der Regisseur Hansgünther Heyme, wenn ich mich recht erinnere, der ein unglaubliches Plädoyer gehalten hat, dass endlich mal *Der Cid* inszeniert wird.

Jürgen Popig: Er hat es aber nicht gemacht, oder?

Detlev Kopp: Er hat es nicht gemacht. Er hat uns aber mit leidenschaftlichen Worten erzählt, was für ein theatralisches Juwel dort zu entdecken ist. Heyme hatte einen Dramaturgen namens Peter Kleinschmidt, der mal jahrelang in Südafrika verschollen war und dort am Theater arbeitete, als Pensionär nach Deutschland zurückkam und im bayrischen Loipfing ein sogenanntes Hoftheater eröffnete. Dieses nennt sich so, da es im Schweinestall eines alten Bauernhofes ist. Irgendwann Anfang der 2000er Jahre bekamen wir Wind davon, dass dieser Herr Kleinschmidt vorhatte, dort den *Cid* zu inszenieren. Die Grabbe-Gesellschaft hat das damals gar nicht bemerkt bzw. hat nicht darauf reagiert. Niemand ist hingefahren. Es war eine Laienaufführung. Das Ganze wurde mitgeschnitten. Dann kam ich in meiner Eigenschaft als Verleger und als Grabbe-Fan irgendwann auf die Idee, dieses Stück, das immer übersehen worden ist und von Literaturwissenschaftlern als Ausgeburt eines von Alkohol zerfressenen Gehirns bewertet worden ist, in Wirklichkeit aber das radikalste Stück ist, welches Grabbe je gemacht hat, als neuen Text mit bebildernden Aufsätzen dazu herauszugeben und vor allem mit der

DVD dieser Aufführung. Ich werde es nie vergessen, wie ich das erste Mal die Aufführung, welche nur knapp eine halbe Stunde dauert, auf Videokassette angesehen habe und dachte: „Ja klar, das ist wahnsinnig bearbeitet. Das kommt jetzt ganz modern daher. Das kann mit Grabbe sicher nicht viel zu tun haben." Also habe ich die Videokassette nochmal eingelegt und den Text zur Hand genommen. Es waren in der Tat nur zwei Sätze gestrichen. Alles andere war purer Grabbe-Text. Dann haben wir dieses Buch vor ein paar Jahren, ich glaube 2009, zusammen mit der DVD produziert. Die einzige Rezension zur Uraufführung in Loipfing erschien immerhin in der *Zeit,* und zwar von Benedikt Erenz. Er resümierte damals: „ All unseren lieben Staats- und Stadttheatern, die ja ohnehin nicht mehr wissen, was sie noch spielen sollen, sei dieser Spaß aufs Heftigste ans Herz gelegt." Das möchte ich hiermit auch.

Peter Schütze: Es hat am Anfang dieses Jahrhunderts einen Wettbewerb gegeben, den der Präsident der Grabbe-Gesellschaft Werner Broer initiiert hatte, zu einer *Cid*-Oper. Es hat zwei Preisträger gegeben. Die Opern liegen vor. Es sollte eigentlich an einem Spielort in Detmold, in der Hochschule für Musik oder im Theater, gemacht werden, aber die waren dann plötzlich alle nicht mehr da. Das heißt, die Komponisten warten heute noch auf eine Uraufführung.

Detlev Kopp: Auf DVD kann man es sich ja auch angucken. Diese ist musikbegleitet. Die Musik wird aus einer auf der Bühne befindlichen Musikbox abgespielt.

Jürgen Popig: War das eine Sprechtheateraufführung oder wurde gesungen?

Detlev Kopp: Die haben sowohl gesungen als auch gesprochen, also beides. Die haben entsetzlich schrecklich gesungen, genauso steht es im Text: „Lasst uns furchtbar schrecklich dazu singen."

Beitrag aus dem Publikum: Vielleicht darf ich noch eine Fußnote anfügen. Als das Grabbe-Haus in Detmold eingeweiht worden ist, das muss irgendwann um die 90er Jahr gewesen sein, hat das Landestheater eine so genannte Grabbe-Collage aufgeführt. In dieser Grabbe-Collage war auch *Der Cid* fast zur Gänze enthalten. Ich habe dies damals auch ganz neu kennengelernt und fand es einfach ein herrliches Stück.

Jürgen Popig: Ich mag den *Cid* auch sehr. Das ist ein ganz bemerkenswertes Werk von Grabbe. Ich habe es aber nie für eine Aufführung im Schauspiel in Betracht gezogen, weil ich immer dachte, es ist ja ein Opernlibretto. Ich hatte diese Preisträgerkompositionen damals meinem Generalmusikdirektor mitgebracht, aber bisher ist es da auch zu keiner Aufführung gekommen. Das ist eine zusätzliche Schwierigkeit, die dieses Stück hat: Man weiß nicht so recht, ist es ein Schauspiel oder eher für die Oper.

Detlev Kopp: Also der Gedanke, wenn man die Selbstäußerungen Grabbes zum *Cid* heranzieht, liegt nahe, dass es für ihn ein Karnevalsspektakel war. Es war ganz bewusst auf diesen komödiantischen Zusammenhang der Karnevalsfeier in Köln oder Düsseldorf bezogen. Er kam da ja aus dem Rheinland. Es gab vor vielen, vielen Jahren mal einen gefakten Bericht über die Uraufführung des *Cid*. Es wurde quasi so getan, als ob es eine Uraufführung gegeben hätte, die vergessen worden ist. Dann wurde sehr genau diese Aufführung beschrieben. Auch für jemanden, der sich das heute vielleicht theatralisch vorstellen könnte, gibt es da in diesem Text eine ganze Menge Anregungen. Ganz viele Leser des Grabbe-Jahrbuchs haben nicht bemerkt, dass es ein Fake war. Das Stück hat also schon den ein oder anderen bewegt, aber auf dem Theater wird es schlicht und ergreifend nicht ausprobiert und in dieser Hofkunst Loipfing war das gut. Ich habe ja auch hinterher mit dem Schauspielern noch Kontakt gehabt. Das war deren größter Erfolg. Die Leute haben denen wirklich die Bude eingerannt. Es war immer ausverkauft, weil es auch einen riesigen Unterhaltungswert hatte. Es war richtig tolles, absurdes, multimediales Theater.

Jürgen Popig: Aber was kann ich mir denn unter singenden Schauspielern vorstellen?

Detlev Kopp: Die singen natürlich keine Arien. Das ist natürlich auch eine Parodie auf die Oper der Zeit und die ständigen Libretti dieser Opern, in denen, nur damit es sich reimt, der größte Unsinn in Worte gefasst wurde. Das wird hier alles zelebriert und dekonstruiert und setzt unglaublich viel Gelächter frei. Was ich ganz toll finde und was mir Grabbe dann gleich nochmal sympathischer gemacht hat: Er hat sich selbst unendlich auf die Schippe genommen. Diese unglaublichen Massenszenen, die er im *Napoleon* noch hatte, wo die Kanonen links und rechts abdonnern und sich die Feldherren trotzdem noch miteinander unterhalten können – das ist ja unglaublich! Wo tausende von Komparsen und Artillerie und Kavallerie auf die Bühne gejagt werden. Das wird in diesem *Cid* total dekonstruiert. Da lässt er dann eben von einem Elefanten nur den Rüssel zeigen und die restlichen Kampfelefanten sind halt hinter der Bühne oder der Cid, der Held, der ja bekanntlich eindringlich die Araber in Spanien in die Flucht geschlagen hat, tut dies, indem er auf einem Schaf reitet. Und die Millionen von Feinden, die im Text immer beschworen werden, sind in dieser Aufführung durch Luftballons dargestellt, und die Schafpuppe hat einen Stachel an der Nase und dann platzen die Luftballons und dazu wird gesagt: „Solch feige Memmen hab ich nie gesehn!" Das ist schon ein Spektakel.

Jürgen Popig: Der Vorschlag ist angekommen. Wir werden das überlegen.

Peter Schütze: Vielleicht eine weitere Frage. Am *Cid* merkt man es und spätestens in den Düsseldorfer Theaterkritiken liest man es, dass bei Grabbe ein

Horror vor diesen überbordenden Bühnenmitteln und Statisten bestanden hat. Also könnte man denken, dass der sich bei den Aufführungen seiner Stücke auch nicht die Vollzahl seiner Statisten, seiner Heere gedacht hat.

Detlev Kopp: Grabbe hat ja, als er den *Napoleon* schrieb, nicht im Traum daran gedacht, ihn jemals auf einer Bühne zu sehen. Das geht aus einem das Stück kommentierenden Brief hervor, in dem er bekennt: „Das rechte Theater des Dichters ist doch die Phantasie des Lesers".

Peter Schütze: Klar, aber ich denke, wir finden bei Grabbe auch den Punkt, wo man sagt, man muss mit Phantasie an die Sache herangehen. Da wird immer wieder gesagt: „Man kann diese Stücke nicht aufführen. Die kann man nicht auf die Bühne bringen. Das geht nicht." Ich habe mehrmals bei Philip Tiedemann und bei der parallelen Aufführung in Senftenberg gesehen, dass man sogar *Die Hermannsschlacht* ganz prachtvoll und hervorragend spielen kann, mit wenigen Mitteln, aber völlig korrekt und sprachlich interessant. Das wäre ja auch so eine Annäherungsmöglichkeit an diese riesigen Grabbe-Stücke und eine Herausforderung des Theaters, mal zu sagen: „Wie kann man das phantasievoll und einfach machen und trotzdem komplett erzählen?"

Philip Tiedemann: Ich glaube sogar, dass das auch eine Form von Modernität ist. Ich glaube, dass Heiner Müller, zum Beispiel, Regieanweisungen in seinen Stücken eingefügt hat, von denen er wusste, dass sie nicht umsetzbar sind. Das war sozusagen der etwas zynische private Spaß des Heiner Müller zu sagen: „Und jetzt legt mal los!" Wie jetzt ein Einbeiniger auf einem Hochrad mit 17 Jungfrauen da rumfährt oder so etwas. Das glaube ich unbedingt. Dass er das überhaupt tut, da würde man vielleicht doch nochmal auf das Welttheater zurückkommen. Also wie weit man diese Hybris vornehmen will, die Welt in so eine kleine Dose zu zwingen, zu sperren und sie dann zu betrachten. Dann ist es fast schon wieder der Büchnersche wissenschaftliche Blick auf das Ganze.

Martin Pfaff: Ich würde den *Cid* nicht inszenieren, da es ja diese Musterinszenierung schon gibt. Da hätte ich ja gar keine Chance gegen diese Mischung aus Castorf und Schlingensief. Nein, natürlich macht so etwas Spaß. Wenn die Sachen so manisch geschrieben sind, dann bekommt man ja auch gleich Lust, das Gegenteil zu machen. Dann denkt man sich, man stelle eine Person ans Mikrofon und lasse sie alle Regieanweisungen sprechen und lasse sich nur zwei Tänzer stumm bewegen. Da lässt man sich ja gar nicht mehr darauf ein. Schlimmer ist es bei Thomas Bernhard, der so tut, als bräuchte er es. In *Die Macht der Gewohnheit* gibt es einen Spaßmacher, der muss ins Stück. Da ist in der Partitur, dass ihm im richtigen Zeitpunkt versehentlich die Haube vom Kopf rutschen muss. Daran probt man sich wirklich wund. Da erinnere ich mich auch noch an Kritiksitzungen nach Durchläufen. Da macht man mit den Hauptdarstellern Textdiskussionen und so und plötzlich meldet sich der Spaßmacher und sagt „Ich habe immer noch ein Problem mit der Haube" und alle hassen diesen Schauspieler, der mit seinen Haubenproblemen immer unsere Sprachtheaterwelt torpediert. Das ist schlimm, wenn man denkt, man brauche es. Oder das Fenster bei der Komödie *Außer Kontrolle*, das zum richtigen Zeitpunkt fallen muss, und man denkt, man brauche dieses Fenster. Das muss richtig realistisch fallen. Das ist die Hölle, wenn es realistisch sein muss.

Christian Katzschmann: In dieser laufenden Spielzeit wird kein Grabbe aufgeführt. Eigentlich sind es reizvolle Stücke, woran liegt es also? Büchner ja, Grabbe nicht – das ist weiterhin das ungeklärte Problem.

Jürgen Popig: Sie wollten noch aufs Publikum zu sprechen kommen, das würde mich interessieren, was für Erfahrungen Sie da gemacht haben. Ein Stück zu spielen, heißt ja auch meist, man denkt, es gäbe ein Publikum dafür. Und umgekehrt: ein Stück nicht zu spielen, da denkt man, das will sowieso niemand sehen. Aber was haben Sie denn mit Ihren Grabbe-Aufführungen für Erfahrungen gemacht? Ich kann es vielleicht kurz für mich sagen. *Die Hermannsschlacht* in Osnabrück war ein erstaunlicher Publikumserfolg. Das hatte sicher auch damit zu tun, dass es im Jubiläumsjahr 2009 stattgefunden hat, passend zu diesen ganzen Varus-Feierlichkeiten. Das mag eine Rolle gespielt haben. *Hannibal* in Stuttgart war auch sehr beliebt. *Gothland* hat das Theater leer gespielt. Das war aber kein Grund, das Stück abzusetzen. Heute gilt diese Inszenierung von Martin Kušej als legendär. In zwei von drei Fällen habe ich die Erfahrung gemacht, dass Grabbe durchaus sein Publikum findet. Wie ist es bei Euch in Detmold?

Christian Katzschmann: Die *Hermannsschlacht* war auch hier sehr erfolgreich, aber das lag natürlich am Varusjahr. In den anderen Fällen: Also *Scherz, Satire, Ironie und tiefere Bedeutung* schwierig – *Gothland* schwierig. Bei *Scherz, Satire, Ironie und tiefere Bedeutung* hat sich der Humor nicht übertragen. Das Komikpotenzial ist nicht verständlich geworden. *Gothland* hat aufgrund der krassen Aussage irritiert. Im Publikumsgespräch dazu gab es eine Wand der Abneigung. Damit kann man ja umgehen; das macht auch Freude. Aber das ist dann die Wirkung, mit der man zu rechnen hat, wenn man ein solches Stück so auf den Spielplan bringt. Die Angst, den Spielplan mit solchen unbekömmlichen Stoffen zu versehen, ist bei Bühnen mittlerer Größe erheblich.

Jürgen Popig: Ich würde jetzt eine Schlussrunde vorschlagen und anregen, dass jeder noch Spielplanvorschläge äußert. Ich habe mein Projekt ja schon angekündigt: *Dantons Tod* und *Napoleon* – ich hoffe, es klappt – irgendwann in den nächsten Jahren in Heidelberg zu machen. Das würde mich sehr

interessieren. Vielleicht gibt es ja bei euch auch irgendwelche Ideen oder Vorhaben mit Büchner oder Grabbe für die Zukunft.

Christian Katzschmann: Grabbe ist in Detmold Selbstverpflichtung. Das Potenzial ist ungemein reizvoll. Ich glaube, wir kriegen auch in Detmold wieder
einen Grabbe auf die Bühne, vielleicht einen *Hannibal*, da liegt mir Prof. Ehrlich immer so ein bisschen in den Ohren.

Jürgen Popig: Es wäre interessant, welches Stück Sie am meisten interessiert. Das
ist schon *Hannibal*?

Christian Katzschmann: Also man möchte ja etwas, was am Ort lange nicht
gespielt wurde. Ich weiß nicht, wann *Hannibal* hier mal gelaufen ist – ewig
nicht.

Lothar Ehrlich: Wir haben die gute Erfahrung, dass in den letzten zwanzig Jahren relativ häufig *Gothland*-Inszenierungen stattfanden – es begann 1993
in Stuttgart, später dann in Graz, Detmold, Kassel, München, Hannover,
Karlsruhe und in diesem Jahr wiederum in Grabbes Heimatstadt. Zugleich
meinten wir, dass es produktiv sein könnte, auch die innovativen historischen
Dramen Grabbes auf die Bühne zu bringen, um sich mit dem Publikum über
den Gang der Geschichte und den gegenwärtigen Weltzustand verständigen
zu können. Vielleicht ist es nicht nur nützlich, Grabbes pauschale aggressive
Antihaltung im *Gothland* provokativ auszustellen, sondern auch ins Gespräch
zu kommen über die differenzierte kritisch-dialektische Darstellung der
komplizierten und widersprüchlichen historischen Prozesse, eben in *Napoleon oder die hundert Tage* oder in *Hannibal*. Ich finde es einerseits jedenfalls
toll, dass es die vielen *Gothland*-Inszenierungen gab. Das sind ja seit Stuttgart
etwa genauso viele Inszenierungen wie im Jahrhundert seit der Uraufführung
des Stückes 1892 in Wien. Es wäre andererseits nun sicher sinnvoll, wenn ein
Theater jetzt mal den *Hannibal* machen würde.

Jürgen Popig: Da war zuletzt die große Inszenierung in Paris.

Lothar Ehrlich: Ja, diese Aufführung sahen wir im September 2013. Regie führte
Bernard Sobel, ein Brechtianer, der seit 1964 in Paris, aber auch in anderen
französischen Städten sowie in Deutschland und der Schweiz über achtzig
politisch engagierte Inszenierungen, gerade auch deutscher Dramatik, herausgebracht und dabei europäische Theatergeschichte mitgeschrieben hat.
Im Pariser Vorstadttheater Gennevilliers, das er lange Jahre leitete, führte er
bereits 1996 *Napoleon oder die hundert Tage* erfolgreich auf. Die Inszenierung war beim Weimarer Kunstfest und den Berliner Festspielen zu sehen
und wurde (nicht nur als Beitrag zur Grabbe-Rezeption) durchweg außerordentlich positiv als internationales theatralisches Ereignis besprochen. Auch
Hannibal war sehr eindrucksvoll. Die Wirkungen entstanden vor allem
über die gestisch und mimisch präzisen und plastischen schauspielerischen

Leistungen. Die Inszenierung brachte es mit Gastspielen in Frankreich auf über fünfundzwanzig Aufführungen. Im Grabbe-Jahrbuch 2014 haben wir das Schaffen Sobels und seine bislang letzte Grabbe-Arbeit ausführlich dokumentiert.

Peter Schütze: Also *Hannibal* ist in Detmold gemacht worden, wenn ich das richtig in Erinnerung habe, in den Nachkriegsjahren, 1951 zum 150. Geburtstag des Dichters. Da kann man ihn schon mal wieder ins Auge fassen.

Jürgen Popig: Wir haben *Hannibal* in Stuttgart 2002 gespielt mit Johan Simons als Regisseur, und das war eine großartige Arbeit. Philip Tiedemann, was wolltest Du denn immer schon mal von Grabbe oder Büchner inszenieren?

Philip Tiedemann: Ich lasse mich hier nicht abschrecken und werde mir den *Cid*, den ich tatsächlich nicht kenne, mal zu Gemüte führen. Bei diesem ganzen Geschimpfe über die Eventkultur, denke ich, dass man daraus auch mal einen Nutzen ziehen könnte. Mich hat es gewundert, dass im Jahr zum 200. Jahrestag der Waterloo-Schlacht niemand auf die Idee kam, *Napoleon* zu spielen – ich meine, damals diese *Hermannsschlacht*, das war der Nagel, an dem man das Ding aufgehängt hat, und da war dann wurscht, wer es geschrieben hat. Dann hat man mal einen Anlass, an den man es dranhängen kann.

Detlev Kopp: Also Osnabrück und Detmold, die beiden Städte beanspruchen die Varusschlacht für sich.

Jürgen Popig: Gut, aber es gab im gleichen Jahr auch eine Aufführung in Senftenberg.

Peter Schütze: In Senftenberg, was Ihr leider alle nicht wahrgenommen habt, fanden an einem Wochenende hintereinander und parallel fünf Grabbe-Vorstellungen statt. Man konnte, wie ich, nur drei davon an einem Tag sehen.

Jürgen Popig: Aber es stimmt schon, solche äußeren Anlässe werden von den Theatern verstärkt gesucht.

Philip Tiedemann: Na ja, es gibt dann so eine Fokussierung. Ich habe mich selbst nochmal mit dieser Schlacht, die ja unfassbare Auswirkungen hatte, befasst. Es war mir gar nicht so klar, dass sie auch im Bewusstsein der Leute eine Art Hiroshima des frühen 19. Jahrhunderts geschaffen hat. Das hängt damit zusammen, das sage ich ganz kühn, dass es in der heutigen dramatischen Literaturgeschichte in seiner Größe gar nicht mehr verhandelt wird. Wenn man Hochhuth macht, na ja, das muss man nicht, aber das ist so ziemlich der letzte gewesen, der sich noch darum bemüht hat. Inzwischen kriegt er es auch mehrfach um die Ohren gehauen, das ist vielleicht auch nicht von besonders hoher Qualität, aber es findet sonst nicht mehr statt. Ich finde das interessant, wir haben eine Situation, in der wir den Begriff „Europa" diskutieren und in der wir uns Fragen stellen müssen, die durch ein Stück wie *Napoleon* nicht beantwortet, aber ordentlich thematisiert werden. Da hätte man das Material dazu.

Lothar Ehrlich: Das sehe ich auch so. Ich habe mich deshalb gewundert, dass *Napoleon* in diesem Jahr zum 200. Jubiläum der Schlacht bei Waterloo nicht inszeniert wurde. Aber da spielt wohl das eine Rolle, was ich vorhin zum *Gothland* gesagt habe. Also es wäre sehr schön, wenn man *Napoleon* mal wieder sehen würde. Vielleicht könnte man das Stück tatsächlich zusammen mit *Dantons Tod* als Doppelprojekt realisieren. Wir reden ja schon seit ein paar Jahren darüber.

Jürgen Popig: Da gibt es so komische Theaterzwänge: Unsere Vorgänger – also die Vorgänger des jetzigen Heidelberger Teams – haben *Dantons Tod* gespielt, und dann können wir es nicht gleich wieder machen. Wir müssen damit einfach noch ein paar Jahre warten. Martin Pfaff, bei Dir kommt als nächstes *Dantons Tod* – und danach *Don Juan und Faust?*

Martin Pfaff: Ich werde mir das irgendwann nochmal drauf knallen und ein prinzipielles Interesse an *Don Juan und Faust* habe ich ja schon beschrieben, das muss ich ja jetzt nicht wiederholen. Ich bin ehrlich gesagt froh; ich kann ja schon so ein bisschen in die Zukunft gucken und weiß, dass ich mich diese Spielzeit sehr viel mit Klassikern beschäftige, von *Endstation Sehnsucht* bis *Dantons Tod*. Und *Maria Stuart* mache ich noch woanders. Dann langt das auch mal. Man braucht nicht nur diese alten Autoren, die man ständig an der Herz-Lungen-Maschine halten muss, sondern muss auch gucken, dass die moderne Dramatik noch ein bisschen hochgehalten wird. Obwohl das in Stückwettbewerben und so weiter mit viel Brimborium gemacht wird. Die Moderne hat es im Augenblick, glaube ich, schwieriger als unser lieber Grabbe. Der wird noch länger überleben als so manch junger Autor von heute, der gar nicht gespielt wird. Da ist die kulinarische Norm der Zuschauer extrem, sodass sie sagen: „Ich will nicht mal mehr einen Titel haben, in dem etwas vorkommt wie *Gott des Gemetzels*" – und dabei handelt es sich hier um eine Komödie. Ich höre, dass solche Titel Intendanten abschrecken, weil sie sagen: „Oh Gott, oh Gott, die Leute fragen, ob das blutig ist – dann haben sie schon keine Lust mehr." Und dann jetzt mit „Blut und Boden" bei Grabbe zu kommen, das ist, glaube ich, so eine Sache. Nee, ich mache in nächster Zeit mehr moderne Stücke, da freue ich mich drauf. Das ist nämlich auch wichtig. Einen Klassiker mache ich allerdings 2016/17 in St. Gallen. Den habe ich mir selber aussuchen dürfen, und das ist auch so eine manische verrückte Sache: eine Dramatisierung des Dürrenmatt-Romans *Durcheinandertal*. Darauf freue ich mich auch total, weil man da theatralisch eine Antwort finden muss.

Jürgen Popig: Also ein Plädoyer für das zeitgenössische Theater zum Abschluss der Diskussion! Vielen Dank, dass Sie so zahlreich gekommen sind und mitdiskutiert haben. Vielen Dank für Ihr Interesse.

Die Komponistin

Die Autorin Henriette Dushe über ihr Stück *In einem dichten Birkenwald, Nebel* im Gespräch mit Mirka Döring

Henriette Dushe, alle Ihre Stücke sind sehr rhythmisch, sie sind nahezu musikalisch komponiert. Sind Sie auch Musikerin?
Leider nicht, aber ich wäre es gerne. Ich bewundere Musikerinnen und Musiker. Spielt man ein Instrument, kann man überall hingehen, andere Musiker finden und sich auf diese Weise verständigen. Ich würde mir wünschen, dass man beim Inszenieren so an meine Texte herangeht, als Band, als Chor. Es gibt nichts Schöneres für mich als den Chor. Durch meine Texte kommt man auch gar nicht alleine, das fängt schon beim Textlernen an.

Für „lupus in fabula" haben Sie drei Schwestern erfunden, in „Von einer langen Reise auf einer heute überhaupt nicht mehr weiten Strecke" treten fünf Frauen auf. Bei „In einem dichten Birkenwald, Nebel" sind es paritätisch drei Frauen und drei Männer. Sie kommen aus der Theaterpraxis, haben als Dramaturgin und Theaterpädagogin gearbeitet – ist das auch theaterpolitisch, oder ergeben sich die starken Frauenrollen organisch?
Nein, das denke ich nicht mit, obwohl es mich immer sehr freut, wenn sich starke Frauenrollen ergeben. Ich bitte oft darum, dass keine meiner Figuren mit Schauspielerinnen unter 40 Jahren besetzt wird, und das erweist sich immer als schwierig, nahezu unmöglich. Ab einem gewissen Alter verschwinden die Frauen aus den Ensembles, weil sie sich nicht mehr als junge Liebhaberinnen oder töchterliche Tauschobjekte eignen – den *Birkenwald* hatte ich zuerst nur mit Frauenrollen skizziert, aber da fehlte immer etwas: die zweite Stimme. Es brauchte auch einen Männerchor.

Wobei das ja nicht unbedingt als Gegenüberstellung binärer Geschlechtsmodelle funktioniert, oder?
Darauf würde ich auch immer pochen, aber man kann das auch anders lesen.

„In einem dichten Birkenwald, Nebel" ist 2011/12 im Rahmen eines Lehrgangs bei uniT in Graz entstanden, wo Sie studiert haben. Nun, einige Jahre später, gewinnt es den Christian-Dietrich-Grabbe-Preis und wird in Detmold uraufgeführt.
Ich fand es selbst ein bisschen verrückt, dass das Stück nach langer Reise in Detmold landete, aber ich freue mich sehr, dass es überhaupt irgendwo gelandet ist. Ich mag es sehr, Form und Sprache gefallen mir sehr viel besser als in *lupus in fabula*, bei dem ich manchmal das Gefühl habe, dass man mit dieser alle anrührenden Thematik das Publikum immer kriegt. *Birkenwald* hatte jedenfalls schon den Lenz-Preis für Dramatik in Jena bekommen, und die hockten dann eine lange Zeit auf der Uraufführungsoption. So was ist für Autoren immer eine harte Nummer, weil es dann natürlich auch erst einmal

kein anderer nehmen kann. Jena war auch eine kleine Hoffnung darauf, sozusagen nach Hause zu kommen. Ich finde, meine Stücke gehören eigentlich an
ostdeutsche Bühnen, aber ich werde stattdessen im tiefsten Westdeutschland
oder in Österreich gespielt, in Heidelberg, Graz, Detmold.
Ist dort die Bereitschaft zur Auseinandersetzung größer?
Ich weiß es nicht. Während des Autorenwettbewerbs „Stück auf!" in Essen
lief *Von einer langen Reise auf einer heute überhaupt nicht mehr weiten Strecke*,
ein Aussiedlungs-/Ausreisestück. Beim anschließenden Publikumsgespräch
sagte ein Herr, dass er überhaupt nicht versteht, warum das Thema für diese
Bühne in dieser Stadt gewählt wurde, was das mit ihnen zu tun hätte. Da blieb
mir wirklich der Mund offen stehen. Wie so ein wohlsituierter westdeutscher
Mittfünfziger sagen kann, dass er es überhaupt nicht verstehen kann, warum
sich sein Theater einer Ost-West-Thematik widmet. Ich habe versucht, ihn
dafür zu sensibilisieren, was das für jemanden, der aus dem Osten kommt,
bedeutet, so etwas gesagt zu bekommen. Das erklärt vielleicht einen gewissen
Frust. Weil ich auch sagen könnte: Na ja, ich hatte mich mit Westdeutschland auseinanderzusetzen, ob ich wollte oder nicht. Wenn ich heute an einer
Quizshow teilnehmen möchte, muss ich alle Fakten über die Bundesrepublik
wissen, über die DDR aber nichts. Vielleicht hat es auch damit etwas zu tun,
dass es diesen Abstand gibt, mit dem man die Stücke dann eher wie Geschichten gucken kann.
*Gleich in der ersten Regieanweisung stellen Sie die Symbolfigur des westlichen
Kapitalismus schlechthin, Ronald McDonald, in den Birkenwald, der im Theater
zwangsläufig auf Tschechow verweist. In dieses weite Feld, das unglaubliches Kon-
fliktpotenzial birgt, schmeißen Sie Ihre Figuren. Und sie scheitern, oder?*
Ja, gewaltig. Zumindest scheinbar. Vielleicht aber kommen sie sich so nah,
wie sie sich vorher nie nah waren. Das liegt in der Betrachtungsweise.
*Im Theater wird ja gern mantraartig wiederholt, dass man scheitern können muss:
schöner scheitern, besser scheitern. Das wird schnell dahingehend verklärt, dass
jedes Scheitern immer auch eine Chance bereithält. Das ist für Ihre Figuren längst
nicht mehr so. Oder gibt es da noch Hoffnung?*
Die Hoffnung auf was?, wäre da die Frage. Vielleicht ist auch das Einge-
ständnis des Scheiterns und das Zugeben und Zulassen der Depression ein
Gewinn, ein Sieg. So würde ich es eher sehen. Es gibt ja die These, dass die
Depression heute eigentlich die größtmögliche revolutionäre Tat ist, dass es
keinen besseren Protest gibt.
Ist das nicht ein sehr innerlicher, stummer Protest?
Stumm sind meine Figuren ja nicht, im Gegenteil, sie reden ohne Unterlass.
Ich bezweifle, dass die Depression so stumm ist, wie immer behauptet wird.
Da gibt es viel zu reden und da wird auch viel geredet.

Ich habe mal eine Studie gelesen, bei der depressive und nichtdepressive Menschen vor Computerspiele gesetzt wurden. Man hat ihnen die Spiele erklärt, und sie sollten vorab einschätzen, wie gut sie die Aufgabe bewältigen würden. Die Depressiven haben sich exakt richtig eingeschätzt, ohne diesen Überschwang an positivem Denken. Da gibt es also eine stark realistische Selbsteinschätzung, im Gegensatz zu den „Normalen". Das Zulassen einer Depression, das Sitzenbleiben, bewerte ich positiv. Auch als Befreiung.

Für die Figur der Jungen liegt die Befreiung erst im Tod. Gibt es für sie keine Rettung im Diesseits?

Anders als in der Detmolder Inszenierung, wo die Junge sehr real und sehr zentral stirbt, habe ich das weit unaufgeregter oder unrealistischer gedacht. Hier stirbt das jugendliche Prinzip, der Überschwang, die naive Hoffnung, der Glaube.

Die Junge wird bei ihrer Sinnsuche, egal ob politisch, zivilgesellschaftlich oder religiös, die sie so stark betrieben hat, nicht fündig. Gibt es denn etwas, wo sie fündig werden könnte?

In der Liebe. Wenn, dann überhaupt nur da. Man kann hundert Millionen Mal enttäuscht werden, man kann Glauben, Ideale und Anschauungen schmerzhaft verlieren, aber wenn die Liebe zerbricht ... Die Liebesfähigkeit zu verlieren ist totalitär. Das ist das, woran man letztlich und endgültig zugrunde geht. Darin steckt auch der Gedanke, dass man nicht unendlich lieben kann. Ich glaube, das ist ein großer Trugschluss. So wie man sich nicht fünf Ideologien anhängen oder drei Religionen haben kann, so kann man auch nicht unendlich lieben. Das kann sich erschöpfen. Je häufiger man liebt, desto weniger durchlässig wird man auch. Und wenn da Verletzungen und Zerstörungen hinzukommen, macht man nicht mehr so einfach auf. Und ich muss mich total öffnen, wenn ich lieben will.

Eine letzte Frage: Würden Sie Ihre Texte selbst inszenieren wollen?

Das frage ich mich immer wieder. Manchmal hätte ich schon Lust, die Dirigentin zu sein. Aber was Regisseurinnen und Regisseure leisten müssen – ich weiß nicht, ob ich die Geduld und auch den nötigen Humor hätte, über Wochen die große Kommunikatorin zu sein, die lächelnd und motivierend noch unter Druck die ganze Zeit Bilder produziert. Und immer diese permanente positive Verstärkung, die man allen Leuten rund um die Uhr ständig geben muss. Das ist schon eine der extremsten Tätigkeiten, die man sich wählen kann.

Quelle: Theater der Zeit 04/2016. S. 52 - 53.
Link: http://www.theaterderzeit.de/2016/04/

PETER SCHÜTZE

„Ohne Anker inmitten eines Ozeans"
In einem dichten Birkenwald, Nebel von Henriette Dushe

Er ist wieder da, der Grabbe-Preis. Und seit die Grabbe-Gesellschaft diese Auszeichnung für ein neues dramatisches Werk, das eine „künstlerisch innovative Leistung darstellt", gemeinsam mit dem Lippischen Landestheater ausschreibt und zuerkennt, gibt es – erstmals – eine Uraufführung des Stücks in Detmold. Sie fand am 15. Januar 2016 im Sommertheater statt. Die Wahl der Jury war auf Henriette Dushes ‚Bühnenelegie' *In einem dichten Birkenwald, Nebel* gefallen – eine in vielfacher Hinsicht glückliche Entscheidung. In Malte Kreutzfeldts Inszenierung bewies der Text nicht nur seine literarische Qualität, er bestand auch die Feuerprobe der Bühne auf glänzende Weise.

Vom Clownskostüm des Ronald McDonald, in dem die Autorin ‚drei Frauen' auftreten lässt, ist in Detmold nur die weiße Gesichtsschminke mit knallroten, überbreiten Lachmündern geblieben; so, wie die Männer in Brautkleidern, treten die Frauen in dunklen Anzügen mit Herrenschuhen auf. Erst im Laufe des Stücks wechseln die Personen ihre Kostüme, schminken sich ab, treten aus dem Rollenspiel der Partnerschaften zurück ins nackte, dann ins neu eingekleidete Dasein ihrer Geschlechter.

Drei Frauen („Spielerinnen") und ein dreistimmiger „Männerchor", mit dem das Geschehen einsetzt: Was sind das für Figuren? Nur unpersönliche Stimmen und Gestalten? Es sind allgemeine, namenlose Menschen, aber keine Pappkameraden und Kopfgeburten, die Vorgeschriebenes hersagen. Sie atmen, sie leben, wir kennen sie, wir verstehen von Augenblick zu Augenblick, was sie umtreibt, wie sie fühlen, was sie reden, wie sie denken und zu sich selbst zu kommen versuchen. Sie unterscheiden sich von traditionellen Dramenfiguren nur dadurch, dass die Schauspieler sich ihnen mit all ihrer Persönlichkeit zur Verfügung stellen müssen, um greifbar zu sein. Ganz normale Menschen aus der Nachbarschaft. Leute, die man im Kaufhaus, in der U-Bahn, an der Tankstelle trifft. Deren Namen man auch nicht weiß. Nur die Kostüme, die vorbereiteten, kunstvoll verflochtenen Dialoge heben sie ab von denen und machen sie zu Bühnenfiguren, zu den Instrumentalisten eines szenischen Konzertes.

Die Stimmen äußern sich bald solistisch, bald unisono; was die Personen erinnern und erzählen, lappt häufig über, oft haben sie gleiches erlebt oder können, fortredend, den Part einer anderen übernehmen. Drei und drei sich überschneidende Schicksale, manchmal wie von ein und demselben Menschen. Über lange Strecken unternehmen sie hilflos bleibende Versuche, dem eigenen Leben Sinn, Dimension, Form, Vergangenheit und Zukunft abzuringen. Kaum lassen sich die Erinnerungen fixieren; jeder rudert herum in leerer Gegenwart. Viele der Aktivitäten sind Leerlaufhandlungen, um über die Runden zu kommen, wie die hungrigen und pickenden Hühner auf leerem Boden.

Der Kreisverlauf, der sich nach und nach in eine Spirale verwandelt, erinnert, musikalisch gesprochen, an ein Rondeau, eine Schlange, die sich selbst in den Schwanz beißt, und lässt die Frage zu: Sind diese Personen die Figuren eines modernen Mythos? Das Stück hat etwas davon. Als Vorspruch zitiert die Autorin die *Ilias*. Sechster Gesang, Verse 201-203. Homer berichtet dort den Sturz des Bellerophon, der auf dem Pegasos zu hoch hinaus wollte, bis zum Olymp, und von Zeus in die Wüste geschleudert wurde, wo er lahm und blind von den Dornen, in die er fiel, siech und elend bis zu seinem Tode herumkroch: „Als nun aber auch jener den Himmlischen allen verhasst ward / Irrte er einsam umher, das Herz in Kummer verzehrend / Durch die Aleische Flur und er mied die Pfade der Menschen." Ja, diese Figuren irren herum wie Schiffbrüchige auf dem Meer, rackern sich ab im Rad einer verkommenen Fortuna der Gegenwart, im Einerlei von Arbeit und Freizeit, in Angst vor Geld- und Prestige-Verlust – wobei die Frauen den Männern stets einen Schritt voraus sind, aber auch gefährdeter in ihrer Existenz. Alle gingen das Leben an mit Zuversicht, Vertrauen, Liebe, nahmen Partnerschaft und Beruf und alles, was die Gesellschaft forderte, auf sich. Aber plötzlich ...

... gab es den Moment des Brechens – im Text auch einmal buchstäblich – den Punkt, an dem das Lebensschiff plötzlich havarierte, ausgelöst durch – ja durch was? – einen Augenblick der Unaufmerksamkeit, einen Zufall, einen kleinen Unfall, und auf einmal stellen sich alle Lebensfragen ganz anders, auch die Erinnerungen wechseln ihre Farben, das geordnete Tagtäglich zerbröselt: „wie ein unbeteiligter Zuschauer sah ich zu, wie sich meine Existenz Stück für Stück aufzulösen begann", sagen die Männer alle drei, und der erste hatte sich davor schon gefragt, „für was man da abgestraft wird, und von wem eigentlich, ist's der / Herrgott, der einen da so an der Kandare oder ist es nur eine Reihung unglückseliger Zufälle oder". Man hadert nicht mehr mit dem Schicksal oder mit Zeus wie Prometheus, und doch bewegt sich alles in einem quasi mythischen Raum, den ‚Birkenwald' und ‚Nebel' umschließen und umfließen.

Wir erleben einen mythischen Zirkel und zugleich die Parodie darauf. Das Gefühl, ein Verhängnis walte, macht sich überall breit, doch sind die erlebten Schicksalsschläge nichts als Schäden, die Mittelständlern heute blühen können. Jede Einzelheit ist uns vollkommen vertraut, vieles kommt uns so komisch vor, dass erst die Ansammlung, die Perpetuierung tragisch anmutet, dieses pausenlose Kraxeln im Laufrad der Gegenwart, das Getue, „als hätte die Erinnerung eine Konsequenz", die zu großen Worte für kleines Glück und verschmerzbares Ungemach (Autolichter, die mir vorkommen wie die Augen des Teufels),

Worte, die aber auch immer wieder zurückgenommen werden, denn eigentlich
ist „Gar nichts Betrübliches, wohin ich auch schau".

Das imaginäre Baumfällen, das über lange Sequenzen hin im hinteren, diesig
verhangenen Teil der Bühne verrichtet wird, ist ein Zerschlagen des naturhaft
Gegebenen, der vertrauten Natur, die Geborgenheit bot und Hoffnung atmete.
Platz für die Selbstbetrachtung, einzeln und gemeinsam. Aber es räumt auch auf
mit dem Vergangenen. Es liegt nahe, an Tschechows *Kirschgarten* zu denken, bei
dem die neuen Herren der Industrie den alten Besitz-Stand von seinen Gütern
vertreiben und die Bäume abhacken, um Platz für ein Werksgelände zu schaffen. Bei Henriette Dushe zerschlägt das Roden Illusionen und Hoffnungen,
schafft aber auch eine neue Lichtung, Raum zum Denken, zur Selbstbesinnung.
Vernichtete Hoffnungen sind dem Bühnenleben der Figuren vorausgegangen.
Ich assoziiere bei den Birken nicht nur Tschechow, sondern auch Bert Brechts
Anachronistischen Zug: „Frühling wurd's im deutschen Land. / Über Asch' und
Trümmerwand / Flog ein erstes Birkengrün / Probweis', delikat und kühn." Auf-
bruch und Zukunftsfreude standen am Anfang, bis alles beklemmend zuwuchs.
Die Erinnerung daran hält die Autorin mit Zitaten aus Louis Fürnbergs sozia-
listischer Hymne „Du hast ja ein Ziel vor den Augen, / damit du in der Welt
dich nicht irrst" fest, die eindeutig auf die DDR und ihre Kinder gemünzt sind.
„Ich finde", sagte Dushe in einem Interview, „meine Stücke gehören eigentlich
an ostdeutsche Bühnen." Im „tiefsten Westdeutschland", wo sie jedoch Anklang
finden, werden solche Anspielungen auf verwirkte, traurig und satirisch zugleich
verabschiedete Vergangenheit kaum verstanden. Zwar weist der Text an solchen
Stellen über sich selbst hinaus, doch gab der Detmolder Regisseur einem anderen Chorlied, das im Stück erst ganz am Ende aufgerufen wird, den Vorzug,
Franz Schuberts *Die Nacht* („Wie schön bist du, freundliche Stille, himmlische
Ruh'"), verallgemeinert damit und verstärkt die melancholische Grundstim-
mung. Immer wieder erklingt, melodiös, bald einzeln, bald im Ensemble into-
niert, diese Weise. Das Stück verlangt Musikalität in dreifacher Hinsicht – als
Sprachmusik, bzw. Rhythmisierung des Dialogs, in Form musikalischer Passagen, die eingeschmolzen und mehr sind als Einlagen in den Ablauf, und als
quasi-musikalische Dramenstruktur. Dem wird die Inszenierung gerecht, auch
den andern Dimensionen der Vorlage – sieht man einmal vom Verzicht auf die
Darstellung konkreter Vergangenheit ab, was dann noch weitere Striche mit sich
bringt. Alles bleibt westdeutsch verständlich.

Die eher symbolische Andeutung des Waldes im Hintergrund, eine leere Vor-
derbühne, ein paar Stühle, ein Mikrophon, eine quergespannte Elektroschnur
mit brennenden Lämpchen, mehr braucht Malte Kreutzfeldt nicht für das
starke, existenzielle Spiel seiner Akteure. Er braucht keinen Bühnenbildner und
zeichnet selbst für die Ausstattung verantwortlich. Wir haben Henriette Dushe

gemeinsam mit zwei Schauspielerinnen des Detmolder Ensembles bei einer Lesung aus ihrem Stück *lupus in fabula* erlebt. Wir erlebten ein Schau-Hörspiel: Drei Frauen, hinter einem Tisch sitzend, ließen ihr Publikum Bilder und Situationen erblicken, evozierten sie allein durch die vorzüglich gesprochenen Texte. Da wurde die poetische Kraft der Autorin spürbar. Ihre Texte benötigen keine Ausstattung, um konkrete Vorstellungen zu generieren; ein mit lauter Realitäten ausstaffiertes Bühnenbild würde den Zugang zu dem, was die Texte leisten, eher versperren. Kurz: Der Regisseur Kreutzfeldt gab Dushes ‚Bühnenelegie' alles, was eben nötig ist, um sie sichtbar, das Geschehen lebendig, die Stückinhalte plastisch werden zu lassen.

Die erwähnten Glühbirnen stehen in keiner Bühnenanweisung, kommen aber im Text vor: „Ich bin also mit dem Wagen los, wegen den Glühbirnen, ich hatte ja nur diese halbe Stunde, maximal, ... aber dann, dann stand ich da, im Stau...", klagt einer der Männer, der in diesem „Wahnsinnsstau", hinter den roten, tanzenden Bremslichtern, die ihn „irgendwie an die Augen eines Teufels" erinnerten, seinen Breakdown, seine seelische Panne erlebt. Kreutzfeldt lässt sie eine nach der anderen zerplatzen. Der Knall lässt Illusionen verpuffen; er steht für die Implosionen einer Lebenswelt, die nicht mehr expandieren, gar explodieren kann. Zudem setzt dieses Zerspringen Zäsuren und teilt das Stück in Phasen, Akte, besser Sätze wie in einer Sonate ein, es verwandelt den scheinbar fugenlosen Ablauf des Textes in ein Drama. Und das hält uns, ununterbrochen, in Spannung.

Von ihrer kammermusikalischen Stimmigkeit lebt diese Inszenierung, deren melancholischer Schleier gelüftet wird durch ein ungemeines Vergnügen am Spiel, durch Komik auch, durch artistisches Zusammenwirken. Eine Darstellerin leuchtet besonders hervor in diesem perfekten Ensemble: Marie Luisa Kerkhoff. Bei ihr stimmt jede Geste, jeder Augenaufschlag; alles Fühlen, jeder Gedanke der „Wedernoch" wird durch ihre Person greifbar und durchsichtig – eine Bühnenerscheinung, von der man den Blick kaum lassen kann. Das freilich kann die Leistung der fünf Anderen nicht schmälern, denen rundum gelingt, ihre nur scheinbar schemenhaften, ‚allgemeinen' Figuren zu beleben und glaubhaft zu machen – ganz ohne eine fixierbare dramatische Fabel und bis in Nuancen hinein: Karoline Stegemann (Junge), Heidrun Schweda (Alte), Stephan Clemens (Mann 1), Roman Weltzien (Mann 2) und der wunderbar zwischen Aufbegehren und Wehleidigkeit schwankende Henry Klinder (Mann 3). Die musikalische Form wird in dieser Besetzung zu einem ganz realistisch anmutenden Spiegel unserer Wirklichkeit. Es wird spürbar, wie liebevoll sich die Dichterin der schiffbrüchigen Seelen angenommen hat. So bleibt, eingehüllt in Melodie und Rhythmus dieses theatralischen Rondeaus, über die elegische Klage und Trauer hinaus, ein unaufgelöster Rest, etwas unzerbrechbar Schönes. Henriette Dushe kennt die Beschwerden der Frauen und Männer genau, ihre Sehnsüchte, ihre Krankheitssymptome. Sie weiß, dass man die mit Pillen nicht wegbekommt – mit Aktionismus gerade so wenig. Die ‚Junge‘ zählt auf, wo überall sie sich engagiert hat und wo sie mitgelaufen ist, um die Welt um sich und sich darin zu finden. Während sie an den Versuchen, im Politischen politischen Sinn zu erkennen, verzweifelt, schnurren die Anderen pausenlos von A bis Z die Namen der Medikamente herunter, die in den Regalen der Apotheke auf uns warten.

Das ständige Plappern, Klagen und Fordern ist auch ein Loswerden, ein mitunter gelingender, freispülender Protest gegen die Beklemmungen des Daseins, auch wenn es immer wieder zur Einkehr in die entfremdete Existenz leitet. Dushes Menschen sind durchaus in der Lage, ihre Situation zu reflektieren, doch nicht jeder/jede verkraftet es, sie ohne Schönfärberei und Floskeln auszuhalten. Die ‚Junge‘ bringt sich um. Irgendwann, kaum merklich, stiehlt sie sich von der Bühne, dann auf einmal hängt sie am Ast. Mit ihr fallen Jugend und schlichte Hoffnung aus dem Stück, im Text fast beiläufig, auf dem Theater wird sie schockartig in grelles Licht getaucht. Vor dem Antlitz des Todes werden großer und kleiner Schmerz eins, rücken kosmischer Ernst und irdische Lächerlichkeit ineinander. Doch der Akt des Selbstmords bleibt nicht die ganze Lösung. Die ist eher ein Nein zur Beantwortung der Frage: „Kann's das gewesen sein?“ Wer sich denkend, skeptisch, wenn auch depressiv und zweifelnd zu unserer Lebenssituation verhält, die unsere Werbeversprechen und Unterhaltungssendungen zur besten aller hochgaukeln, indem sie überall Superlative ausrufen, macht sich weniger verwundbar, befreit sich vom Selbstbetrug und entdeckt persönliche Wege, wenn auch manchmal nur Wege zur Hausbar. Es bleibt die Erinnerung an das, was „auch schön“ war, wie Liebe sein könnte – die Hoffnung schmilzt, das Desiderat aber bleibt. Am Ende ist diese Bühnenelegie viel mehr als nur ein Klagelied gewesen. Das teilt sich mit über ihre starke theatralische Kraft.

Einiges ist leider gestrichen worden für diese einstündige Aufführung; ich gestehe, dass ich gern noch zwanzig Minuten länger zugesehen hätte. Diese im Übrigen höchst verständnisreiche, liebevolle Inszenierung ist zu den Autorentagen nach Berlin eingeladen worden, wo sie am 21. und 22. Juni 2016 im Deutschen Theater gezeigt wurde, als eine von elf, die aus neunzig deutschsprachigen Ur- und Erstaufführungen ausgewählt wurden. Denn diese Inszenierung erweist durch ihre Qualität, welch wichtige Position Henriette Dushe im Ensemble der deutschsprachigen Dramatik heute einnimmt. Die musikhafte Form ihrer Stücke schafft dramaturgische Ordnung für ihr Fabulieren ohne Fabel, ihr Formbewusstsein schafft Abstand zur dargestellten Misere. Die ästhetische Durchführung fasst überzeugend eine graue Realität ein und spendet, als Form, zugleich Trost, das heißt, sie überwindet, als Form, die Depression, die sie vorführt.

Hierin sehe ich das überraschend Neue und ganz Eigene, Eigenwillige dieser Autorin. Sie besitzt eine Kraft, die voran weist, ästhetisch und sogar politisch. Und das mag man denn auch ‚innovativ‘ nennen.

Von links: Karoline Stegemann, Marie Luisa Kerkhoff, Henry Klinder, Roman Weltzin,
Stephan Clemens, Heidrun Schweda

Vorn: Roman Weltzin, Stephan Clemens, Henry Klinder
hinten: Karoline Stegemann, Marie Luisa Kerkhoff, Heidrun Schweda

Vorn: Stephan Clemens, Roman Weltzin, Henry Klinder
hinten: Karoline Stegemann, Marie Luisa Kerkhoff, Heidrun Schweda

Vorn: Karoline Stegemann, Marie Luisa Kerkhoff, Heidrun Schweda
hinten: Stephan Clemens, Roman Weltzin, Henry Klinder

JÜRGEN POPIG

Wölfe im Birkenwald
Henriette Dushe am Theater Heidelberg – und anderswo

Die Grabbe-Preisträgerin Henriette Dushe ist für ihre Arbeit als Dramatikerin bereits mehrfach ausgezeichnet worden. Für ihr Theaterstück *lupus in fabula* erhielt sie 2013 den mit 10.000 Euro dotierten Autorenpreis des Heidelberger Stückemarkts. „Überraschend, aber nicht unverdient" sei die Entscheidung der Jury für Henriette Dushe ausgefallen, urteilte die Kritik (nachtkritik.de). Obwohl im Vorfeld andere Autorinnen und Autoren als Favoriten gehandelt worden waren, fiel die Wahl einstimmig auf Henriette Dushes vielschichtigen Text.

lupus in fabula handelt von drei Schwestern, deren Vater im Sterben liegt. Erst der extreme Moment seines Todes vereint sie wieder. Die Älteste hat es sich zur Aufgabe gemacht, den schwerkranken Vater zu pflegen und alles andere dafür aufzugeben. Die Jüngste kämpft mit beruflichem Misserfolg. Und die Mittlere hat gerade ein Kind bekommen und wird zugleich mit Ende und Neuanfang des Lebens konfrontiert. In einem polyphonen Sprachchor erzählt das Stück von Erinnerungen und Erwartungen, von Verantwortung, Überforderung und Trauer – zwischen Wirklichkeit, Fantasie und Bühnenwelt.

„Drei eigene Welten, gespeist aus einer gemeinsamen Kindheit, reiben sich aneinander, grenzen sich ab und berühren sich doch. Das Sterben des Vaters bleibt ein Irrtum, ein aus der Welt gefallener Zustand, der sich von keiner der drei fassen lässt. So präzis Dushe die drei Schwestern charakterlich gestaltet, so beeindruckend exakt und musikalisch ist die sprachliche Verdichtung. Henriette Dushe ist eine fein ausgeformte Sprachkomposition über die Unerträglichkeit des Lebens im Angesicht des Todes gelungen." So begründete Iris Laufenberg in ihrer Laudatio die Entscheidung der Stückemarkt-Jury.

Die Uraufführung von *lupus in fabula* eröffnete den Heidelberger Stückemarkt 2014, Regie führte Alexander Nerlich. Überraschend war die Besetzung der drei Schwestern mit drei jungen Schauspielerinnen, zwischen denen Altersunterschiede kaum auszumachen waren. Das Spiel von Hanna Eichel (Jüngste), Lisa Förster (Mittlere) und Maria Munkert (Älteste) war gleichwohl intensiv, dabei fein und genau austariert. Die Inszenierung überwältigte durch einen ungewöhnlichen Reichtum theatralischer Mittel und Assoziationen, wo man zunächst eine strengere Spielsituation erwartet hatte. Doch die Partitur von Henriette Dushe bewährte sich hervorragend, die Rezensionen waren geradezu begeistert: „Bemerkenswertes Theaterfutter" (Süddeutsche Zeitung). „Dichte Sprachpartitur, die über die Genauigkeit des Wortes hinaus reizvolle Spielimpulse gibt"

(Darmstädter Echo). „Liebevoll arrangierte Illustration der Möglichkeiten des Theaters" (Frankfurter Rundschau). „Starker Applaus!" (Rhein-Neckar-Zeitung). Das Publikum reagierte zum Teil irritiert, doch überwiegend mit großer Zustimmung. *lupus in fabula* konnte sich über zwei Spielzeiten im Programm des Heidelberger Theaters halten. Das ist keine Selbstverständlichkeit bei der Uraufführung einer noch unbekannten Autorin.

Im Jahr 2016 war *lupus in fabula* abermals beim Heidelberger Stückemarkt zu sehen. Diesmal in einer Inszenierung vom Schauspielhaus Graz. Diese Aufführung war nominiert für den „NachSpielPreis", der seit 2012 in Heidelberg vergeben wird. Also ein Preis für eine herausragende Zweit- oder Drittinszenierung. Ein Preis für ein Theater und ein Regieteam, die den Mut haben, sich dem herrschenden Uraufführungswahn zu widersetzen. Denn: Niemand will Wegwerfstücke, aber nur relativ wenige Theater sind bereit, auf die Aufmerksamkeit, die eine Uraufführung bringt, zu verzichten und neuen Stücken – zumal von noch wenig bekannten Autorinnen und Autoren – eine zweite, dritte oder vierte Chance zu geben. Für diesen Wettbewerb also kehrte *lupus in fabula* nach Heidelberg zurück. Ein schönes Beispiel für kontinuierliche Autorenförderung.

Die Kuratorin des NachSpielPreises Barbara Behrendt begründete ihre Wahl wie folgt: „Das Frauenteam um Regisseurin Claudia Bossard macht aus Henriette Dushes kunstvoll-poetischem Requiem einen so melancholischen wie selbstironischen, nie rührseligen Abend über das Abschiednehmen – nicht nur vom Vater, sondern auch von den Rollen, in die einen Familien hineinpressen." Und Mounia Meiborg als Jurorin ergänzte in ihrer Laudatio: „Claudia Bossard hat die Poesie des Textes in konkrete Szenen übersetzt. Sie hat ihn geerdet, ohne die musikalische Textur zu verlieren. Die drei Schauspielerinnen erzählen einander und sich selbst ihre Version der Geschichte, spielen die alten Kinderspiele und tanzen einen Totentanz mit dem Medikamentenschrank. Es sind Szenen, die berühren und die dabei erstaunlich unsentimental sind. Sie erzählen vom Abschiednehmen, aber auch von diesem komplexen Ding, das sich Familie nennt." Tatsächlich ist die Grazer Aufführung ein gelungenes Beispiel dafür, wie eine zweite Inszenierung noch einmal einen ganz anderen, neuen Blick auf ein Theaterstück öffnen kann als die Uraufführung. Die Schauspielerinnen in Graz – allen voran die grandiose Evamaria Salcher als „Älteste" – agierten sehr viel purer, schnörkelloser, konzentrierter als in der Heidelberger Uraufführung. Das betonte die Intimität des Textes und der dargestellten Situation und förderte den unterschwelligen Humor zutage.

Darüber hinaus wurde die Grazer Inszenierung von *lupus in fabula* zu den Autorentheatertagen 2016 am Deutschen Theater Berlin eingeladen – wie auch die Detmolder Uraufführung des Grabbe-Preis-Stücks *In einem dichten Birkenwald, Nebel* durch Malte Kreutzfeldt. Damit gehörte Henriette Dushe zu den wenigen Autorinnen, die gleich mehrfach bei den Autorentheatertagen vertreten waren. Auch im *Birkenwald* geht es um drei Frauen, auch hier ist die eine jung, die andere ist es schon lange nicht mehr, die dritte ist „alt und noch viel älter". Aber hier ist das Personal der drei Protagonistinnen erweitert um einen Männerchor von drei Stimmen, in der Detmolder Inszenierung hervorragend einstudiert von David Behnke. Hier geht es um den freiwilligen oder auch unfreiwilligen Ausstieg aus der bis dahin nicht hinterfragten gesellschaftlichen Normalität. Gleichwohl ergänzen die beiden Theaterstücke einander, spiegelt sich das eine im anderen. Insofern war die doppelte Einladung nach Berlin – aus Detmold und Graz – ein kluger Schachzug. Im unmittelbaren Vergleich lassen sich Verwandtschaft und Unterschiedlichkeit der beiden Stücke direkt erleben. Nicht umsonst ist bereits der Titel des einen, *In einem dichten Birkenwald*, *Nebel*, ein Zitat aus dem anderen, *lupus in fabula*. Dort entwirft die „Mittlere" folgende Szenerie: „Ein Wald, ein / Dichter Birkenwald. / Sacht aufsteigender Nebel". Von der Thematik her scheint mir *lupus in fabula* stärker zu sein, nach Sprache und Form ist *Birkenwald* der reifere Text.

Beim Vergleich der drei Inszenierungen aus Detmold, Graz und Heidelberg fällt auf, dass sie fast durchweg mit jungen Schauspielerinnen besetzt sind. Für Heidelberg wurde das schon dargestellt. Aber auch Karoline Stegemann und Marie Luisa Kerkhoff als „Junge" und „Wedernoch" in der Detmolder Aufführung sind im selben jugendlichen Alter. Auf eine von der Autorin intendierte Staffelung in unterschiedliche Lebensstufen wurde auch hier verzichtet. Erst recht einheitlich kommt die Grazer Inszenierung daher: Dort unterscheidet der Besetzungszettel gar nicht mehr zwischen jünger, mittel und älter, sondern vermerkt umstandslos: „Mit Vera Bommer, Veronika Glatzner, Evamaria Salcher". Dem intensiven, genauen und glaubwürdigen Spiel tut das keinen Abbruch. Aber wie eine befremdliche Ironie des Theaterbetriebs wirkt es schon. Verfolgt doch Henriette Dushe das erklärte Ziel, interessante Rollen für Schauspielerinnen ab 40 zu schreiben, weil sie solche nämlich in der Bühnenliteratur vermisst. Jetzt schreibt sie welche, und die Theater halten sich nicht daran.

Also aufgemerkt: Es gibt noch Interpretationsspielraum! Das lässt hoffen auf weitere Inszenierungen der Dramen von Henriette Dushe, die diesen noch unerforschten Raum ausloten. Nachspiele sind diesen geheimnisvoll vielschichtigen Sprachpartituren von Herzen zu wünschen.

PETER SCHÜTZE

Scherz, Satire, Ironie und tiefere Bedeutung als Sommertheater in Reutlingen

Zwei schöne Spielstätten sicherten ab, dass sich den Juli 2016 über Abend für Abend ein ausgelassenes, komödiantisch etwas überwürztes Spektakel entfalten konnte: Spitzbögen, Fachwerk und Butzenscheiben geben dem historisch reizvollen Spitalhof biedermeierliches Gepräge – dort war Grabbes Lustspiel bei gutem Wetter angesiedelt, bei Regen und/oder Kälte bot der im obersten Stockwerk einer alten Textilfabrik gelegene Näherinnensaal eine praktikable Bühne, die der wohl einstudierten, aber auf scheinbare Improvisation angelegten Inszenierung sehr entgegenkam.

Sechs schräge Gestalten marschieren auf, erklimmen mit Tschingderassabum das Podium und kündigen ihr Spiel mit einer Moritat an. Sechs Schauspieler, die Schauspieler spielen, welche die Personen des Lustspiels unter sich aufteilen. Ein paar Kostümteile, schnell gewechselt, charakterisieren die Rollen; als Ausstattung fürs bunte Treiben reichen wenige Requisiten aus, Tücher, zwei Zinkbadewannen, Leitern, Rollwagen sind rasch verschoben und markieren die jeweiligen Schauplätze. Einer aus der Truppe wird bald als die zentrale Figur kenntlich, sie bleibt bei Thomas B. Hoffmann und er bei ihr: der Teufel. Der entpuppt sich als Spielmacher des Ensembles, dessen Treiben er mit Vergnügen durcheinander wirbelt, er, der sich für raffiniert hält, jedoch immer mal wieder über seine eigenen Intrigen stolpert. Die Erdenbürger, Oliver Kube, Agnes Lampkin, Michael Schneider, Chrysi Taoussanis und Carla Weingarten, sind ihm an mieser Haltung längst gewachsen. Vermehrtes Unheil kann er bei denen nicht anrichten. Die Darsteller füllen mit Lust und Spiellaune die Bühne, stürzen sich mit Feuereifer und Tempo in einen oft kuriosen Rollenwechsel, in ein überbordendes travestisches Getümmel – und doch will der Funke so richtig nicht ins Publikum überspringen. Warum nur?

Ein Beispiel: Da sind drei Schauspielerinnen, von denen jede die Liddy auch mal spielen möchte, bis ein männlicher Partner dem Gezänk ein Ende bereitet und selbst, Bart hin, Bart her, die junge Dame gibt, während die drei sich wieder diverse Männerrollen anziehen. Hat das tieferen Sinn? Ich argwöhne eher ein Rechenexempel: Ohne diesen Wechsel, in der jeweils ersten Besetzung also, ließe sich der letzte Akt nicht mehr spielen. – Der pausenlose Rollentausch spaltet die Figuren, das Lust- wird zum Verwirrspiel und man schaut, dem Einsatz der Spieler zwar Achtung zollend, aber nur mit halbem Ergötzen hin, und wer den originalen Text kennt, dem wird klar, welch pralle und ergiebige Charaktere

Grabbe geschrieben hat und was man sich hier hat entgehen lassen. Der vielseitige Michael Schneider, der auch für den erfrischenden und frechen musikalischen Sound der Aufführung verantwortlich zeichnet, fidelt, singt und dirigiert, tut gut daran, den Dichter Rattengift als seine Hauptaufgabe zu präsentieren und nähert sich dabei einer Figur.

Den grimmigen Spaß aufs Heute zu übertragen, den Grabbe sich mit seiner trüben Epoche erlaubt, ist eine der Herausforderungen für die Regie. Jan Mixsa hat diese Herausforderung angenommen und sich für die Zeitkritik, die satirischen, kabarettistischen Floretthiebe Grabbes Entsprechungen einfallen lassen. Eine prekäre Aufgabe, denn wer im Publikum kennt sich noch aus unter den Gegenwartsautoren? Grabbes Bildungsanspruch ist verblichen, auch *mutatis mutandis*. Und so müssen Thomas Mann als Muster der Langeweile und Simmel als Trivialer herhalten; bei Donna Leon und Daniela Katzenberger wenigstens keimt Kichern auf. Oder wenn Erdogan geschmäht wird, die AfD und andere Gruppierungen aufs Korn genommen werden – buchstäblich, denn leere Flaschen mit den Etiketten politischer Verbände sind es, die Mordax statt der Schneidergesellen Grabbes köpft. Natürlich: sie stehen in Verbindung mit den vollen Flaschen, die der Schulmeister mit seinen Kumpanen leermacht, weil nur der Suff sie die Welt ertragen lässt und vorm Selbstmord bewahrt. Nicht alle Einfälle der Regie sind gleichermaßen witzig. Vor allem scheint mir der Angriff, den Mixsa insgesamt mit seiner Bearbeitung führen möchte, ins Leere zu gehen. Grabbes Ironie passt ihm, weil die Welt sich nicht gebessert habe: „Das was man heut' ‚Diäten' nennt, / das, was Staatsdiener mästet, / das Prinzip hat früher schon / manch Stadt und Land verpestet", heißt es im gesungenen Prolog der Aufführung, und, das Volk sei vom Staat und vom Adel ausgepresst worden. Aber Grabbe führt eine verkommene, verkehrte Welt vor und führt nicht Krieg gegen Barone und Baronessen. Von Haldungen und Liddy sind im Original die am wenigsten beschädigten Figuren; der Baron hat gar ein gutes Urteil über die Literatur und das Theaterunwesen seiner Zeit. Doch gerade dort, wo er darüber schimpft und man nicht lange forschen muss, wen Grabbe wohl mit dem neuen Herkules meinen könnte, der diesen Augiasstall auskehren könnte – gerade dort denunziert der Darsteller seine Figur und macht sie lächerlich.

Immer wieder wird man auf Nebengleise geführt, die Handlung zerfällt in einzelne Aktionen, die sich zu einem übersichtlichen Ganzen nicht mehr verknüpfen. Man folgt der artistischen Geschicklichkeit der Darsteller durch eine Vielzahl grotesk überzeichneter Szenen, aber nicht mehr dem Geschehen, durch das sie hüpfen. Und man lacht nur halbherzig mit, weil man nicht recht weiß, wer hier eigentlich dem Spott preisgegeben werden soll. Und zollt bei allem dem Ensemble Respekt für seine Leistung. Doch die ausgelassenen Geister einer trunkenen Phantasie trieben ein Spiel, das sich in jede Richtung hin verausgabt hat;

der Teufel, der seine Hölle nur verließ, weil dort das Reinemachen angesagt war, kann seiner mondänen und seit Äonen jung gebliebenen Großmutter getrost wieder in die gesäuberte Unterwelt folgen. Und wenn am Ende ein Grabbe mit vorgehängtem Rauschebart und altem Hut erscheint, dann beschwert sich kein verkommener Schulmeister mehr, dass er von diesem Widerling geschrieben wurde, dann ist vielmehr das Fazit: Ach ja, du Dichter, du hast ja Recht, aber was willste machen. – Recht? fragt man sich – womit denn eigentlich? Ich hörte nach der Vorstellung einen Zuschauer zu einem Kind sagen: „Na, hat's dir denn gefallen?" – Der Junge: „Naja, nicht alles, aber schon..." – Der Erwachsene: „Ist ja auch schwer zu verstehen."

Scherz, Satire, Ironie und tiefere Bedeutung im Sommertheater Reutlingen

Ariane Martin

Unbekannte Grabbe-Nekrologe aus der habsburgischen Presse im Todesjahr 1836

Der schon zu Lebzeiten begründete „Mythos Grabbe"[1] verdichtete sich nach seinem Tod. Die Dramen des Autors „errangen" zeitgenössisch „bei der Literaturkritik beträchtliche Erfolge, die nach seinem Tod in vielen Nachrufen bestätigt wurden."[2] Aufschlussreich für seine Anerkennung als unkonventioneller Dramatiker sind nicht nur die Grabbe-Nekrologe des Jungen Deutschland[3], sondern interessant ist das gesamte breite Feld der Nachrufe, handelt es sich doch um ein Genre, das zwangsläufig resümierenden Charakter hat. Insofern nehmen sie rezeptionsgeschichtlich einen besonderen Status ein. Die Textsorte Nachruf ist ein Gedächtnismedium par excellence.[4] Der Nachruf auf einen Schriftsteller komprimiert werkbiographisch das Autorprofil, so wie es sich nun retrospektiv, aber ganz unter dem Eindruck des kurz zuvor noch lebendig gegenwärtigen Dichters, darstellt. Der Nachruf wirkt außerdem nicht selten als Rezeptionsvorgabe, indem in ihm entworfene oder schon reproduzierte Zuschreibungen in der Rezeptionsgeschichte weiter fortgeschrieben werden. Er dokumentiert aber auch schlicht, dass dem Autor Bedeutung beigemessen wird.

Grabbes Tod am 12. September 1836 in seiner Heimatstadt Detmold hat Alfred Bergmann in seiner Sammlung *Grabbes Werke in der zeitgenössischen Kritik* einen eigenen Abschnitt „Nekrologe"[5] gewidmet, der insgesamt 19 Texte enthält, darunter 15 noch aus dem Todesjahr. Aus der habsburgischen Presse sind keine darunter. Es gab sie aber. Derzeit sind insgesamt sieben Todesnachrichten in der von Wien über Lemberg (heute Ukraine) bis Hermannstadt in Siebenbürgen (heute Rumänien) geographisch weitgespannten Presse der Habsburger Monarchie nachweisbar.[6] Sie sind zwischen dem 29. September und 25. November 1836 erschienen. Es gilt, sie zu vergegenwärtigen[7], da sie das zeitgenössische Ansehen Grabbes auch im deutschsprachigen Ausland dokumentieren, das die Forschung bisher lediglich in den Nachrufen zur Kenntnis genommen hat, die in deutschen Zeitschriften erschienen sind. „Als Grabbe 1836 starb," so konstatierte Lothar Ehrlich, „erschienen in allen führenden deutschen Zeitschriften Gedenkartikel, die sein tragisches Ende zum Anlaß nahmen, über die Lebensproblematik dieses Dichters und die gegenwärtige Verfassung der deutschen Literatur und des deutschen Theaters zu reflektieren."[8]

Diese Tendenz prägt auch die Stimmen in der österreichischen Presse. Sie fügen sich ein in das breite Feld einer spezifischen Grabbe-Nachrufkultur von werkbiographischen Skizzen, die sich unmittelbar, nachdem Carl Friedrich

Christoph Heinrichs am 20. September 1836 in der *Hannoverschen Zeitung* den ersten Nekrolog veröffentlichte[9], entwickelt hat – nicht nur in Deutschland, sondern auch in Österreich. Sie war außerdem – was bisher ebenfalls noch nicht berücksichtigt wurde – in der Schweiz und in den Niederlanden präsent. So sind zum Beispiel in der niederländischen Presse am 29. September 1836 zwei Meldungen nachweisbar, die eine im *Bredaschen Courant* (dazu unten), die andere im französischsprachigen *Journal de La Haye*: „Le 12 septembre est mort à Detmold, à l'âge de 35 ans, le poète dramatique *Grabbe*, favorablement connu dans toute l'Allemagne."[10] Der *Utrechtsche Courant*[11] und das *Dagblad van 's Gravenhage*[12] veröffentlichen am 30. September 1836 Nekrologe. Teilweise gehen diese – das ist an einzelnen Formulierungen ablesbar – auf den ersten Nekrolog zurück. „Pastor Heinrichs in Detmold war der erste, der solch eine Skizze veröffentlichte. Sie erschien zuerst in der ‚Hannoverschen Zeitung' und wurde binnen weniger Tage in vier anderen nachgedruckt."[13] Alfred Bergmann hat fünf Nachdrucke nachgewiesen[14], es existieren aber mehr. Dieser erste Nekrolog jedenfalls wurde nicht nur – häufig gekürzt – nachgedruckt, sondern er wurde auch zitiert oder im Wortlaut verändert paraphrasiert. Er prägte als wirkungsmächtiger Basistext die Nachrufkultur im Fall Grabbes. Entsprechend spielte er in allerdings unterschiedlicher Ausprägung auch eine Rolle in den Meldungen über Grabbes Tod in der habsburgischen Presse. Bevor diese nacheinander zur Kenntnis zu nehmen und dann knapp zu kommentieren sind, gilt es das Profil der Zeitungen vorab kurz zu skizzieren.

Der Auftakt der Todesmeldungen erfolgte in Wien. Der *Österreichische Beobachter* veröffentlichte am 29. September 1836 einen Hinweis (im Abschnitt „Teutschland"), der immerhin drei Dramen Grabbes nennt (1). Der verantwortliche Redakteur dieses Blattes war seit 1811 Joseph Anton Edler von Pilat (1782-1865), jener aus Augsburg stammende österreichische Staatsbeamte, der zwischenzeitlich Privatsekretär Metternichs gewesen ist. Er „propagierte als einer der wichtigsten Pressemitarbeiter Metternichs dessen konservative Politik."[15] Neben der Redaktionstätigkeit für seine einflussreiche Tageszeitung in Wien war er auch für die Augsburger *Allgemeine Zeitung* und für die *Wiener Zeitung* tätig.

Es folgte einen Tag später in der alteingesessenen *Wiener Zeitung* (im Abschnitt „Deutschland") ein ausführlicherer Grabbe-Nekrolog (2). Langjähriger Redakteur dieses Nachrichtenblattes war Joseph Carl Bernard (1781[?]-1850). Die *Wiener Zeitung* hatte das „Privileg der exklusiven Hofberichterstattung", sie brachte also Nachrichten, die der kaiserliche Hof „für öffentlichkeitstauglich hielt" und war entsprechend durch „eine offiziöse Nähe zum Machtzentrum"[16] geprägt. Insofern darf sie als das offizielle Organ der Habsburger Monarchie gelten. Das ist angesichts der antihabsburgischen Bemerkung in der Szene III/3 von *Napoleon oder die hundert Tage*, die Grabbe seinem Napoleon in den Mund legte, bemerkenswert: „O mein Sohn – in den Krallen von Habsburg – Ich kanns, ich mags nicht denken!" (II, 387) Gleichwohl ist *Napoleon* unter den fünf mit Titeln aufgeführten Dramen Grabbes in der *Wiener Zeitung* genannt.

Nach diesem Nekrolog erschienen drei kürzere Meldungen zum Tod Grabbes, davon nur eine im Zentrum der habsburgischen Monarchie, in Wien, zwei davon aus der Peripherie des Reiches. Da ist zunächst die Meldung (in der Rubrik „Ausländische Nachrichten" unter dem Abschnitt „Teutschland") am 7. Oktober 1836 in der *Lemberger Zeitung* – wie im *Österreichischen Beobachter*, der offenbar als Vorlage diente, sind hier drei Dramen Grabbes genannt (3). Dann ist da die Notiz (unter dem Abschnitt „Miscellen") am 8. Oktober 1836 im Unterhaltungsblatt *Der Sammler* (4), das „wöchentlich dreymal [...] im Comptoir des österreichischen Beobachters"[17] in Wien erschien und dessen verantwortlicher Redakteur Leopold Braun war. Schließlich ist die Meldung (unter dem Abschnitt „Deutschland") am 15. Oktober 1836 im *Siebenbürger Bothen* mit falschem Todesdatum Grabbes zu konstatieren (5).

Darüber hinaus sind zwei weitere Todesmeldungen publiziert worden, beide in dem von Josef Sigmund Ebersberg (1799-1854) herausgegebenen Wiener Kulturblatt *Der Österreichische Zuschauer*. Dort erschien zunächst (in der Rubrik „Notizenblatt" unter dem mit der Verfassersigle „T." gezeichneten Abschnitt „Aus unserer Zeit") am 24. Oktober 1836 eine Meldung, die nicht nur den Tod Grabbes annoncierte, sondern auch als Notiz zu *Don Juan und Faust* interessant ist (6). Schließlich erschien am 25. November 1836 (ebenfalls in der Rubrik „Notizenblatt" unter dem Abschnitt „Aus unserer Zeit") ein ausführlicher Nekrolog, der eine Gesamtwürdigung Grabbes bietet (7); gezeichnet ist der Text mit „Gilas", vermutlich ein Pseudonym.

(1) *Österreichischer Beobachter* (Wien), 29. September 1837:

> In Detmold starb am 12. September der Dichter G r a b b e, der Verfasser des Don Juan und Faust, Barbarossa und Heinrich IV.[18]

(2) *Österreichisch-Kaiserliche privilegirte Wiener Zeitung* (Wien), 30. September 1836:

> Am 12. September starb zu Detmold der dramatische Dichter Grabbe, eines der originellsten Talente der neueren Dichterwelt. Er ward geboren zu Detmold, studierte die Rechtswissenschaften zu Berlin, ging hierauf nach Leipzig, wo er mit Tieck in Verbindung trat, ward als Auditor bey dem F. Lippeschen Contingente angestellt, verheirathete sich 1833 mit der Tochter des als Geschichtsforscher berühmten fürstl. Detmold'schen Archivraths Clostermeier, und zog, nachdem er den Staatsdienst verlassen hatte, im Jahre 1834 nach Düsseldorf, um dort in Verbindung mit Immermann

ungestört den Musen zu leben. Krank aber kehrte er im Anfange dieses Jahres in seine Vaterstadt zurück, wo er auch starb. Unter seinen vielen literarischen Werken bemerket man Don Juan und Faust, eine Tragödie in 4 Acten, worin er die Idee, die beyden Mythen des nordischen und des südlichen Faustes zu verschmelzen, durchführte; den von ihm beabsichtigten Cyclus der ganzen Geschichte der Hohenstaufen in acht Tragödien, von denen aber nur zwey erschienen: Kaiser Friedrich Barbarossa und Kaiser Heinrich IV.; und das Drama: Napoleon oder die hundert Tage. Unter seinem Nachlasse findet sich vollendet: die Hermannsschlacht.[19]

(3) *Lemberger Zeitung* (Lemberg), 7. Oktober 1836:

> In Detmold starb am 12ten September der Dichter Grabbe, der Verfasser des Don Juan und Faust, Barbarossa und Heinrich IV.[20]

(4) *Der Sammler* (Wien), 8. Oktober 1836:

> Am 12. September starb zu Detmold nach langem Kränkeln der dramatische Dichter Grabbe, bey allen seinen Sonderbarkeiten gewiß eines der eminentesten, kräftigsten und originellsten Talente der neuern Dichterwelt (geb. zu Detmold den 11. December 1801).[21]

(5) *Der Siebenbürger Bothe* (Hermannstadt), 15. Oktober 1836:

> Am 13. September starb zu Detmold der dramatische Dichter Grabbe, eines der originellsten Talente unter den neuern Dichtern Deutschlands.[22]

(6) *Der Österreichische Zuschauer. Für Kunst, Wissenschaft, geistiges Leben* (Wien), 24. Oktober 1836:

> Der Bruder des bekannten französischen Dichters, Alexander Dumas, Wolphe, hat eben ein Stück eingereicht, worin Don Juan und Faust die Hauptrolle spielen. Die deutschen Journale greifen dieses Factum, je nach ihrer Tendenz, unter verschiedenen Gesichtspuncten auf, scheinen aber vergessen zu haben, daß der talentvolle Grabbe, welcher so eben, ein großer Verlust für Deutschlands karg angebaute Poesien (12. September), zu Detmold nicht in den glänzendsten Umständen zu Grabe gegangen, auf die geistreichste und originellste Weise beide Mythen in ein harmonisches Ganzes zu bringen versucht hat.[23]

(7) *Der Österreichische Zuschauer. Für Kunst, Wissenschaft, geistiges Leben* (Wien), 25. November 1836:

> (Christian Grabbe.) Zu den zürnenden Schatten eines Bürger, Hölty, Gramerstötter und Kanne, gesellte sich am 12. September d. J. jener Grabbe's. Wenn in

unserer Zeit, und zwar mit Recht, über den Verfall dramatischer Dichtkunst geklagt wird, dessen Gründe wohl tief im Fleische aller darin Betheiligten ihren Sitz haben, so ist es um so undankbarer von der Menge, wenn mitten in dieser Unfruchtbarkeit einmal ein Geist, die Prosa des Tages unter seinem kräftigen Schritt zermalmend, die Schätze seines inneren Goldschachtes ausbeutet, und den die Menge dafür in's Elend hinsinken läßt – von Wenigen gekannt – ein Kläger im Tartarus über den Verfall der Musen! Das ist Grabbe's geistige Biographie; die Prosa seines Lebens heißt: Genie – Undank, der Welt Lohn – und gramvoller Tod.

Ludwig Tieck war es, der dem, mit seiner Tragödie: „Theodor von Gothland," in die Schranken echter Dichterweihe tretenden G r a b b e einen Empfehlungsbrief schrieb. – Doch man hörte auf den düstern deutschen Kunstrichter nicht. Es läßt sich nicht läugnen, daß Grabbe's Werke undramatisch, d. h. nicht theatermäßig und nicht für die Menge berechnet sind; daß sein Styl oft schwülstig, seine Bilder oft gezwungen, seine Idee manchmal verworren ist. Diese Mängel sind es auch nur, welche ihn nicht zu der ersten Stufe der Dichtkunst steigen ließen. Seine Shakespear'sche Kraft, seine Byron'sche Mystik, sein tief zerrissenes und höchst poetisches Gemüth, sein von Ironie, gerechtem Zorn und manchmal von seltener Lyrik übersprudelnder, nur zu üppiger Styl machen es unbegreiflich, wie ein solcher Geist selbst der Elite deutschen Lesepublikums theils dem Namen, theils (und zwar sehr häufig) seinen Werken nach unbekannt bleiben konnte, während die Flut der Leipzigermesse den Golfstrom der flachsten Novellistik in die Abzugskanäle aller Länder zur Übersättigung fließen läßt. – Raupach sagt in seinem Sonett: „Nur zwei Dichter ehret man: den Todten und den Ausländer." – Ich glaube, er spricht wahr. – G r a b b e wird jetzt aus der Gruft herausgekratzt werden, und seine Auferstehungshymne wird ihm ein Tieck vor der Prachtausgabe seiner sämmtlichen, bisher der Menge ganz unbekannten und zerstreuten Werke singen.[24]

Soweit der in der habsburgischen Presse nachweisbare Textbestand an Grabbe-Nekrologen. Zweifellos korrespondieren die Texte mehr oder weniger miteinander. Nicht nur, dass in einer ganzen Reihe von ihnen dieselben Dramen genannt werden: So sind außer *Napoleon oder die hundert Tage*, dem *Hohenstaufen*-Projekt, *Die Hermannsschlacht* und *Herzog Theodor von Gothland* (alle jeweils einmal genannt) *Don Juan und Faust* viermal sowie *Kaiser Friedrich Barbarossa* und *Kaiser Heinrich der Sechste* insgesamt dreimal aufgeführt, wobei das zuletzt genannte Drama jeweils falsch als ein Drama über Heinrich IV. bezeichnet ist, was kein Zufall sein kann. Dazu kommen durch Wiederholung formelhaft anmutende Formulierungen wie die vom ‚originellen Talent' im Superlativ (insgesamt dreimal benutzt). Kurz und gut: Zumindest die ersten fünf Texte, von denen der erste und dritte Text (*Österreichischer Beobachter* und *Lemberger Zeitung*) sowie der zweite, vierte und fünfte Text (*Wiener Zeitung*, *Der Sammler* und *Der Siebenbürger Bothe*) jeweils deutliche Gemeinsamkeiten aufweisen, dürften auf jeweils eine gemeinsame Quelle zurückgehen, die beiden letzten

Texte (im *Österreichischen Zuschauer*) scheinen dagegen weitgehend originär verfasst zu sein.

Die eine Quelle ist relativ problemlos dingfest zu machen. Wenige Tage, bevor die Nachricht von Grabbes Tod am 29. September 1836 im *Österreichischen Beobachter* (1) in der habsburgischen Presse publik gemacht war, war sie in Bayern nachzulesen. Wörtlich übereinstimmend (ungeachtet der winzigen formalen Differenzen wie die graphische Umsetzung des Verbs ,sterben' durch das Kreuzsymbol oder der abgekürzte Monatsname) heißt es in der Rubrik „Consommé, politisches und nichtpolitisches" der Münchner Zeitung *Die Bayer'sche Landbötin* am 27. September 1836: „In Detmold † am 12. Sept. der Dichter G r a b b e, der Verfasser des Don Juan und Faust, Barbarossa und Heinrich IV."25 Grabbes Geschichtsdrama *Kaiser Heinrich der Sechste* ist auch hier falsch als ein Stück über Heinrich IV. bezeichnet. Das ist allerdings auch in einer anderen Meldung der Fall (diese sowie die soeben zitierte sind in der Sammlung *Grabbes Werke in der zeitgenössischen Kritik* nicht erwähnt). Sie war einen Tag zuvor in der Augsburger *Allgemeinen Zeitung* abgedruckt und bietet grundsätzlich denselben Wortlaut, der aber durch einen aufschlussreichen Hinweis erweitert ist. Dort heißt es am 25. September 1836 in der *Beilage*:

> In Detmold verstarb am 12. September der Dichter G r a b b e, der Verfasser des Don Juan und Faust, Barbarossa und Heinrich IV. Wir werden morgen einen kurzen Rükblick auf sein Leben und seine Schriften geben.26

Auch hier ist der Titelheld von Grabbes Drama *Kaiser Heinrich der Sechste* falsch angegeben. Nun stammte der Redakteur des *Österreichischen Beobachters* aus Augsburg und er schrieb auch für die *Allgemeine Zeitung*, so dass anzunehmen ist, dass dies die Quelle war, aus der er abgeschrieben hat. So oder so aber stammte die erste Meldung über den Tod Grabbes in der habsburgischen Presse aus dem geographisch und politisch nahen Bayern. Die gleichlautende Meldung in der *Lemberger Zeitung* (3) dürfte dagegen eher auf die Notiz in Wien zurückgegangen sein, auf den *Österreichischen Beobachter*.

Die Ankündigung der *Allgemeinen Zeitung*, am Folgetag einen ausführlicheren Nekrolog zu veröffentlichen, führt zu einer der wahrscheinlichen Quellen, die am 30. September 1836 dem Nekrolog in der *Wiener Zeitung* (2) zugrunde gelegen haben dürfte. Ursprungstext ist zwar der erste Nekrolog in der *Hannoverschen Zeitung* vom 20. September 1836, der aber nur mittelbar eine Quelle der habsburgischen Presse war. Alfred Bergmann hat diesen Nekrolog im Erstdruck in seiner Sammlung *Grabbes Werke in der zeitgenössischen Kritik* abgedruckt. Die Nachdrucke hat er lediglich nachgewiesen, darunter den „mit geringen Veränderungen"27 zum Erstdruck veröffentlichten Nachdruck in der *Allgemeinen*

Zeitung vom 26. September 1836. Die Varianten in der *Allgemeinen Zeitung*, die zu den seinerzeit „wichtigsten Blätter[n] der deutschen Presselandschaft"[28] zählte, mögen als gering eingeschätzt werden, im hier zur Debatte stehenden Zusammenhang sind sie nicht marginal. Der Nachdruck in der *Außerordentlichen Beilage zur Allgemeinen Zeitung* sei daher vollständig vergegenwärtigt, um nachvollziehen zu können, was in der *Wiener Zeitung* übernommen worden sein könnte (sofern diese sehr verbreitete Zeitung zur Kenntnis genommen wurde, was wahrscheinlich ist), und was nicht. Er trägt den Titel „Christian Grabbe" und ist ausdrücklich als „Nekrolog" ausgewiesen:

Detmold. Am 12 Sept. starb hieselbst nach langem Kränkeln der in ganz Deutschland bekannte dramatische Dichter Grabbe, bei allen seinen Sonderbarkeiten und Verkehrtheiten gewiß eines der eminentesten, kräftigsten und originellsten Talente der neuern Dichterwelt. Er ward geboren zu Detmold am 11 Dec. 1801, studirte die Rechtswissenschaften zu Berlin, wo er mit Heine in vertrauten Verhältnissen lebte, ging darauf nach Leipzig, wo er mit Tieck in Verbindung trat, ward nach seiner Rükkehr in das Vaterland als Auditeur beim fürstlich Lippe'schen Kontingente angestellt, verheirathete sich am 6 März 1833 mit der einzigen Tochter des als vaterländischen Geschichtsforschers berühmten fürstlichen Archivraths Clostermeier hieselbst, und zog, nachdem er den Staatsdienst verlassen hatte, im Jahr 1834 nach Düsseldorf, um dort in inniger Verbindung mit Immermann ungestört den Musen zu leben. Krank kehrte er jedoch im Anfange dieses Jahres in seine Vaterstadt zurük; er trug den Keim zur Todeskrankheit in sich – die Kunst der Ärzte vermochte nicht sein Leben zu retten. – Am Freitage den 16 Sept. wurden die irdischen Überreste des gefeierten Dichters zur Erde bestattet; ein Kranz von Immortellen und Lorbeern schmükte sehr sinnreich seinen Sarg; trauernd folgten seine Freunde, die ein so kräftiges Leben so früh gebrochen sahen! – Grabbe eröfnete seine litterarische Laufbahn mit zwei Bänden dramatischer Dichtungen, die im Jahr 1827 in der Heimann'schen Buchhandlung zu Frankfurt a. M. erschienen. Im ersten Bande ist sein „Herzog Theodor von Gothland," Tragödie in fünf Akten; im zweiten Bande „Nannette und Marie," ein tragisches Spiel in drei Aufzügen; „Scherz, Satyre, Ironie und tiefere Bedeutung," ein Lustspiel in drei Aufzügen; „Marius und Sulla," eine Tragödie in fünf Akten (noch unvollendet), und eine „Abhandlung über die Shakspeare-Manie" enthalten. Hierauf erschien im Jahr 1829 in demselben Verlage sein „Don Juan und Faust," eine Tragödie in vier Akten, worin er die kühne Idee, die beiden Mythen des nordischen und des südlichen Faustes zusammenzuschmelzen, durchführte und seinen Dichterruhm begründete. Noch in demselben Jahre trat der fleißige Dichter mit dem großartigen Plane hervor, die ganze Geschichte der Hohenstaufen von Friedrich Barbarossa bis auf Conradin in einem Cyklus von acht Tragödien als deutsches Nationaldrama zu bearbeiten. Sehr zu beklagen ist es, daß wir hiervon nur zwei Tragödien besizen, nemlich „Kaiser Friedrich Barbarossa," welcher 1829, und „Kaiser Heinrich IV," welcher 1830 erschien. Grabbe wandte nun leider seine Thätigkeit hiervon ab zu seinem „Napoleon, oder die hundert

Tage," ein Drama in fünf Aufzügen – 1831. Nun ruhte seine Feder eine Zeit lang, bis während seines Aufenthaltes zu Düsseldorf seine Tragödie „Hannibal," sein dramatisches Mährchen „Aschenbrödel" und sein Werk „das Theater zu Düsseldorf mit Rükbliken auf die übrigen deutschen Schaubühnen" rasch auf einander folgten, und im Verlage von Schreiner daselbst sämtlich im Jahr 1835 erschienen. Unter Grabbe's litterarischem Nachlasse findet sich vollendet „die Hermannsschlacht," womit er noch in den lezten Tagen seines Lebens mit großer Vorliebe sich beschäftigte, und die hoffentlich bald durch einen der ihm nahe gestandenen Freunde herausgegeben werden wird. (Hannov. Ztg.)[29]

Auch hier ist falsch Heinrich IV. für Grabbes Drama *Kaiser Heinrich der Sechste* genannt – das war aber auch im Erstdruck in der *Hannoverschen Zeitung* so. Selbst der Detmolder Pfarrer wusste nicht, welche Dramen der berühmte Sohn der Stadt geschrieben hatte. Der falsche Dramentitel verrät also bloßes Abschreiben. Das war der Fall bei dem in Augsburg publizierten Nekrolog, der dem in Wien veröffentlichten zugrunde lag. Vergleicht man aber die Fassung in der *Wiener Zeitung* mit der in der *Allgemeinen Zeitung*, dann sind die Unterschiede schon vom Umfang her eklatant. Der Text in der *Wiener Zeitung* ist um fast zwei Drittel kürzer. Sind dort fünf Dramen und das Projekt des Dramenzyklus aufgeführt, so sind in der Augsburger Zeitung außer diesem Projekt insgesamt dreizehn Einzelwerke Grabbes genannt, ganz abgesehen davon, dass zum Beispiel die Bekanntschaft mit Heine in der *Wiener Zeitung* nicht erwähnt ist, Details zur Beisetzung Grabbes fehlen und überhaupt die illustrative Charakterisierung Grabbes stark gestrafft und somit deutlich versachlicht erscheint. So ist zum Beispiel die superlativische Formulierung in der *Allgemeinen Zeitung*, der Dramatiker sei „eines der eminentesten, kräftigsten und originellsten Talente der neuern Dichterwelt", in der *Wiener Zeitung*, die lediglich geschrieben hat, er sei in der Gegenwartsliteratur „eines der originellsten Talente", beträchtlich reduziert. Das ist auch der Fall im *Siebenbürger Bothen* (5), der in seiner Meldung ebenfalls die gekürzte Formulierung reproduzierte und wohl die *Wiener Zeitung* als Vorlage hatte. Dagegen brachte der *Sammler* (4) die umfangreichere Formulierung. Sie war derart markant, dass es nicht verwundert, ihr in den Kompilationen der zeitgenössischen Lexikographie zu begegnen. Grabbe sei „bei allen seinen Sonderbarkeiten und Verkehrtheiten gewiß eines der eminentesten, kräftigsten und originellsten Talente der neuesten Dichterwelt"[30], heißt es 1837 im Artikel „Grabbe" im Supplementband zur dritten Auflage des *Neuen Rheinischen Conversations-Lexicons*.

Gleichwohl liegt auf der Hand, dass allen diesen Zeitungen ein und derselbe Ursprungstext zugrunde liegt, sie ihn aber jeweils variieren. So reproduzierte die *Wiener Zeitung* in identischer Formulierung mit der *Allgemeinen Zeitung* die Bemerkung zu *Don Juan und Faust*, dass Grabbe die „Idee, die beiden Mythen

des nordischen und des südlichen Faustes zusammenzuschmelzen, durchführte"
– nur dass diese „Idee" in der *Allgemeinen Zeitung* als „kühn" bewertet ist und sie
Grabbes „Dichterruhm begründet" habe, während die *Wiener Zeitung* auf solche
Bewertungen und Einschätzungen weitgehend verzichtet. Diese Formulierung
war zwar im Ursprungstext präsent, dort aber ist sie der Verlagswerbung ent-
nommen, welche die Hermann'sche Buchhandlung im unpaginierten Anhang
des von ihr verlegten *Kaiser Friedrich Barbarossa* platziert hat. Sie stammt aus
der Anzeige zu *Don Juan und Faust*: „Die kühne Idee, die beiden Mythen des
nordischen und des südlichen Faustes zusammenzuschmelzen, ist mit einer so
großartigen Erfassung dargestellt, [...] daß wir die Überzeugung gewinnen, nur
das höchste Talent konnte Schöpfer eines solchen Werkes sein."[31] Ob die Redak-
teure der Zeitungen diese Anzeige zur Kenntnis genommen haben, ist nicht zu
belegen. Sie haben die ebenfalls markante Formulierung jedenfalls teils kürzer,
teils länger in ihre Fassungen aufgenommen, die sich jedenfalls unterscheiden.
Die Unterschiede zwischen den Fassungen lassen Zweifel aufkommen, ob der
Nekrolog in der *Allgemeinen Zeitung* dem in der *Wiener Zeitung* überhaupt als
Vorlage diente, ob also nicht ausschließlich oder aber zusätzlich eine andere und
kürzere Fassung des Ursprungstextes maßgeblich war.

Alfred Bergmann zufolge sind außer dem Nachdruck des ersten Grabbe-Nek-
rologs aus der *Hannoverschen Zeitung* in der *Allgemeinen Zeitung* folgende weitere Nachdrucke erschienen, die teilweise Kürzungen aufweisen. „Stark gekürzt"
sei der Nachdruck in der *Allgemeinen Preußischen Staats-Zeitung* sowie „mit etli-
chen Kürzungen"[32] der in der *Didaskalia*, beide am 24. September 1836 erschienen. Offenbar unverändert war dagegen der Nachdruck am 25. September 1836
in der *Elberfelder Zeitung*. „Mit einigen Abänderungen"[33] sei schließlich am 25.
Dezember 1836 noch ein Nachdruck in der Unterhaltungszeitschrift *Das Sonn-
tagsblatt* erschienen. Darüber hinaus sind weitere Nachdrucke nachweisbar, die
ebenfalls Kürzungen oder Änderungen aufweisen. Zwei dieser Nachdrucke enthalten Passagen des Erstdrucks, die in der *Allgemeinen Zeitung* und in der *Wiener Zeitung* fehlen. Darunter ist vor allem ein markanter Satz: „Grabbe's Name
wird nicht untergehen – ewig wird er fortleben in seinen Werken!"[34] Dieser Satz
steht am Ende der stark gekürzten Fassung, die am 23. September 1836 in einer
Hamburger Zeitung erschienen ist, in den *Privilegirten wöchentlichen gemein-
nützigen Nachrichten von und für Hamburg*. Dieser Satz steht außerdem inmitten der umfangreichen, gleichwohl vom Erstdruck abweichenden Fassung, die
in der 40. Kalenderwoche (2. bis 8. Oktober 1836) unter der Überschrift „Der
dramatische Dichter Grabbe. Nekrolog" in dem Augsburger Unterhaltungsblatt
Der Sammler zu finden ist. Dort ist auch der besagte Dramentitel falsch, das
Erscheinungsjahr aber, wie im Erstdruck und in der *Allgemeinen Zeitung*, richtig: „Kaiser Heinrich IV., welcher 1830 erschien."[35]

Gekürzte Nachdrucke sind auch in der Auslandspresse aufzufinden, in der Schweiz und den Niederlanden, Nachdrucke, die vom Umfang her und auch vom ungefähren Wortlaut dem Nekrolog in der *Wiener Zeitung* nahe kommen. So hat die *Basler Zeitung* am 27. September 1836 (unter dem Abschnitt „Deutschland") eine Fassung veröffentlicht, die der in der *Wiener Zeitung* auf den ersten Blick zum Verwechseln ähnlich sieht:

> Detmold. 17. Sept. Am 12. Sept. starb hier, nach langen Kränkeln, der dramatische Dichter Grabbe, bei allen seinen Sonderbarkeiten und Verkehrtheiten gewiß eines der kräftigsten und originellsten Talente der neuern Dichterwelt. Unter seinen vielen literarischen Werken nennen wir Don Juan und Faust, eine Tragödie in 4 Akten, worin er die kühne Idee, die beiden Mythen des nordischen und des südlichen Faustes zusammenzuschmelzen, durchführte; den von ihm beabsichtigten Cyclus der ganzen Geschichte der Hohenstaufen in 8 Tragödien, von denen aber nur zwei erschienen: Kaiser Friedrich Barbarossa und Kaiser Heinrich IV.; und das Drama: Napoleon oder die hundert Tage. Unter seinem Nachlasse findet sich vollendet: die Hermannsschlacht.[36]

Die Formulierung vom Zusammenschmelzen der „beiden Mythen des nordischen und des südlichen Faustes" in *Don Juan und Faust* ist auch hier präsent, außerdem in niederländischer Übersetzung am 29. September 1836 in einem auf Literatur spezialisierten Blatt (unter dem Abschnitt „Duitschland") in der Rubrik zu literarischen und wissenschaftlichen Neuigkeiten („Letterkundige en Wetenschappeliijke Nieuwstijdingen"); der *Bredasche Courant* schrieb:

> Te *Detmold* is den 12 dezer de tooneeldichter *Grabbe* overleden. Slechts 35 jaren oud heeft hij zich, wel eensdeels ook door zijne zonderligheden en afwijkingen, maar ook door zijn oorspronkelijk talent doen kennen. Onder zijne dramatische werken wordt met onderscheiding genoemd zijn *Don Juan und Faust*, waarin hij de twee legenden van den zuidelijken en noordelijken Faust heeft gepoogd te vereenigen. Van zijn ontwerp om de lotgevallen van het huis der *Hohenstauffen* in een cyclus van 8 trenrspelen te behandelen, heeft hij slechts een gedeelte volbragt, hebbende hij alleen voltooid een treurspel *Keizer Frederik Barbarossa* en een ander *Keizer Hendrik VI.* Tot zijne laatste stukken behoort een treurspel *Hannibal*, en onder zijne nagelaten papieren *de Hermansslag*, waarvan *Grabbe* in de laatste dagen zijns levens met bijzondere geestdrift werkte.[37]

Anstatt *Napoleon* ist hier das Trauerspiel *Hannibal* genannt, im Vergleich mit dem Nekrolog in der *Baseler Zeitung* eine signifikante Abweichung zu dem Nekrolog in der *Wiener Zeitung*. Außerdem ist hier der Titelheld des Dramas *Kaiser Heinrich der Sechste* einmal richtig Heinrich VI. Deutlich ist jedenfalls, dass die österreichische Zeitung mit dem Umfang ihres Nekrologs im Einklang steht mit

der europäischen Presse, mit den zitierten Fassungen aus der Schweiz und den
Niederlanden. Alle zusammen gehen letztlich auf jene Ursprungsfassung in der
Hannoverschen Zeitung zurück, die sich durch die skizzierte Rezeption zwar als
originärer Text auflöste, die zugleich aber durch die diversen variierenden Ver-
satzstücke weiter tradiert wurde, ein textgeschichtlich weitgespannter Zusammenhang, der die internationale Rezeption Grabbes eröffnete.

Die beiden Todesmeldungen im *Österreichischen Zuschauer* stellen sich von
diesem Zusammenhang weitgehend unberührt dar. Die Meldung vom 24. Oktober 1836 (6) nennt Grabbe zwar „talentvoll" – eine seinerzeit längst tradierte
Einschätzung des Dramatikers, verzichtet aber auf den Superlativ. Sie bezieht
sich zwar auf die beiden in *Don Juan und Faust* zusammengebrachten ‚Mythen',
reproduziert aber nicht formelhaft die sonst so häufige Formulierung, sondern
annonciert Grabbes Tod eher beiläufig, um seine Leistung als Verfasser dieses
Stücks eigenständig urteilend zu loben und sich darüber zu empören, dass in der
Berichterstattung über das Drama *Don Juan de Maraña* (1836) von Alexandre
Dumas dem Älteren (von ihm stammt das Stück) in der deutschen Presse kein
Hinweis auf Grabbes Stück erfolgt sei. Insofern ist dieser Text ein Rezeptions-
zeugnis, das eine individuelle Qualität hat, da es sich um eine originäre Stellung-
nahme handelt, was in den erörterten anderen Stimmen in der habsburgischen
Presse nicht der Fall ist.

Das gilt erst recht für den Nachruf, der am 25. November 1836 im *Österreichischen Zuschauer* erschienen ist (7). Dieser Nekrolog verbindet eine spezifisch
österreichische Perspektive mit allgemeineren Einschätzungen über Grabbe,
wie sie bereits tradiert oder gerade im Begriff waren, sich zu charakteristischen
Rezeptionsmustern auszubilden. So partizipiert er an dem für Grabbes Rezeptionsgeschichte typischen Phänomen der Autorenreihenbildung, wenn er die
Namen von Bürger, Hölty, Gramerstötter und Kanne nennt, um Grabbe daran
anzuschließen. Das war aber in der Zusammensetzung keine übliche Reihe, da
sie durch die Wiener Perspektive motiviert war. Grabbe wurde zwar gerne in
eine Reihe mit anderen Dichtern gestellt, so auch mit Gottfried August Bürger (1747-1794) und Ludwig Hölty (1748-1776), den beiden Dichtern aus
dem Umfeld des Göttinger Hainbundes. „Viele Genies sind offenbar an ihren
Umgebungen zu Grunde gegangen und an Deutschland selbst gestorben; [...]
Grabbe, der sich aus Trotz verwüstete; Hölty und Bürger, welche hunger-
ten"[38], meinte etwa Hermann Marggraff, der die Praxis der Autorenreihenbildung im Vormärz entschieden vorangetrieben hat.[39] Was aber ist mit Gramerstötter und Kanne? Der erste dieser beiden Autoren ist nicht einmal eindeutig
zu identifizieren. Sein Name taucht in den einschlägigen biographischen Kom-
pendien nicht auf. Sicher ist lediglich, dass er ein Lustspieldichter war, der auf
den Bühnen Wiens und Prags zwischen 1827 und 1833 erfolgreich war, wie der

zeitgenössischen Presse zu entnehmen ist. So meldete eine Wiener Theaterzeitung am 23. August 1827: „Im k. k. Hoftheater nächst der Burg, haben wir [...] ‚die Zwillinge, Lustspiel von Gramerstötter [...] zu erwarten."[40] Oder es ist in einem böhmischen Blatt eine Aufführung in Prag vom 26. Juli 1832 besprochen: „‚die Braut aus Arkadien, oder Anna, Netti und Nina, Lustspiel von G r a m e r - s t ö t t e r."[41] Ein Wiener Unterhaltungsblatt besprach am 16. September 1832 ein wieder anderes Lustspiel des Autors: „V o r g e s t e r n kam das Lustspiel von G r a m e r s t ö t t e r : ‚Der verkehrte Roman, im Josephstädter Theater zur Aufführung", das „frappant-komische Situationen und einen witzigen Dialog"[42] habe. Schließlich ist am 16. August 1833 ein weiteres Lustspiel besprochen, das offenbar posthum aufgeführt wurde:

> „Männerfreundschaft," Lustspiel von G r a m e r s t ö t t e r , v o r g e s t e r n im Theater in der Josephstadt zum ersten Male gegeben, läßt uns immer mehr und mehr den frühen Verlust des Dichters bedauern, der auf dem Wege war, unter den ersten Lustspieldichtern der neuesten Zeit in Teutschland einen Platz einzunehmen. Es ist kaum möglich, einen so einfachen Stoff, wie den dieses Lustspiels, mit mehr pikantem Witz, komischen Situationen, und doch mit steigendem Interesse durchzuführen. Es gefiel allgemein [...].[43]

Dieser allem Anschein nach recht produktive und erfolgreiche Lustspielautor war anscheinend in noch jungen Jahren verstorben. Sein mit Grabbe in Verbindung gebrachter Name markiert Grabbe unausgesprochen als Lustspielautor, wobei beide Dramatiker durch den frühen Tod eine weitere Gemeinsamkeit haben. Anders ist die Gemeinsamkeit konturiert, die Grabbe hier möglicherweise erstmals mit dem österreichischen Komponisten und Schriftsteller Friedrich August Kanne (1778-1833) attestiert wird, der verarmt in Wien gestorben ist und als „Sonderlingsnatur"[44] mit einem „Hang zum Trinken"[45] beschrieben wurde. Ein Biograph Kannes hat diesen dann 1861 als „Spiegelbild G r a b b e s"[46] bezeichnet. Mit den beiden zuletzt genannten Vergleichsautoren bekommt die Reihung eine deutlich österreichische Kontur und erscheint von Lokalkolorit geprägt, während Grabbe mit den beiden zuerst genannten Vergleichsautoren in den Kontext des Sturm und Drang gerückt wird, der Genieperiode. Er wird in diesem Nekrolog auch nicht als Talent, sondern als Genie vorgestellt, wobei beide Etiketten bereits in der frühen Rezeption häufig waren. Üblich war auch der angestellte Vergleich Grabbes mit Shakespeare und Byron, auf die sich Grabbe selbst bezogen hat. „Ich gestehe vorläufig, daß mir in der englischen schönen Litteratur nur zwei Erscheinungen von hoher Wichtigkeit sind: Lord Byron und Shakspeare" (IV, 30), hat er im Vorwort zu *Über die Shakspearo-Manie* geschrieben. Das wurde in der Rezeption aufgegriffen, so auch vom Verfasser des Nekrologs, der überhaupt bereits einschlägig gewordene Beschreibungsmuster bemühte.

Anders als die anderen Stimmen in der habsburgischen Presse verrät der Nekrolog im *Österreichischen Zuschauer* eine gewisse Kenntnis Grabbes. So ist der Hinweis auf Tieck hier keineswegs so allgemein wie in der *Wiener Zeitung*. Er zeigt sich als Hinweis auf den Brief Tiecks zu *Theodor von Gothland* vielmehr spezifisch informiert, ob aus erster Hand, den *Dramatischen Dichtungen* Grabbes, oder aus zweiter, sei dahingestellt. Adolf Menzel hat in seiner Besprechung der *Dramatischen Dichtungen* aus diesem Brief zitiert:

> Der erste der vorliegenden Bände enthält das Trauerspiel: Herzog Theodor von Gothland. Demselben ist eine kurze briefliche Beurtheilung von Ludwig Tieck vorangedruckt, in welcher es heißt: „Ihr Werk hat mich angezogen, sehr interessirt, abgestoßen, erschreckt und meine große Theilnahme für den Autor gewonnen."[47]

Die Information, dass Tieck „sein Urteil in einem dem Abdruck des Stückes vorgesetzten Briefe aussprach"[48], wie es 1833 im *Conversations-Lexikon der neuesten Zeit und Literatur* im Artikel „Grabbe" heißt, war allgemein zugänglich. Der Nekrolog zeigt das Bemühen, Grabbe angemessen im literarischen Feld zu situieren. Dazu dient auch das Raupach zugeschriebene Zitat: „Nur zwei Dichter ehret man: den Todten und den Ausländer." In der Tat findet man es in dem Lustspiel *Das Sonett* (1833), in dem der erfolgreiche Bühnenschriftsteller Ernst Raupach die Angelegenheit in einem Gespräch thematisiert, das die Schauspielerinnen Caroline und Charlotte mit dem Sekretär Till in der Szene II/5 über den Dichter des titelgebenden Sonetts miteinander führen:

> Caroline. Ist aber vielleicht Ihr Dichter todt oder ein Ausländer?
> Till. Wie wäre das möglich.
> Charlotte. Schade! sonst könnten wir ihn loben.
> Till. Also Verstorbene und Ausländer? Nun das ist christlich und weltbürgerlich.
> Caroline. Pah! Beides ist aus der Mode. Wir erheben verstorbene und ausländische Dichter, um die lebenden und einheimischen dadurch zu demüthigen und zu verkleinern.[49]

Die für das 19. Jahrhundert charakteristische Einbindung des in der Schriftstellerexistenz personifizierten literarischen Diskurses in den Nationaldiskurs ist hier evident. Der Verfasser des Nekrologs hat diese Passage in seinem recht freien Zitat kurzum als Appell uminterpretiert, den verstorbenen Dichter Grabbe zu ehren. Grabbe war von Wien aus betrachtet aber nicht nur ein verstorbener Dichter, sondern auch ein Ausländer, wobei die habsburgische Perspektive des Interpreten zwar nicht explizit thematisiert, implizit aber präsent ist. Der Interpret hat die Passage in heimischem Kontext rezipiert, er stand offenbar unter dem Eindruck der Wiener Inszenierung. Das „sehr gelungene Raupach'sche Lustspiel"[50] *Das*

Sonett hatte am 22. Oktober 1836 am Josephstädter Theater in Wien Premiere. Sein Text spricht aber nicht ausdrücklich von Österreich, sondern zeigt sich ganz und gar geprägt von der zeitgenössisch üblichen Klage über die deutschen Literaturverhältnisse, die in diesem Gestus auch in der deutschen Literaturkritik verbreitet war. So oder so, das ist der Sinn des eigentlich umgewidmeten freien Raupach-Zitats im Nekrolog des *Österreichischen Zuschauers*, werde Grabbe jetzt die Würdigung erfahren, die er verdiene. Paradoxerweise ist die Klage über den nicht angemessen gewürdigten Dramatiker – eines der Elemente, die das Autorbild Grabbe konstituierten – gerade Ausdruck besonderer Wertschätzung.

Der Nekrolog im *Österreichischen Zuschauer*, aber auch die anderen Todesnachrichten in der habsburgischen Presse, gliedern sich bruchlos ein in die allgemeine zeitgenössische Wertschätzung Grabbes. Dessen Werke wurden insgesamt ja „seit Erscheinen der *Dramatischen Dichtungen* (1827) als Produkte eines originellen poetischen Talents und insofern als Bereicherung der öden Theaterliteratur der Zeit positiv rezensiert."[51]

Anmerkungen

1 Vgl. Olaf Kutzmutz: Grabbe. Klassiker ex negativo. Bielefeld 1995, S. 9-15.
2 Ladislaus Löb: Christian Dietrich Grabbe. Stuttgart, Weimar 1996, S. 114.
3 Vgl. Detlev Kopp: „Eine klassische Leiche der Charakteristik auf dem Paradebette der Literatur". Grabbe-Nekrologe des Jungen Deutschland. In: Grabbe-Jahrbuch 5 (1986), S. 30-39.
4 Vgl. Ariane Martin: Einleitung: Die ersten zehn Jahre. Georg Büchner 1835 bis 1845. In: Georg Büchner 1835 bis 1845. Dokumente zur frühen Wirkungsgeschichte. Hrsg. von Ariane Martin (Vormärz-Studien. Bd. 34). Bielefeld 2014, S. 19-55, hier S. 49-52.
5 Vgl. Grabbes Werke in der zeitgenössischen Kritik. Im Auftrage der Grabbe-Gesellschaft hrsg. von Alfred Bergmann. 6 Bde. Detmold 1958-1966, Bd. 5, S. 9-52.
6 Digitalisate bietet (außer zu *Der Sammler*) das Portal „Anno. Historische Zeitungen und Zeitschriften" der Österreichischen Nationalbibliothek (http://anno.onb.ac.at).
7 Ein Wort zur Präsentation der zitierten historischen Texte: Die satztechnisch bedingte Auflösung der Umlaute bei Großbuchstaben wird nicht reproduziert. Ansonsten werden die Eigenheiten der Vorlagen beibehalten.
8 Lothar Ehrlich: Christian Dietrich Grabbe. Leben – Werk – Wirkung. Berlin 1983, S. 65.
9 Vgl. Grabbes Werke in der zeitgenössischen Kritik (Anm. 5), Bd. 5, S. 9-11.
10 Intérieur. In: Journal de La Haye. Jg. 7. Nr. 233. 29. September 1836, S. (2).
11 „Den 12. dezer is de door geheel Duitschland bekende Dramadichter *Grabbe* te Detmold in den ouderdom van 35 jaren overleden. Hij was den 11. Dec. 1801 te Detmold geboren; en heeft door zijne vele geschriften roem verworven." Duitschland. In: Utrechtsche Courant. Ausgabe A. Nr. 118. 30. September 1836, S. (1).

12 „Den 12 September is te Detmold overleden de in geheel Duitschland bekende tooneeldichter *Grabbe*, wien men, ondanks zijne zonderlingheden en dwalingen, den
   roem niet ontzegt, dat hij een der uizstekendste, krachtvolste en oorspronkelijkste
   nieuwe Duitsche dichters is. Hij is slechts 35 jaren oud geworden, stond in zijne
   studiejaren met *Tiek* in betrekking en had na verschillende staatsambten met eere
   vervuld te hebben, sinds twee jaren zich geheel aan de Muzen gewijd." Duitschland.
   In: Dagblad van 's Gravenhage. Nr. 117. 30. September 1836, S. (3). Der Nekrolog
   findet sich unter den vermischten Nachrichten („Gemengde berigden").
13 Grabbe in Berichten seiner Zeitgenossen. Hrsg. von Alfred Bergmann. Stuttgart
   1968, S. XI.
14 Grabbes Werke in der zeitgenössischen Kritik (Anm. 5), Bd. 5, S. 11.
15 Helmut Reinalter: Pilat, Josef Anton Edler von. In: Neue Deutsche Biographie
   20 (2001), S. 438f. [Onlinefassung] URL: http://www.deutsche-biographie.de/
   ppn119432617.html.
16 Hermann Schlösser: Der Einzug des Feuilletons in die kaiserlich privilegierte Wiener Zeitung. Eine pressegeschichtliche Fallstudie. In: Literarisches Leben in Österreich 1848-1890. Hrsg. von Klaus Amann, Hubert Lengauer, Karl Wagner. Wien,
   Köln, Weimar 2000, S. 414-429, hier S. 414f.
17 So der Hinweis auf der Titelseite.
18 Österreichischer Beobachter. Nr. 273. 29. September 1837, S. 1326.
19 Österreichisch-Kaiserliche privilegirte Wiener Zeitung. Nr. 224. 30. September
   1836, S. 1249.
20 Lemberger Zeitung. Nr. 115. 7. Oktober 1836, S. 523.
21 Der Sammler. Nr. 121. 8. Oktober 1836, S. 483.
22 Der Siebenbürger Bothe. Nr. 82. 15. Oktober 1836, S. (4).
23 Der Österreichische Zuschauer. Für Kunst, Wissenschaft, geistiges Leben. Nr. 128.
   24. Oktober 1836, S. 1291.
24 Der Österreichische Zuschauer. Für Kunst, Wissenschaft, geistiges Leben. Nr. 142.
   25. November 1836, S. 1429f.
25 Die Bayer'sche Landbötin. Nr. 116. 27. September 1836, S. 1032.
26 Beilage zur Allgemeinen Zeitung. Nr. 269. 25. September 1836, S. 2149.
27 Grabbes Werke in der zeitgenössischen Kritik (Anm. 5), Bd. 5, S. 11.
28 Michaela Breil: Die Augsburger *Allgemeine Zeitung* und die Pressepolitik Bayerns.
   Ein Verlagsunternehmen zwischen 1815 und 1848. Tübingen 1996, S. 1.
29 Christian Grabbe. Nekrolog. In: Außerordentliche Beilage zur Allgemeine Zeitung.
   Nr. 450 und 451. 26. September 1836, S. 1789f.
30 Grabbe, Christian. In: Neues Rheinisches Conversations-Lexicon oder encyclopädisches Handwörterbuch für gebildete Stände. Hrsg. von einer Gesellschaft rheinländischer Gelehrten. 3. Aufl. Supplement-Band A-Z. Köln 1837, S. 438f., hier S. 438.
31 Joh. Christ. Hermann'sche Buchhandlung: Literarische Anzeige. In: Grabbe. Die
   Hohenstaufen. Ein Cyclus von Tragödien. Bd. 1. Kaiser Friedrich Barbarossa. Frankfurt am Main 1829, unpaginiert [S. 210-214, hier S. 213].
32 Grabbes Werke in der zeitgenössischen Kritik (Anm. 5), Bd. 5, S. 11.

33 Ebd.

34 Detmold, den 17ten September. In: Privilegirte wöchentliche gemeinnützige Nachrichten von und für Hamburg. Nr. 227. 23. September 1836, S. 3. Der Nekrolog steht in der Rubrik „Politische Nachrichten." Die redaktionelle Leitung der Zeitung hatte Karl Wilhelm Reinhold (1777-1841).

35 Der dramatische Dichter Grabbe. Nekrolog. In: Der Sammler. Eine Beilage der Augsburger Abendzeitung zur Unterhaltung und Belehrung. Jg. 5. Nr. 40. 1836, S. 159.

36 Basler Zeitung. Jg. 6. Nr. 156. 27. September 1836, S. 699.

37 Bredasche Courant. Staat-, Letterkundig- en Wetenschappeliijk Blad. Nr. 232. 29. September 1836, S. (3).

38 Hermann Marggraff: Deutschland's jüngste Literatur- und Culturepoche. Characteristiken. Leipzig 1839, S. 109.

39 Vgl. Ariane Martin: Anfänge der Autorenreihenbildung: Büchner und Grabbe. In: Innovation des Dramas im Vormärz: Grabbe und Büchner. Hrsg. von Lothar Ehrlich und Detlev Kopp (Vormärz-Studien. Bd. 38). Bielefeld 2016, S. 135-156.

40 Buntes aus der Theaterwelt. In: Allgemeine Theaterzeitung und Unterhaltungsblatt für Freunde der Kunst, Literatur und des geselligen Lebens. Jg. 20. Nr. 101. 23. August 1827, S. 416.

41 Theater und geselliges Leben. In: Bohemia, ein Unterhaltungsblatt. Nr. 91. 29. Juli 1832, S. (4).

42 Kurier der Theater und Spectakel. In: Der Wanderer. Nr. 260. 16. September 1832, S. (4).

43 Kurier der Theater und Spectakel. In: Der Wanderer. Nr. 228. 16. August 1833, S. (4).

44 Constant von Wurzbach: Biographisches Lexikon des Kaiserthums Osterreich, enthaltend die Lebensskizzen der denkwürdigen Personen, welche seit 1750 in den österreichischen Kronländern geboren wurden oder darin gelebt und gewirkt haben. Bd. 10. Wien 1863, S. 438-443, hier S. 439.

45 Ebd., S. 441.

46 Joh. Nep. Vogl: Von einem Verschollenen. Ein Stück aus Alt-Wien. In: Dr. Joh. Nep. Vogl's Volks-Kalender für das Jahr 1862. Wien [1862], S. 163-185, hier S. 163.

47 Grabbes Werke in der zeitgenössischen Kritik (Anm. 5), Bd. 2, S. 25. So am 10. April 1829 in der Rezension im *Literatur-Blatt* zum *Morgenblatt*.

48 Ebd., Bd. 5, S. 55.

49 Ernst Raupach: Das Sonett. Lustspiel in drei Aufzügen. In: Ernst Raupach's dramatische Werke komischer Gattung. Bd. 3. Hamburg 1834, S. 299-400, hier S. 356f.

50 Buntes aus der Theaterwelt. In: Allgemeine Theaterzeitung und Originalblatt für Kunst, Literatur, Musik, Mode und geselliges Leben. Jg. 29. Nr. 212. 22. Oktober 1836, S. 847.

51 Lothar Ehrlich: Christian Dietrich Grabbe. Leben und Werk. Leipzig 1986, S. 249.

Sandra Muschol

Das Motiv der Gewalt in den Dramen *Danton's Tod* von Georg Büchner und *Napoleon oder die hundert Tage* von Christian Dietrich Grabbe

1.

Die Französische Revolution und ihre Folgen bilden den historischen Hintergrund sowohl für Christian Dietrich Grabbes Drama *Napoleon oder die hundert Tage* (1831) als auch für *Danton's Tod* (1835) von Georg Büchner. Während es daher selbstverständlich erscheint, dass für beide Stücke das Motiv der Gewalt große Relevanz besitzt, ist mit dieser Feststellung noch nichts über die Ausgestaltung dieses thematischen Elements und davon möglicherweise abzuleitende Implikationen gesagt, deren Untersuchung Gegenstand des vorliegenden Aufsatzes ist.

Gezeigt werden soll, wie Büchner und Grabbe mit diesem Motiv umgehen, wie es innerhalb der jeweiligen Handlung entfaltet wird. Zunächst wird der Frage nachgegangen, von welchen Einzelfiguren oder Figurengruppen die Gewalt ausgeht, wer sie anwendet oder zumindest propagiert. Eine Analyse konkreter Handlungssituationen soll die möglichen Gründe für das gewalttätige Verhalten erweisen und aufzeigen, inwiefern sich die jeweiligen Darstellungen mit einschlägigen Äußerungen zum Thema (revolutionäre) Gewalt von Grabbe und Büchner in Verbindung bringen lassen; hierzu werden u. a. Briefe und andere Textzeugnisse der Autoren herangezogen.

Ziel dieser Untersuchung soll und kann – schon aufgrund der Fülle an zu untersuchendem Material – allerdings weder sein, die viel diskutierte Frage zu beantworten, ob *Danton's Tod* so wie andere Publikationen Büchners, etwa der „Hessische Landbote", das Volk habe aufrütteln und zur Revolution anstiften sollen, noch kann die im Zusammenhang mit dem Motiv der Gewalt stehende Geschichtskonzeption Grabbes intensiv erörtert werden. Im Fokus steht der Vergleich beider Werke hinsichtlich der Entfaltung des Gewaltmotivs. Von besonderem Interesse ist dabei die Rolle des Volkes: Weil es als Personengruppe in beiden Dramen auftritt und dabei ähnlich gewaltbereit erscheint, können die jeweiligen Darstellungen direkt miteinander verglichen und Gemeinsamkeiten sowie Unterschiede aufgezeigt werden.

Ferner wird auf den Umgang mit Gewalt seitens der wichtigsten Protagonisten beider Dramen – Robespierre und Danton bzw. Napoleon – eingegangen, und es werden, sofern dies möglich und sinnvoll erscheint, die jeweiligen

Darstellungen zueinander in Beziehung gesetzt. Thematisiert wird zudem die Rolle des Heroen- und Soldatentums für das Drama Grabbes, das aufgrund der Vielzahl entsprechender Szenen als Schlachtendrama bezeichnet werden kann.

2. Das Motiv der Gewalt in Georg Büchners Drama „Danton's Tod"

2.1 Die von der Politik ausgehende Gewalt

2.1.1 Die Jakobiner: Robespierre und St. Just

Die Jakobinerherrschaft bildet den politischen Hintergrund für die Ereignisse, die Büchner in *Danton's Tod* darstellt. Sie ist geprägt durch den radikalen Umgang mit politischen Gegnern, die im Zuge systematischer Tötung vor allem durch die Guillotine hingerichtet wurden. Ehe letztlich auch Danton und seine Anhänger auf diese Weise umgebracht werden, legitimieren die Jakobiner an mehreren Stellen ihr blutiges Vorgehen und positionieren sich damit auch im Hinblick auf die Anwendung von Gewalt als solcher.

Zunächst soll die Position Robespierres, direkter Gegenspieler Dantons, untersucht werden, den einzelne Bürger während seines ersten Auftrittes als „den Unbestechlichen"[1] sowie „den Messias, der gesandt ist zu wählen und zu richten" (MA, 75), bezeichnen. Deutlich wird diese im Disput mit Danton, der Robespierre indirekt des Mordes beschuldigt und sagt, er „sehe keinen Grund, der uns länger zum Töten zwänge." (MA, 85) Robespierre hingegen nennt als Grund, dass die Revolution noch nicht abgeschlossen sei und deshalb den Politikern selbst schaden könne. Vollendet ist die soziale Revolution nach Ansicht des Jakobiners erst mit der restlosen Liquidierung der „gute[n] Gesellschaft" (ebd.) und der Ersetzung derselben durch das Volk.

Diese Einstellung deckt sich mit dem Gedankengang, den ein Lyoner vor dem Jakobinerclub formuliert und für den er mit Beifall bedacht wird: „Eure Barmherzigkeit mordet die Revolution. Der Atemzug eines Aristokraten ist das Röcheln der Freiheit. Nur ein Feigling stirbt für die Republik, ein Jakobiner tötet für sie." (MA, 76) Dementsprechend erachtet es Robespierre auch für unerlässlich, Danton umzubringen, der für eine Beendigung des systematischen Mordens einsteht und damit aus Sicht des Jakobiners die Entstehung der Republik verhindert: „Ist's denn notwendig? Ja, ja! Die Republik! Er muß weg." (MA, 87) Seine Entscheidung bestätigend spricht Robespierre zu sich selbst in brutalem Duktus von dem Erfordernis, „die Hand ab[zu]hauen, die es [das Schiff der Revolution] zu halten wagt" (ebd.). Dass Robespierre und seine „einfache[n] Radikalismen [...] das Leben der Menschen [vernichten], die das Unglück haben, irgendwie

im Wege zu stehen"[2], darauf deutet auch der Befehl „Weg mit Ihnen! Rasch! nur
die Toten kommen nicht wieder" (MA, 89) hin, den er St. Just erteilt. Dabei, so
wird Robespierre später unter Beifall vor dem Nationalkonvent angeben, seien
„nur wenige Köpfe zu treffen und das Vaterland ist gerettet." (MA, 103). Sich
selbst schreibt er „Eifer und [...] Leidenschaft für die Freiheit" zu und erklärt
selbstsicher: „[N]ichts soll mich aufhalten" (beide Zitate ebd.).

Die Anwendung von Gewalt zum Erreichen der eigenen politischen Ziele
legitimiert Robespierre schon zuvor im Jakobinerclub. Hier bezeichnet er den
Schrecken als „[d]ie Waffe der Republik" (MA, 78), merkt jedoch an, dass er
ohne die Tugend „verderblich" (ebd.) sei. Den Schrecken bestimmt er näher als
„nichts anderes als die schnelle, strenge und unbeugsame Gerechtigkeit" (ebd.)
und dementsprechend als Produkt der Tugend selbst. Kurzum: Von Robespierres Warte aus betrachtet stellt der Schrecken, stellt der Terror eine angemessene,
weil moralisch richtige, von der Tugend gar selbst geborene und gerechte Ver-
haltensform dar, die allein die Revolutionäre dazu befähigt, „die Feinde der Freiheit", die „Unterdrücker der Menschheit" zu bezwingen. Zu diesen zählen nach
Robespierre Aristokraten und Fremde, die zu bestrafen er als Gnade ansieht,
„ihnen verzeihen ist Barbarei" (alle Zitate ebd.).

Dem Gedanken entsprechend, dass der Kampf der Revolutionsregierung
der Erlangung der Freiheit gilt, bezeichnet Robespierre die Regierung als „Despotismus der Freiheit gegen die Tyrannei" (ebd.) – und entlarvt damit unge-
wollt Ansätze seiner eigenen Ideologie als paradox. Denn zunächst einmal fällt
es schwer, den negativ konnotierten Begriff des Despotismus in Einklang zu
bringen mit dem positiv besetzten der Freiheit: Steht eine Herrschaft, der die
Beherrschung der einen durch andere zu eigen ist, nicht im Widerspruch zur
Freiheit, die den Einzelnen autonom und selbstbestimmt entscheiden und leben
lässt? Wie kann außerdem die Freiheit ausgerechnet die *Gewalt*herrschaft in
ihren Dienst stellen, die ihrem eigenen Wesen doch vollkommen zuwiderläuft?
Das offenkundigste Paradoxon aber besteht darin, dass Robespierre angibt, mit
dem Despotismus gerade die Tyrannei bekämpfen zu wollen, die doch dasselbe
bezeichnet wie der Despotismus selbst. Die Gewaltherrschaft der politischen
Ausschüsse jedoch ist laut Robespierre deshalb gerechtfertigt, weil das Volk selbigen sein Vertrauen gegeben habe, was „eine sichre Garantie ihres Patriotismus"
(MA, 102) darstelle.

Auch der Jakobiner St. Just – ebenso wie Robespierre von Harro Müller als
„Kill-Maschine"[3] bezeichnet – legitimiert gegenüber dem Nationalkonvent in
einer enthusiastisch bejubelten Rede die Terrorherrschaft, indem er den blutigen Lauf der Revolution gleichsetzt mit den unabänderlichen und manches Mal
nicht weniger grausamen Gesetzen der Natur, die den Menschen dort „vernichtet, wo er mit ihnen in Konflikt kommt." (MA, 103) Dementsprechend spricht

sich St. Just, der mit einiger rhetorischer Finesse seine Überzeugungen in Fragen kleidet, indirekt dafür aus, dass auch „die moralische Natur", dass „eine Idee [...] vernichten dürfe[...], was sich ihr widersetzt [...]" (beide Zitate MA, 103f.). Die moralische und die physische Natur seien deshalb als ebenbürtig anzusehen, weil sich eine höhere Macht, die St. Just als „Weltgeist" (MA, 104) bezeichnet, beider bediene. Aus diesem Grund sei es auch irrelevant, ob die Menschen „an einer Seuche oder an der Revolution sterben [...]" (ebd.).

Letztere hat aus Perspektive St. Justs den Gang der Geschichte beschleunigt, weshalb es nicht verwunderlich sei, dass „auch mehr Menschen außer Atem kommen [...]", dass der „Strom der Revolution [...] bei jeder neuen Krümmung seine Leichen ausstößt [...]" (beide Zitate ebd.). Damit wird die Verantwortung für das systematische Töten an den Lauf der Geschichte und den der Revolution abgegeben. Letzterer wird personifiziert („ausstößt"), und durch die Verwendung des Possessivpronomens „seine" gibt St. Just zu verstehen, dass besagte Leichen zur Revolution selbstverständlich dazugehören. Dass überhaupt massenweise Menschen sterben, wird seitens des Politikers bagatellisiert, indem zunächst beschönigend davon die Rede ist, dass diese „außer Atem kommen"; zudem fragt St. Just, ob die Realisierung des Grundsatzes, demzufolge alle Menschen gleich seien und niemandem Vorrechte zustünden, durch „einige Hundert Leichen" (ebd.) verhindert werden dürfe.

Die Antwort liefert der Redner selbst, indem er die Revolution sowohl zur biblischen Erzählung von Mose und dem Auszug aus Ägypten als auch zur griechischen Mythologie in Analogie setzt. So sei die Revolution einerseits „wie die Töchter des Pelias; sie zerstückt die Menschheit um sie zu verjüngen", damit sie aus dem „Blutkessel wie die Erde aus den Wellen der Sündflut mit urkräftigen Gliedern sich erhebe[...], als wäre sie zum Erstenmale geschaffen." (beide Zitate ebd.) Die Revolution und das Töten bzw. Sterben derer, die ihr zum Opfer fallen, werden für notwendig erachtet, um eine Erneuerung, gleichzeitig aber auch eine Art moralische Reinigung der Menschheit von ihren Sünden zu erreichen.

Auch Mose, so argumentiert St. Just, habe das Volk Israel „durch das rote Meer und in die Wüste [geführt] bis die alte verdorbne Generation sich aufgerieben hatte, eh' er den neuen Staat gründete." (ebd.) Anhand dieses biblischen Beispiels legt St. Just seine Ansicht dar, derzufolge eine neue politische und die Gesellschaft neu ordnende Ära erst dann beginnen könne, wenn zunächst das alte, sündhafte Geschlecht vernichtet worden sei. Die Mittel hierzu, so appelliert er an den Nationalkonvent, seien vorhanden: „[W]ir haben den Krieg und die Guillotine." (ebd.)

Insgesamt ist der Rede St. Justs ein äußerst kämpferischer, heroischer Duktus zu eigen. Rhetorisch geschickt stellt der Jakobiner die revolutionären Ereignisse als unumgänglichen Schritt auf dem Weg hin zu einer besseren Gesellschaftsordnung dar, in der nur das ehrenwerte, sündenfreie Volk, zu dem auch das nicht näher definierte „Wir" zählt, Platz findet. Durch die Gleichsetzung der Revolution mit den unabänderlichen Gesetzen der Natur sowie den Verweis auf biblische Geschichten und Erzählungen aus der griechischen Mythologie gewinnt die Argumentation St. Justs an Überzeugungskraft, können jene alt-ehrwürdigen Überlieferungen doch durchaus als handlungsweisend aufgefasst werden.

2.1.2 Die Dantonisten

Kurz vor seiner Verurteilung zum Tode äußert sich Danton in einer von revolutionärer Rhetorik geprägten Rede vor dem Revolutionstribunal zur Herrschaft der Jakobiner, die er selbst einmal unterstützt hatte: „Das ist die Diktatur [...], sie trägt die Stirne hoch, sie schreitet über unsere Leichen." (MA, 120) Nach Dantons Dafürhalten werde die Gewaltherrschaft nicht, wie es St. Just verheißen hatte, ein positives Resultat haben, sondern vielmehr „großes Unglück über Frankreich hereinbrechen" (ebd.) lassen. Er beschuldigt St. Just, Robespierre und „ihre Henker" des Hochverrats, denn „[s]ie wollen die Republik im Blut ersticken" (beide Zitate ebd.). Hatte also St. Just das Blutvergießen als Mittel angepriesen, mit dem die Menschheit verjüngt und eine neue Gesellschaftsordnung begründet werden könne, führt es aus Dantons Perspektive genau im Gegensatz dazu zum Niedergang der Republik. Diejenigen, die es verursachen, nennt Danton „die feigen Mörder, [...] die Raben des Wohlfahrtsausschusses." (ebd.)

Bereits zuvor hatte Danton seine inzwischen ablehnende Haltung zur Schreckensherrschaft der Jakobiner gegenüber Robespierre zum Ausdruck gebracht, sich nicht in Lebensgefahr wähnend jedoch noch deutlich weniger leidenschaftlich und nicht, um sich zu verteidigen, sondern um Robespierre zu „ärgern" (MA, 85). Danton verdeutlicht seine Position pointiert bereits zu Beginn der Unterredung: „Wo die Notwehr aufhört fängt der Mord an, ich sehe keinen Grund, der uns länger zum Töten zwänge" (ebd.), erklärt er im Hinblick auf die herrschende „Guillotinenromantik" (MA, 70), die Tag für Tag Dutzende von Opfern fordert und, so die Kritik der Anhänger Dantons, die Menschen „schmutzig und blutig sein [lässt] wie neugeborne Kinder, [sie] Särge zur Wiege haben und mit Köpfen spielen [lässt]" (ebd.). Die Dantonisten also lehnen es ab, weiterzutöten, da ihrer Ansicht nach hierfür keine Legitimation gegeben ist, sie kritisieren mithin die „gesetzlich institutionalisierte[...] terroristische[...] Anwendung [von] Gewalt"[4], die sich nicht mehr als Notwehr deklarieren lässt.

Als Robespierre das blutige Vorgehen der Jakobiner damit rechtfertigt, dass die soziale Revolution noch nicht vollendet sei, dass „Laster [...] bestraft werden,

die Tugend [...] durch den Schrecken herrschen" (MA, 86) müsse, entgegnet
Danton knapp, dass er „das Wort Strafe nicht [verstehe]" (ebd.). Zwar sei es im
Sinne der Notwehr durchaus zulässig, sich zu „wehren, wenn ein Andrer ihm
den Spaß verdirbt", das Recht darauf, die Guillotine zum „Waschzuber" umzu-
funktionieren, um darin „die unreine Wäsche anderer Leute" zu waschen „und
aus ihren abgeschlag‹nen› Köpfen Fleckkugeln für ihre schmutzigen Kleider zu
machen" (alle Zitate ebd.), spricht Danton Robespierre allerdings ab.

Nur weil er selbst tugendhaft und geradezu „empörend rechtschaffen" sei,
könne sich Robespierre dennoch nicht herausnehmen, andere Menschen „in's
Grabloch zu sperren" (beide Zitate ebd.). Auf diese Weise nämlich stelle er sich
auf eine Stufe mit Gott, ja, sogar darüber: Während Gott selbst sich das Treiben
der Menschen lediglich mit ansehe, erhebe sich Robespierre unrechterweise zum
„Polizeisoldat des Himmels" (ebd.). Dabei sei es rechtens, so Danton weiter, dass
jedermann „seiner Natur gemäß [handelt] d. h. [...] tut, was ihm wohl tut." (ebd.)
Die Existenz sowohl des Lasters als auch der Tugend aber bestreitet Danton,
weshalb für ihn auch kein Grund vorliegt, weitere Menschen zu töten. Deren
– in Dantons Augen ohnehin nicht gerechtfertigte – Bestrafung obliege weder
Robespierre noch einem anderen Menschen.

Im Gespräch mit seinen Anhängern äußert sich Danton wenig später allgemeiner zum Umgang der Menschen miteinander, wobei er die Anwendung von
Gewalt per se ablehnt: „[I]ch will lieber guillotiniert werden, als guillotinieren
lassen. Ich hab es satt, wozu sollen wir Menschen miteinander kämpfen?" (MA,
91) Danton hinterfragt den Sinn, den der Kampf der Menschen gegeneinander habe, und schließt simpel: „Wir sollten uns nebeneinander setzen und Ruhe
haben." (ebd.) Ein, wie Danton selbst urteilt, „starkes Echo" (ebd.) auf derlei
Aussagen bietet Camille, der mit einigem Pathos mehrere rhetorische Fragen
aneinanderreiht, die Dantons Gedanken bekräftigen:

> [W]ie lange soll die Menschheit im ewigen Hunger ihre eignen Glieder fressen? oder,
> wie lange sollen wir Schiffbrüchige auf einem Wrack in unlöschbarem Durst einander
> das Blut aus den Adern saugen? oder, wie lange sollen wir Algebraisten im Fleisch
> beim Suchen nach dem unbekannten, ewig verweigerten x unsere Rechnungen mit
> zerfetzten Gliedern schreiben? (ebd.)

Eindrucksvoll artikuliert Camille die Grausamkeit des menschlichen Gebarens
sowie auch dessen Sinnlosigkeit. Die Menschheit zerlegt sich selbst, indem sie
„ihre eignen Glieder [frisst]", indem sich die Menschen „einander das Blut aus
den Adern saugen" und ihre „Rechnungen mit zerfetzten Gliedern schreiben".
Diese Brutalität ist sinnlos, denn der Hunger dauert „ewig" an, der Durst ist
„unlöschbar", und die unbekannte Größe bleibt doch „ewig verweigert" (alle
Zitate ebd.). Kurzum: Aus Sicht der Dantonisten, das sollte bis hierhin deutlich

geworden sein, wird die Gewalt als Mittel zum Erreichen jedweder Ziele inzwischen als unangemessen angesehen. Sie erscheint den Dantonisten unzweckmäßig und insofern sinnlos, als sie die Menschheit in Blut tränkt, ohne auch nur das Geringste zu erreichen.

Gleichwohl muss der Tatsache Rechnung getragen werden, dass sowohl der historische als auch Büchners Danton selbst im Rahmen der sogenannten Septembermorde für die Ermordung von mehr als eintausend Gefängnisinsassen verantwortlich zeichnet, die zu verhindern als damaliger Justizminister seine Obliegenheit gewesen wäre. In dem vorliegenden Drama wird Danton hiervon eingeholt, wenn er in der Nacht von „garstigen Sünden" (MA, 98) spricht und dann unvermittelt „September!" (ebd.) ausruft. Von seiner Gattin Julie, die konstatiert, dass ihr Ehemann zittert, zur Rede gestellt, ergeht sich Danton zunächst in wirren Gedanken, ehe er erklärt: „Wie ich an's Fenster kam – durch alle Gassen schrie und zetert es: September!" (MA, 99) Auch weitere Aussagen deuten darauf hin, dass Danton angesichts seiner Mitverantwortung für die Septembermorde Schuldgefühle entwickelt, die er jedoch nicht gelten lassen will: „Was das Wort nur will? Warum gerade das, was hab' ich damit zu schaffen. Was streckt es nach mir die blutigen Hände? Ich hab' es nicht geschlagen."(ebd.) Stattdessen versichert sich Danton der Rechtmäßigkeit seines damaligen Handelns, indem er fragt, ob selbiges „nicht billig" gewesen sei, und erklärt: „Wir schlugen sie, das war kein Mord, das war Krieg nach innen" bzw.: „Das war Notwehr, wir mußten." (alle Zitate ebd.) Wie bereits zuvor im Gespräch mit Robespierre lässt Danton die Notwehr zum Zwecke der Selbsterhaltung also durchaus als Legitimation zum Einsatz von Gewalt gelten, distanziert sich selbst aber vom Mord. Gleichzeitig weist er auch jede alleinige Verantwortung von sich, indem er den Menschen als Marionette darstellt, „von unbekannten Gewalten am Draht gezogen; nichts, nichts wir selbst!" (MA, 100) Danton sieht es als gegeben und unvermeidlich an, dass „Ärgernis" (MA, 99) über die Menschheit komme – derjenige aber, durch den es eintrete – in diesem Falle also er selbst –, habe die unheilvollen Konsequenzen zu tragen. Dabei sei auf den Verursacher selbst, auf seine Hand, „der Fluch des Muß gefallen"; wer diesen gesprochen habe und was dieses Muss sei, das „in uns hurt, lügt, stiehlt und mordet" (MA, 100), darauf weiß Danton keine Antwort. Er findet sich damit selbst wieder in einer Situation, die als „Paradoxie schuldloser Schuld"[5] zu beschreiben ist: Wenngleich er verantwortlich zeichnet für den Tod zahlreicher Menschen, will er sich selbst die Schuld nicht zugestehen, sondern weist sie dem Schicksal zu. Aufgelöst wird dieses Paradoxon nicht, unbeantwortet bleibt die Frage nach dem gewaltbereiten Anteil im Menschen, die Harro Müller als „Produktionsstimulans" wertet: „[...] hätte Büchner eine Antwort gewußt, einen Ausweg gekannt, wäre dieses großartige Stück nie geschrieben worden".[6]

2.2 Die vom Volk ausgehende Gewalt

Im Personenverzeichnis zwar an letzter Stelle gelistet, muss dem Volk doch eine wichtige Rolle innerhalb des Stückes attestiert werden: Es reflektiert und bewertet die Handlungen der politischen Führungskräfte, begehrt mal gegen diese, dann gegen jene Seite auf und erweist sich damit als wichtiges, allzu leicht manipulierbares Instrument der politischen Akteure des Stückes. An mehreren Stellen wird das Volk durch Einzelaussagen charakterisiert, zudem tritt es selbst wiederholt auf. Zu unterscheiden ist hierbei zwischen dem Auftreten des Volkes als Kollektiv, welches als „Alle" oder „Einige" (MA, 74) bezeichnet wird, und dem Heraustreten Einzelner aus dieser anonymen Masse.

Beide Erscheinungsweisen zeigen sich bereits in der zweiten Szene des ersten Aktes, die dem Leser an sehr früher Stelle sowohl das Hungerleiden des Volkes als auch die daraus resultierenden Konsequenzen vor Augen führt, nämlich die Prostitution und das hohe Gewaltpotenzial der Masse. Die markante Szene beginnt damit, dass der Bürger Simon – einer der wenigen Bürger, die namentlich genannt werden – seine Frau schlägt und sie dafür verantwortlich macht, dass beider Tochter sich prostituiert. Das ist jedoch auf die Armut der Familie zurückzuführen, wie die Frau verdeutlicht, indem sie ihrem Mann vor Augen hält: „Du Judas, hättest du nur ein Paar Hosen hinaufzuziehen, wenn die jungen Herren die Hosen nicht bei ihr herunterließen?" (MA, 73) Da der Hunger das allgemeine Schicksal des Volkes darstellt, besteht „die eigentliche Tragödie der unerfüllten Verheißung der Revolution [in der] anhaltende[n] Not der Massen".[7] Das Volk hat dies längst begriffen und ergeht sich angesichts seiner schlechten Lage in aggressionsgeladenen Reden:

> ERSTER BÜRGER: [...] die arme Hure, was tat sie? Nichts! Ihr Hunger hurt und bettelt. Ein Messer für die Leute, die das Fleisch unserer Weiber und Töchter kaufen! Weh über die, so mit den Töchtern des Volkes huren! [...] Ergo ihr arbeitet und sie tun nichts; ergo ihr habt's erworben und sie haben's gestohlen; ergo, wenn ihr von eurem gestohlnen Eigentum ein paar Heller wiederhaben wollt, müßt ihr huren und bettln; ergo sie sind Spitzbuben und man muß sie totschlagen. (MA, 73f.)

Die Rede des erzürnten Bürgers ist von einiger Gradlinigkeit und zeigt im Argumentationsverlauf sowohl eine deutliche Gegenüberstellung von „ihr" und „sie" als auch eine zunehmende Steigerung, die in dem Appell zu töten kulminiert: Während das einfache Volk arbeitet, tun die Wohlhabenden nichts, außer das Volk zu bestehlen; will dies einen Teil seines ihm zustehenden Eigentums wiedererlangen, muss es huren und betteln. Dies lässt scheinbar nur einen einzigen Schluss zu: Die Wohlhabenden sind Betrüger und müssen umgebracht werden.

Diese Argumentation sowie auch die Tatsache, dass die die Armut des Volkes widerspiegelnde Straßenszene direkt auf diejenige folgt, in der sich Danton und sein Gefolge am Spieltisch vergnügen, bewirken zweierlei: Zum einen erkennt der Leser die soziale Ungerechtigkeit, zum anderen wird für ihn die große Wut des Ersten Bürgers nachvollziehbar, die dieser gleichsam stellvertretend für das ganze Volk zum Ausdruck bringt. Sowohl seine Argumentation, die das Volk als ehrlich und hart arbeitend charakterisiert, als auch das Verhalten von Simons Frau und der sich prostituierenden Tochter zeugen von einer Situation der Armut und der Ausweglosigkeit. Sie allein ist der Grund dafür, dass sich dem Bürger die Anwendung von Gewalt als einziger, letzter Lösungsweg darstellt, schließlich, so geht es aus seiner Argumentation deutlich hervor, scheint sich das Volk mit Ehrlich- und Gewissenhaftigkeit nicht aus seiner Misere befreien zu können.

Im weiteren Verlauf der Szene erweist sich das Volk als leicht beeinflussbar, wankelmütig und durchaus angriffslustig. Die Gewaltanwendung scheint es in der Tat nicht zu scheuen, wie die Aussage des Dritten Bürgers verdeutlicht:

> DRITTER BÜRGER: [...] Sie haben uns gesagt: schlagt die Aristokraten tot [...] Wir
> haben die Aristokraten an die Laternen gehängt. Sie haben gesagt das Veto frißt
> euer Brot, wir haben das Veto totgeschlagen, sie haben gesagt die Girondisten
> hungern euch aus, wir haben die Girondisten guillotiniert. (MA, 74)

Weil sich die Lage des Volkes dennoch nicht verbessert hat, ruft der Dritte Bürger es auf: „Totgeschlagen, wer kein Loch im Rock hat!", woraufhin der Erste Bürger ergänzt: „Totgeschlagen, wer lesen und schreiben kann!" und der Zweite Bürger einfällt: „Totgeschlagen, wer auswärts geht!" (ebd.) Schon ist das Volk überzeugt, denn nun sind es „Alle", die schreien: „[T]otgeschlage, totgeschlage!" (ebd.) und den Jungen Menschen mit Schnupftuch, den sie für einen Aristokraten halten, kurzerhand an der Laterne aufhängen wollen. Die Stimmung ist aufgeheizt, das Volk, das gerade noch Simons Frau vor den Schlägen ihres eigenen Mannes bewahrt hat, hat sich in Windeseile in einen Mob verwandelt.

Als „Einige Stimmen" letztlich aber doch dafür plädieren, den Mann laufenzulassen, und dieser entwischt, tritt erstmals in dem Stück Robespierre auf. Von ihm nach dem Grund für den Aufruhr befragt, argumentiert der Erste Bürger erneut mit dem Hunger, den das Volk leide: „Unsere Weiber und Kinder schreien nach Brod [sic!], wir wollen sie mit Aristokratenfleisch füttern." (MA, 75) Robespierre indes benötigt nur wenige Sätze, um die Bürger für seine Sache zu gewinnen und damit den Beweis für ihre Wankelmütigkeit zu erbringen. Rhetorisch geschickt zollt er dem Volk zunächst Respekt, indem er es als „tugendhaft" und „groß" bezeichnet, um es dann aufzufordern, seine „eigne Kraft", über die allein es fallen könne, leiten zu lassen, um gemeinsam „ein Blutgericht über unsere Feinde [zu] halten". Dies, so suggeriert die Ansprache Robespierres, sei nur in Zusammenarbeit mit „deine[n] Gesetzgeber[n]" möglich, denn „[...] ihre Augen sind untrügbar, deine Hände sind unentrinnbar" (alle Zitate ebd.). Dem Volk genügt diese Argumentation; wen genau Robespierre als „unsere Feinde" erachtet, will es gar nicht erst wissen. Jubelnd folgt es dem Politiker mit den Worten: „Zu den Jakobinern! Es lebe Robespierre!" (ebd.)

Noch deutlicher werden die unbeständige Haltung des Volkes und seine Eigenschaft, sich rasch von der einen oder der anderen Seite instrumentalisieren zu lassen, in der zehnten Szene des dritten Aktes. Durch Dantons Rede vor dem Revolutionstribunal von dessen Unschuld überzeugt, bekunden am Ende der vorangehenden Szene die Zuhörer und „Viele Stimmen" ihre Loyalität, indem sie rufen: „[E]s lebe Danton, nieder mit den Decemvirn!" (MA, 121) Auch vor dem Justizplatz haben sich Bürger versammelt, von denen einige ebenfalls äußern: „Nieder mit den Decemvirn! es lebe Danton!" (ebd.) Einige Frauen wiederholen mit anderen Worten die Argumentation Dantons, indem sie die Guillotine als „schlechte Mühle" bezeichnen und nachdrücklich fordern: „[W]ir wollen Brod, Brod!" (beide Zitate ebd.) Daraufhin entsteht eine kurze verbale Auseinandersetzung zwischen dem Ersten und dem Zweiten Bürger, die Letzterer insofern für sich entscheiden kann, als er das gesamte anwesende Volk letztlich doch von der Schuld Dantons zu überzeugen vermag. Wie im Fall der Rede Dantons, der mit dem Hunger der Leute argumentiert und damit das Volk erreicht hatte, spricht auch der Zweite Bürger die allgemeine Armut an, stellt dabei allerdings heraus, dass Danton, der selbst einmal arm gewesen sei, sich seinen inzwischen ausschweifenden Lebenswandel auf Kosten der Republik erkauft und das Volk verraten habe. Demgegenüber stellt er Robespierre, Mitglied des Wohlfahrtsausschusses, als anständig dar: „Was hat Robespierre? der tugendhafte Robespierre." (ebd.) Auch an dieser Stelle genügen dem Volk diese wenigen Worte, um zum Schluss der Szene das genaue Gegenteil von dem zu fordern, wofür es am Anfang eingestanden hatte: „Es lebe Robespierre! Nieder mit Danton! Nieder mit dem Verräter!" (ebd.), heißt es da zuletzt von allen. Erneut ist eine aufgebrachte Menge entstanden, die den Willen zur Gewaltanwendung äußert, wobei das Opfer beliebig zu sein scheint, solange nur der eigenen Armut endlich ein Ende gesetzt werde.

Die extreme Wankelmütigkeit des Volkes als Masse lässt es unselbstständig und abhängig von der Leitung durch Einzelpersonen erscheinen, seien es Politiker wie Danton oder Robespierre oder aber einzelne Bürger selbst. So ist es in der sechsten Szene des zweiten Aktes der Souffleur Simon, der Bürgersoldaten dazu antreibt, Danton aus dessen Haus fortzuholen: „Wir müssen hinauf! Fort Bürger! Wir haften mit unseren Köpfen dafür. Tot oder lebendig!" (MA, 100), ruft er kämpferisch, um dann hinzuzusetzen: „Vorwärts, Bürger, ihr werdet euch um das Vaterland verdient machen." (ebd.) Die Antwort des Zweiten Bürgers fällt deutlich nüchterner aus und verdeutlicht, dass sein Einsatz nicht dem Vaterland gilt, das sich, so argumentiert er, auch nicht um das Volk verdient mache. Hingegen sei „über all den Löchern, die wir in anderer Leute Kö<r>per machen [...] noch kein einziges in unsern Hosen zugegangen." (ebd.) Der Bürger verweist damit zum einen erneut auf das beinahe einzige Motiv, das das Volk kennt, um gewalttätig gegen andere Menschen vorzugehen: Es ist die Armut, sind die Löcher in den eigenen Hosen, die es dazu bringen, zu töten. Zum anderen aber verdeutlicht diese gleichsam schlichte wie pointierte Aussage die Vergeblichkeit des Gewalteinsatzes seitens der Bürger: Die Tatsache, dass offensichtlich bereits viele Menschen verletzt oder getötet worden sind, worauf „all den" hinweist, hat die Lage des Volkes bisher nicht im Geringsten verbessert, denn „kein einziges [Loch] in [ihren] Hosen" ist geschlossen worden.

Bemerkenswert ist nun, dass der Zweite Bürger, obschon er die Sinnlosigkeit der Gewaltanwendung einsieht, dennoch der Masse folgt und auf Simons Ausruf „Fort, fort!" (ebd.) in Dantons Haus eindringt. Ebenso wie sich das Volk in den zuvor betrachteten Szenen Einzelnen nicht aus innerer Entschlossenheit heraus anschließt, scheint auch der Zweite Bürger lediglich deshalb aktiv zu werden, weil er schlicht keine Alternative sieht. In blinder Wut folgen er und andere Bürger, wobei das Volk „hinsichtlich faßbarer ,Verantwortlicher' für die Misere und möglicher Lösungen notwendig hilflos geworden ist".[8]

Allerdings zeigt Büchner auch eine andere Seite des Volkes. Denn es ist nicht ausschließlich der Hunger, der die Masse zum Mob werden lässt, sondern es ist auch eine gewisse Sensationslust, die das Volk der „allgegenwärtige[n] Faszination der Guillotine"[9] verfallen lässt. Besonders deutlich wird dies in der siebten Szene des vierten Aktes, in der die Ankunft des verurteilten Danton und seiner Anhänger auf dem Revolutionsplatz dargestellt wird. Die bevorstehende Enthauptung der Gefangenen scheint bei den anwesenden Zuschauern weniger mitleidiges Entsetzen als vielmehr Vorfreude auszulösen: *„Männer und Weiber singen und tanzen die Carmagnole"* (MA, 130), heißt es in der Regieanweisung, die auf eine gewisse Feststimmung schließen lässt. Schadenfreude geht aus den Äußerungen zweier Frauen hervor, die zwei der Todgeweihten verspotten: „He Danton, du kannst jetzt mir den Würmern Unzucht treiben", ruft die eine, „Hérault, aus deinen hübschen Haaren lass ich mir eine Perücke machen" (beide Zitate MA, 131), höhnt die andere.

Die Enthauptung gerät zum öffentlichen Schauspiel, wie der Gefangene Mercier bereits vorausgesagt hatte: „Da klatschen die Galerien und die Römer reiben sich die Hände, aber sie hören nicht, daß jedes dieser Worte das Röcheln eines Opfers ist." (MA, 110) Das Volk aber begehrt Unterhaltung, wenn es angesichts der mahnenden Worte Lacroix', der soeben das Schafott bestiegen hat, bemängelt: „Das war schon einmal da! wie langweilig!" (MA, 131) Einem Theaterbesuch gleich wird im Anschluss an das blutige Spektakel gar das Auftreten Einzelner beurteilt, wobei der Akt der Enthauptung in höchstem Maße banalisiert wird:

ERSTES WEIB: Ein hübscher Mann, der Hérault.
ZWEITES WEIB: Wie er beim Konstitutionsfest so am Triumphbogen stand da dacht' ich so, der muß sich gut auf der Guillotine ausnehmen, dacht' ich. Das war so ne Ahnung.
DRITTES WEIB: Ja man muß die Leute in allen Verhältnissen sehen, es ist recht gut, daß das Sterben so öffentlich wird. (MA, 132)

An anderer Stelle hingegen wird deutlich, dass die öffentliche Enthauptung nicht lediglich der Unterhaltung des Volkes, sondern gleichzeitig zu dessen Ablenkung dient. Das beginnt bei den Jüngsten: „Platz! Platz! Die Kinder schreien, sie haben Hunger. Ich muss sie zusehen machen, dass sie still sind. Platz!" (MA, 130), fordert eine Frau, die mit ihren Kindern auf den Revolutionsplatz gekommen ist. Allein, satt werden lässt das Zusehen beim Sterben Anderer niemanden. Das formuliert zunächst Dillon, der Laflotte gegenüber äußert, dass man „das Volk nicht mit Leichen [füttert]" und es mit Geld eher zu überzeugen sei, denn „das ist besser als Köpfe." (beide Zitate MA, 113)

Angesichts dieser nicht eben einseitigen Darstellung des Volkes schreibt Paul Landau dem Autor Büchner zugleich „eine tiefe Verachtung und eine Verehrung der Menge"[10] zu, während sich in der Darstellung der (einfachen) Bürger m. E. vielmehr ein „Mitgefühl mit dem Elend des Volkes"[11] zeigt. Sehr früh bereits muss der Leser als Grund für die Wut des Volkes dessen verzweifelte Lage erkennen, die von Hunger und Armut geprägt ist. Und wenn es die Enthauptung der Dantonisten gespannt verfolgt und die Opfer begutachtet, als seien es Schauspieler, dann kann auch dieses gefühllose Verhalten auf die eigene prekäre Situation zurückgeführt werden, denn der öffentliche Vorgang lenkt zum einen vom eigenen Elend ab und bestraft zum anderen diejenigen, die mehr besitzen als das Volk selbst.

Nicht geleugnet werden kann überdies der gedankliche Zusammenhang zwischen dem vorliegenden Drama und dem *Hessischen Landboten*, einer Flugschrift Büchners aus dem Jahre 1834, die ebenso wie *Danton's Tod* Ausdruck ist für Büchners Parteinahme für das mittellose Volk, „für den Menschen, sein Leiden und seinen Glücksanspruch".[12] Nicht geklärt werden soll und kann in dieser Arbeit jedoch die Frage, ob sich Büchner mit seinem Drama erneut zur „notwendigen Gewaltanwendung"[13] bekennen wollte oder ob *Danton's Tod* ganz im Gegenteil „nicht die Französische Revolution und überhaupt keine Revolution"[14] verherrliche und folglich jeder „aktivistische[n] Tendenz"[15] entbehre.

2.3 Zwischenfazit

Es fällt auf, dass das Motiv der Gewalt bereits in die Rhetorik der Protagonisten deutlich eingeschrieben ist. So spricht Danton gleich zu Beginn des Stückes davon, man müsse einander „die Schädeldecken aufbrechen" (MA, 69), und die aufgebrachten Bürger wollen in blinder Wut einen jungen Menschen umbringen, wobei sie „[T]otgeschlage, totgeschlage!" (MA, 74) skandieren; Camille fragt, wie lange „die Menschheit im ewigen Hunger ihre eignen Glieder fressen" (MA, 91) wolle, und wiederum Danton hält dem Volk vor Augen, dass der Wohlfahrtsausschuss es „das Blut von den Stufen der Guillotine lecken [mache]" (MA, 121).

Zugleich aber bestimmt das Motiv der Gewalt den Diskurs sehr stark auch inhaltlich. Dabei zeigt sich, dass nicht bloß zur Anwendung von Gewalt aufgerufen wird, um die eigenen Ziele zu erreichen, sondern ebendieses Mittel auch immer wieder vonseiten der Protagonisten bewertet und damit selbst zum Gegenstand des Diskurses wird. Besonders im Gespräch zwischen Robespierre und Danton (I, 6), in Robespierres Rede vor dem Jakobinerklub (I, 3) sowie in St. Justs Rede vor dem Nationalkonvent (II, 7) wird die Gewalt als politisches Instrument thematisiert und aufgezeigt, wie sich die verschiedenen Protagonisten zu dessen Einsatz positionieren. Während Danton die Fortführung der Schreckensherrschaft ablehnt und jedes weitere Töten im Namen der Revolution als Mord bezeichnet, stehen die Jakobiner für ebendieses ein. Besonders St. Just geht dabei sowohl rhetorisch als auch argumentativ bedacht vor, indem er die Revolution und ihre Folgen ebenso wie die Natur als Instrumente des „Weltgeist[es]" (MA, 104) auffasst und das blutige Vorgehen der Regierung, das im Grunde dem Erhalt der eigenen Macht dienen soll, auf diese Weise zu legitimieren versucht.

Demgegenüber wird deutlich, dass das Volk andere Gründe hat, den führenden Politikern „die Haut von den Schenkeln ziehen" (MA, 74) zu wollen: Es leidet Hunger und Armut, und sieht keinen anderen Ausweg, als zur Tötung derer aufzurufen, die mehr besitzen als es selbst. Der Hunger also „erscheint als überwältigende Triebkraft individuellen und gemeinschaftlichen Handelns. Vor ihm und der durch ihn ausgelösten Aggressivität wird alles Moralisieren nichtig und scheint jedes Ethos zu versagen".[16]

Mit Herbert Wender ist dementsprechend das beständige Bemühen Büchners zu konstatieren, hinsichtlich der Motive, die die verschiedenen Figuren für die Anwendung von Gewalt, für das Töten im Rahmen der Revolution haben, zu unterscheiden.[17] So gelangt denn auch die Frage, „was in uns hurt, lügt, stiehlt und mordet" (MA, 100), zu unterschiedlichen Antworten, „je nachdem, welche Figuren im Stück man betrachtet"[18]; seien es der Hunger, der Hass gegenüber den Wohlhabenden und die gefühlte Ausweglosigkeit seitens des Volkes, sei es das Streben nach Macht aufseiten der Jakobiner.

3. Das Motiv der Gewalt in Christian Dietrich Grabbes Drama „Napoleon oder die hundert Tage"

3.1 Napoleon und seine Anhänger

3.1.1 Die Kaisergardisten Vitry und Chassecœur

Grabbes Stück, dessen Handlung im Jahr 1815 anzusiedeln ist, umfasst die letzten Tage, die Napoleon im Exil auf der Insel Elba verbringt, seine Rückkehr nach Paris, die erfolgreiche Schlacht der napoleonischen Truppen gegen Preußen und Engländer sowie ihre Niederlage bei Waterloo, mithin die Herrschaft der hundert Tage. Dabei „erscheint Napoleon [...] als Zentrum, auf das Denken und Handeln der Beteiligten ausgerichtet sind"[19], dessen Person von den einen als Mörder deklariert und dämonisiert[20], von den anderen jedoch voll Hoffnung herbeigesehnt wird.

So ruft auf die wehmütige Erinnerung Vitrys, „Ja, ja, Vater Veilchen spielte um die Welt, und wir waren seine Croupiers", Chassecœur pathetisch aus: „Blut und Tod! Wären wir es noch!" (II, 323) Die Erinnerungen, in denen die beiden abgedankten Kaisergardisten zu Beginn des Stückes schwelgen, richten sich nicht allein auf „Vater Veilchen", wie sie Napoleon nennen, sondern eben auch auf „Blut und Tod", also auf das eigene militärische Wirken in Asien, Südeuropa, Russland und Deutschland. Die infolge von Kampfhandlungen entstandenen Narben zeigt der einstige Kaisergardist nicht ohne Stolz vor, macht von seiner Warte aus doch „Schlachtenblut, nicht Weiberblut [...] adlig." (II, 334) Dem Herzog von Berry, der jene als „ehrenvoll" (II, 336) bezeichnet, setzt er ihren Ursprung auseinander, indem er seine Narben in beinahe liebevoller Manier ihrem Entstehungsort entsprechend benennt und die jeweilige Kampfhandlung rekapituliert: „[D]iese heißt Quiberon, da stürzten wir die Emigranten in das Meer, – diese heißt Marengo, da packten wir Italien, – diese – ach!", bricht Chassecœur schließlich voll Wehmut ab, und Vitry ergänzt schwermütig: „Ach, Leipzig!" (alle Zitate ebd.)

Krieg geführt, dabei Verletzungen fortgetragen und damit Napoleon als „Croupiers" (II, 323) gedient zu haben, erfüllt die abgedankten Kaisergardisten zum einen mit Stolz und stellt für sie eine Möglichkeit dar, als „adlig" (II, 334) – hier wohl i. S. von „edel" oder „würdevoll" – anerkannt zu werden, zum anderen aber wird der Beteiligung an den erlebten Kriegshandlungen eine geradezu existenzielle Bedeutung zugeschrieben. So erklärt Chassecœur auf die Frage, wer er sei: „Wer ich bin oder sein soll, weiß ich nicht, aber wer ich *war*, das kann ich Ihnen sagen" (II, 337). Sich laut Regieanweisung *stolz aufrichtend* fährt er fort: „Ein kaiserlicher Gardegrenadier zu Pferde, zweite Schwadron, dem Ehrenkreuze nahe." (ebd.) Es zeigt sich deutlich, dass Chassecœur seine eigene Identität vollkommen auf die Rolle als Soldat aufgebaut hat und jene und mithin auch das Wissen um den eigenen Lebenssinn mit dem Kriegsende verloren hat.

Der Krieg hat ihm und Vitry einen Lebensinhalt verschafft, seine Beendigung eine innere Leere und ebenso quälende wie anhaltende Langeweile verursacht: „Ach, es kommt einem jetzt auf der Welt so erbärmlich vor, als wäre man schon sechsmal dagewesen und sechsmal gerädert worden." (II, 330) Angesichts der gefühlten Sinnlosigkeit des eigenen Daseins rufen sich die ehemaligen Soldaten selbst denkbar sadistische Begebenheiten genussvoll in Erinnerung: „Vitry, Wir! Als wir [...] plünderten und brandschatzten, tausend und aber tausend Damen dieser Länder karessierten oder notzüchtigten" (II, 324). Zudem ruft die persönliche Orientierungslosigkeit den Wunsch nach der Rückkehr des Kaisers hervor sowie danach, „mit deiner Kolbe wieder die Kisten zerschmettern [zu dürfen] wie die Gehirne!" (II, 323)

Neben derlei inneren, psychischen Gründen lässt ein weiteres, existenzielles Motiv Vitry und Chassecœur sich die Rückkehr des Kaisers herbeisehnen: Beide leben seit Kriegsende in Armut und leiden Hunger. „Ich muss auch hungern, – ich wollte die ganze Welt hungerte mit zur Gesellschaft" (II, 324), sagt Chassecœur und ruft sich und Vitry ins Gedächtnis, wie beide während der Feldzüge „das Geld in Haufen auf die Straße warfen [...], weil wir jede Minute neues bekommen konnten". Heutzutage aber hätten beide „zusammen keine vier Sous in der Tasche", seien „der Gage beraubt". Und doch lehnt er es rundweg ab, von Herzog Berry „eine Versorgung im Dome der Invaliden" verschafft zu bekommen, denn: „Deren bedarf ich noch nicht" (beide Zitate II, 337), erklärt Chassecœur wohl eher aus Stolz und aufgrund von Ablehnung gegenüber dem Königshaus als den tatsächlichen Umständen entsprechend. Auch Vitry, der ankündigt, für künftige Gelegenheiten „zwei Hände zum Losschlagen" zu haben, äußert seine Missbilligung den Bourbonen gegenüber, indem er gesanglich dazu aufruft, „den König am Morgen tot[zuschlagen]" (beide Zitate II, 329), des Kaisers jedoch zu gedenken.

Zusammenfassend kann also festgestellt werden, dass mehrere Faktoren für die wörtlich zu verstehende Gewaltverherrlichung seitens der Kaisergardisten verantwortlich sind: Der Krieg und die dabei begangenen Greueltaten haben beider Leben Sinn verliehen und ihnen Abwechslung bereitet, während zu Friedenszeiten der Alltag nicht nur sinnlos und langweilig erscheint, sondern Chassecœur und Vitry überdies Hunger leiden lässt.

3.1.2 Napoleon

Napoleon selbst fällt deutlich weniger als seine Anhänger durch eine Blutrünstigkeit propagierende, hitzige Redeweise auf. Vielmehr sind seine Aussagen inhaltlich durch eine starke Erhöhung der eigenen Person geprägt und weisen in sprachlicher Hinsicht einen erhabenen, brutaler Rhetorik kaum sich bedienenden Ton auf. Eigenes kriegerisches Handeln wird stets begründet, denn, so Napoleon im Gespräch mit Hortense: „[N]ie kämpft ich ohne Grund." (II, 395) Gegenüber Bertrand gibt der Kaiser an, er „schwang [...] Schwert und Szepter, statt das Beil der Guillotine immer weiter stürzen zu lassen" (II, 349), habe also durch sein Eingreifen die Tötung weiterer Menschen verhindert. Beflügelt von der königskritischen Stimmung im Volk sieht der Kaiser die Stunde seiner Rückkehr gekommen und träumt – nun in heroischem Duktus – davon, sich in Kürze „wieder in eurem Waffenglanze [zu sonnen], und das Gleichgewicht Europas fliegt bebend aus den Angeln" (II, 352). Dies sei deshalb notwendig, weil Europa, „der kindisch gewordene Greis [...] der Zuchtrute [bedarf], und [...] wer könnte sie besser schwingen, als Ich?" (ebd.)

Napoleon begreift sich selbst als den Einzigen, der dazu imstande wäre, die europäische Ordnung wiederherzustellen, als denjenigen, mit dem „die Sonne unter[ging], die diese Planeten im Schwunge erhielt" (II, 353), kurz: als gottähnlich. Tatsächlich stellt der Kaiser eine Analogie zur in der Bibel bezeugten Kreuzigung Jesu Christi her, wenn er sagt: „Da streiten sie sich um den Mantel des Herrn, den sie hier am Kreuze wähnen" (II, 352). Napoleon setzt sich an dieser Stelle gleich mit dem Sohn Gottes, der im christlichen Verständnis als Erlöser der Welt gilt; dessen Kreuzigung kann im Falle Napoleons die Verbannung auf die Insel Elba darstellen. Der „Mantel" steht für die von Napoleon eroberten Territorien, wie „mein Polen, mein Sachsen", die nach seiner Niederlage unter den anderen Mächten „zerteilt" (ebd.) werden.

Aus dem Glauben Napoleons an die eigene (Über-)Größe, der besonders durch Aussagen Bertrands bekräftigt wird, der Napoleon bescheinigt, er sei „mehr als die Welt" (II, 349) gewesen, erwächst die Legitimation, Krieg zu führen. Das Ziel scheint eindeutig, denn nach Napoleons Dafürhalten kann die Weltordnung am ehesten erhalten und das Glück der Erde dann sichergestellt werden, „wenn das größte Volk das herrschendste ist [...], und wer ist größer, als meine Franzosen?" (II, 352) Selbiges bezeichnet Napoleon gleichzeitig aber abwertend als „Canaille" und zweifelt an, ob „sie nicht zu klein [ist], um Größe zu fassen[...] Weil sie so niedrig war, ward ich so riesenhaft." (II, 349)

Angesichts der deutlichen Selbsterhöhung Napoleons und der Abwertung des Volkes erscheint die These plausibel, dass seine Motivation zum Kampf in erster Linie auf „persönliche[n] Ehrgeiz"[21] zurückzuführen ist, auf den Wunsch, die eigene Macht zu vermehren, den „weltbekannte[n] Klang meiner Kriegstrompete wie ein[en] Blitz durch alle Busen schmettern zu lassen" (II, 353). Wer Napoleon bei der Entfaltung der eigenen Macht behindert, wird aus dem Weg geräumt, wie er im Gespräch mit Hortense andeutet: „Zog ich nach Spanien, so war es, um die Heimtücke des Kabinetts von Madrid zu strafen, die letzten Bourbonen des Kontinents, welche mich nie aufrichtig lieben konnten, aus meinem Rücken zu entfernen [...]." (II, 395)

Zwischen Napoleon und seiner Stieftochter entwickelt sich die einzige Diskussion innerhalb des Dramas, in der die Legitimität von Gewalt und Krieg dezidiert thematisiert wird. Wären alle Menschen wie Napoleon, behauptet Hortense, so würde die Welt „[e]wige[n] Krieg und Lärm" erleben. Das Schlachtfeld stellt für sie ein Feld „der Eitelkeit" dar, auf dem die jungen Männer ihr Leben lassen, während ihre Mütter „mit zerrißnen Herzen" zurückbleiben. Napoleon hingegen erklärt die Mütter für schlecht, die „ihren Sohn nicht gern dem Vaterlande auf dem Felde der Ehre [...] opfern", und fragt: „Wo stirbt er besser?" (alle Zitate ebd.) Die Teilnahme an Krieg und Kampf, das Sterben und Töten für das Vaterland also, verbindet der Kaiser deutlich mit der Erlangung von Ehre. Eine Reflexion über die Angemessenheit des von ihm propagierten Mittels Krieg findet bei Napoleon weder an dieser noch an anderer Stelle im Drama statt.

Stattdessen scheint er die Kampfhandlungen selbst regelrecht herbeizusehnen und zu genießen, wie sein Ausruf zu Beginn der Schlacht von Ligny zeigt: „Ha! meine Schlachtendonner wieder – – In mir wirds still – – –" (II, 420), sagt der Kaiser beinahe andächtig und allemal zufrieden, wie auch sein Vertrauter Bertrand weiß: „Ja, nun ists mit ihm als stiegen heitere Sommerhimmel in seiner Brust auf, und erfüllten sie mit Wonne und Klarheit. Still und lächelnd wie jetzt, sah ich ihn in jeder Schlacht [...]." (ebd.) Insofern bestätigt sich auch die Einschätzung Hortenses, die die Vorfreude ihres Stiefvaters auf den bevorstehenden Kampf vorausgeahnt hatte: „Ich kenne dich. – Dir donnern bereits tausend Kanonen im Haupte" (II, 395). Es muss also konstatiert werden, dass Napoleon die Gewalt als Mittel zur Durchsetzung seines Ziels, die eigene Macht auszubauen, nicht nur billigt, sondern sich an ihr erfreut und sie ihm innere Zufriedenheit verschafft. Dass der „Waffenglanze" (II, 352) seiner Soldaten, an dem der Kaiser sich ergötzt, vielen von diesen den Tod bringt und „das Blut [...] in Strömen [fließt]", nimmt er dabei in Kauf, denn das Blut werde wogen „wie Meeresflut, wenn wir nur siegen", versichert der Kaiser und erklärt ebenso heroisch wie eigennützig: „Der Sieg soll des Blutes wert sein." (alle Zitate II, 450)

3.2 Die an der Schlacht beteiligten Soldaten

Die Darstellung der kämpferischen Handlungen zwischen Napoleon und den verbündeten preußischen sowie englischen Heeren nimmt ein Gutteil des Dramas ein und macht aus ihm „ein bombastisches Schlachtendrama mit seinen irritierenden Hin- und Herbewegungen [...], mit seinen Schlachtungs- und Massenszenen".[22] Beleuchtet werden soll daher im Folgenden die Art und Weise dieser Darstellung, erneut aber besonders die Haltung, die in die Schlacht involvierte Figuren zu ihr und damit zur Anwendung von Gewalt einnehmen.

Als vorherrschende Position kann die Glorifizierung von Kampf und Krieg herausgestellt werden, die sich bereits bei Napoleon findet und im Rahmen der Schlachtszenen insbesondere durch das preußische Heer artikuliert wird. Stolz erinnert da am Vorabend der Schlacht der Erste Jäger an vergangene Kriegshandlungen, an „eine wundervolle, alles entflammende Zeit", in der „unsere bis zum Tode für das Vaterland begeisterten Scharen [...] immer kühner, immer stolzer wurden" (beide Zitate II, 410). Der Zweite Jäger bestätigt dies in ähnlich verklärtem, schwärmerischen Duktus: „Ja, das ganze Heer war wie elektrisch, [...] alle Eine freudige, aber überwaltige Glut" (II, 411). Allerdings bezeichnet er daraufhin die Umstände für die anstehende Schlacht als „ziemlich anders" und moniert, dass die Preußen die größten Opfer erbracht, durch die „Feigheit unserer Diplomaten" (beide Zitate ebd.) jedoch einen geringeren Lohn erhalten hätten als andere Länder. Der Major aber hält dagegen, indem er heroisch erklärt, dass der Gewinn von Territorien im Gegensatz zur in der Schlacht errungenen Ehre wenig gelte: „Die Lappen von Ländereien [...] fallen einstens doch ab, aber wahrlich die blutroten Arkture der Schlachten, in denen wir vor allen die Kette des Weltherrschers zerreißen halfen, funkeln noch nach Jahrhunderten vom Himmel [...]." (ebd.)

An dieser Stelle vertritt der Fünfte Jäger noch die Ansicht, dass das durch Kampf gewonnene Ansehen im eigenen, täglichen Leben eine untergeordnete Rolle spiele: „Ruhm ist gut, ein fideler Bursch ist auch gut, aber ein rundes Stück Land hält den Ruhm, ein rundes Stück Geld den Burschen am besten zusammen" (ebd.); wenig später allerdings erkennt auch er in Übereinstimmung mit dem Major und dem Zweiten Feldjäger die bevorstehende Kriegshandlung als willkommene, weil aufregende Abwechslung zum Alltag an. So gelingt es Ersterem, ein Gemeinschaftsgefühl heraufzubeschwören, indem er die Jäger dazu aufruft, einander die Hand zu reichen, und feierlich erklärt: „Männerfreundschaft in der Lust wie in dem Kampf – Es gibt nichts Höheres." (II, 412) Den Zweiten Jäger ergreift die stimmungsvolle Szene: Hatte er die Umstände der anstehenden Schlacht gerade noch infrage gestellt, äußert nun auch er, es sei ihm „hier wohler um das Herz, als wenn ich in der gut geheizten Stube am Teetisch sitze, [...] oder gar selbstgefällige belletristische Vorlesungen anhöre, bei denen ich mein Aufgähnen in Bewunderungsausrufen verstecken muß." (II, 413) Damit geht nun auch der Fünfte Jäger konform, der angibt, dass ihm, sofern er den Feldzug überleben sollte, das „Andenken an euch manche flaue Teevisite, in der ich sonst nichts gefühlt hätte, sehr heiß machen [werde]" (ebd.).

Aus beiden Aussagen geht eine im Alltag empfundene Langeweile hervor, zu der die Kriegshandlungen in deutlichem Kontrast stehen. Auf den Punkt gebracht wird hier, was bereits im Gespräch zwischen Vitry und Chassecœur angeklungen war; Letzterer hatte darüber geklagt, es komme einem ohne Napoleon und dessen Feldzüge „jetzt auf der Welt so erbärmlich vor, als wäre man schon sechsmal dagewesen und sechsmal gerädert worden." (II, 330) Auch die Putzhändlerin, die im Zuge der Revolution, die sie „viel, viel Blut und unzählige Seufzer gekostet [hat]", drei ihrer Söhne verlor, erfreut sich an diesbezüglichen Neuigkeiten, die an ihrem Tisch verlesen werden, sei dies doch „jetzt mein letztes einziges Vergnügen!" (beide Zitate II, 332) Grabbe lässt Figuren zu Wort kommen, die die Schlachten herbeisehnen, um dem eigenen, als mittelmäßig und langweilig empfundenen Leben zu entfliehen – selbst dann, wenn sie den eigenen Söhnen den Tod bringen.

Dieselbe Haltung spiegelt Grabbes Aufsatz *Etwas über den Briefwechsel zwischen Schiller und Goethe* (1830) wider, in dem der Autor selbst davon spricht, „Mit Napoleons Ende ward es mit der Welt, als wäre sie ein ausgelesenes Buch" (IV, 93), ein Buch also, das „zuende" sei, ohne die Möglichkeit, sich weiterzuentwickeln, sich zu entfalten. Der dadurch empfundenen Langeweile, die sich „bei Grabbe, Büchner und den anderen ‚Weltschmerzlern'"[23] findet, muss dabei eine metaphysische Bedeutung zugeschrieben werden: Man empfindet sie, „weil man keinen Sinn mehr in einem Leben erkennt, das nur ‚mittelmäßig', d.h. weder gut noch schlecht ist"[24]. Ferner bescheinigt Alfred Bergmann Grabbe und seinem *Napoleon*, in Opposition zum biedermeierlichen Menschen zu stehen und diesem „den heroischen Menschen entgegen[zusetzen], den kühnen, kämpferischen Menschen der Tat, dem das Leben nicht das höchste der Güter ist, der sich vielmehr bereit zeigt, es einem hohen Ziel zu opfern".[25]

Dementsprechend zeugt von Wagemut, Abenteuerlust und Stolz auch das Volkslied *Lützows wilde Jagd* von Theodor Körner, das am Vorabend der Schlacht im preußischen Lager angestimmt wird. Besonders die vierte, von den Soldaten hier jedoch abschließend gesungene Strophe drückt dabei die Kampfeslust der Soldaten aus und kann als Höhepunkt der Einstimmung des preußischen Heeres auf die Schlacht gewertet werden:

MAJOR UND JÄGER: Was braust dort im Tale die laute Schlacht,
  Was schlagen die Schwerter zusammen?
  Wildherzige Reiter schlagen die Schlacht,
  Und der Funke der Freiheit ist glühend erwacht,
  Und lodert in blutigen Flammen.
  Und wenn ihr die schwarzen Reiter fragt,
  Das ist Lützows wilde, verwegene Jagd – (II, 414)

Ähnlich beseelt vom Beginn der Schlacht äußert sich ein napoleonischer Offizier: „Ah, wie leuchtet und klirrt auf einmal die Luft von gezückten Schwertern"
(II, 422), schwärmt er, und der napoleonische Kommandant Milhaud jubiliert
im Angesicht der englischen Truppen: „Ha, welche Wollust, diesen Narren, die
Ihn nicht einmal kennen wollen, dicht vor ihrer Fronte in die Zähne zu rufen:
hoch lebe der Kaiser!" (II, 446) Als die Kürassiere diesen Hochruf erwidern,
ruft der Kommandant kämpferisch: „Und hoch unsre Schwerter, umso tiefer
auf die Lumpen niederzuflammen!" (ebd.) Zum wiederholten Male findet sich
in diesem Aufruf das Motiv des Feuers, das die Kraft und den Tatendrang des
jeweiligen Heeres versinnbildlicht. So erinnert der Zweite Jäger der Preußen
an die Zeit, als das Heer eine „freudige, aber überwältigte Glut" (II, 411) dargestellt habe, und in *Lützows wilder Jagd* heißt es, der „Funke der Freiheit ist
glühend erwacht, / Und lodert in blutigen Flammen." (II, 414) Nicht nur die
Potenz des Heeres wird also durch das Feuer-Motiv glorifiziert, sondern, in Verbindung mit dem Begriff „Blut", ganz konkret auch das Töten von Feinden auf
dem Schlachtfeld.

Eine deutlich positive, dabei aber weniger heroische Haltung im Hinblick
auf das Kriegsgeschehen geht auch aus einer Äußerung des preußischen Kom-
mandeurs Bülow hervor. Wenn er seine Truppe fragt: „[I]st's nicht als wären
wir auf einer Bauerhochzeit bei Pasewalk? Gibts etwas Lustigeres als einen
Feldzug?" (II, 438), dann spiegelt dies deutlich die Vorfreude des Komman-
deurs wider, der den Feldzug als unterhaltsame, erheiternde Veranstaltung zu
begreifen scheint. Diese Sichtweise kann zunächst auch dem für die Engländer
kämpfenden Fritz zugeschrieben werden, dem das Töten Vergnügen bereitet
und der damit den Anschein eines spielenden Kindes erweckt. Durch den Nebel
hindurch sieht Fritz „ein Regiment französischer Dragoner" (II, 440) und fragt
unbedarft: „Schieß' ich einen heraus?" (II, 441) Als der General ihm den Befehl
dazu erteilt, jubiliert Fritz: „Wie gern!"; nachdem er einen feindlichen Soldaten
getroffen hat, lacht er vergnügt auf: „Hahaha! Da liegt des Königs Wildpret,
sagt mein Vater, und erquickt treuer Untertanen Beutel und Magen, wenn wir
am Blocksberge ein Sechzehnender wilddieben." Auch der Vergleich des nun
fliehenden französischen Regiments mit einem „Rudel Hirschkühe, wenn der
Bock aus ihrer Mitte geschossen wird", deutet darauf hin, dass der offenbar noch
junge Fritz das Töten auch von Menschen als eine Art Spiel ansieht. Als er einige
Soldaten herankommen sieht, fragt er voll Vorfreude: „Schieß' ich darein?" und
erklärt, als der General dies ablehnt, schwärmerisch: „O dürft ich nur immer
schießen – Der Pulvergeruch ist mir nun einmal in der Nase." (alle Zitate ebd.)
Den Ernst der Lage beginnt der Jäger erst zu erkennen, als die napoleonischen
Truppen näherkommen und der Obrist ein bedrückendes Bild der Situation
zeichnet:

Hier jedoch: meilenweit die Luft nichts als zermalmender Donnerschlag und ersti-
ckender Rauch, – darin Blitze der Kanonen, flammende Dörfer wie Irrlichter, immer
verschwunden, immer wieder da – der Boden bebend unter den Sturmschritten der
Heere, wie ein blutiges, ein zertretenes Herz, – Geschrei laut ausgestoßen, kaum vernommen – – (II, 443)

Seinen Vater anrufend, sieht Fritz angesichts der sich nähernden Bedrohung ein,
dass es „hier [...] ja gar nicht so her[geht] wie auf dem Exerzierplatz." (ebd.)
  Der einzige am Krieg Beteiligte, der bereits frühzeitig seine Angst vor der
Schlacht äußert, ist einer der beiden Berliner Freiwilligen, die dem preußischen
Heer angehören. Habe er die mit dem Kampf verbundene „Gefahr halb mit
Lust [besehen]" (II, 407), wünscht sich der Berliner nun, am Vorabend der
Schlacht, zurück zu seiner Mutter (vgl. ebd.). Tags darauf findet er sich inmitten
der Kampfhandlungen wieder, deren Ernst er zunächst zu verkennen scheint.
So rügt er erst den Feldwebel für dessen vermeintlich falschen Gebrauch der
deutschen Sprache, und neckt dann seinen alten Jugendfreund Ephraim mit
dessen Zugehörigkeit zum jüdischen Glauben. Erst als „eine Kanonenkugel
dem Ephraim den Kopf abreißt" (II, 435), wie es im Nebentext heißt, muss der
Berliner betreten feststellen: „Bist ja tot!" (ebd.) Wenig später dann bittet er
überraschenderweise den Feldmarschall Blücher, gemeinsam mit den freiwilligen Jägern kämpfen zu dürfen, indem er nun plötzlich erklärt, er „krepiere vor
Schlachtwut" (II, 436). Er habe erkannt, dass der Feind ihn an Ort und Stelle
leichter treffe, „als wenn ich die Halunken in das Gesicht sehe, ihre mörderi-
schen Bewegungen observiere, mir hinter einen Baum stelle, und, selbst ziemlich gesichert, sie zuerst totzuschießen versuche." (ebd.) So bewertet der Berliner
die Teilnahme an der Schlacht bis zum Schluss nicht als ehrenhaft, sondern als
notwendiges Übel. „Was hilfts aber! Ich bin im Tumult, und kann nicht hinaus" (II, 433), klagt er und tritt offenbar nur deshalb in den Kampf ein, um sein
Leben nicht dem Jugendfreund gleich zu verlieren.
  In der Gesamtschau zeigt sich somit ein deutliches Übergewicht der heroi-
sierenden Sichtweise auf das Kriegsgeschehen, die besonders seitens des preußischen Heeres deutlich artikuliert wird, gleichwohl aber auch bei den napoleonischen Truppen zutage tritt. Kritische Stimmen oder solche, die Angst verraten,
sind dabei selten, können aber nicht ignoriert werden. Von Interesse ist dabei der
Umgang mit den eigenen Zweifeln: Während sich der Fünfte Jäger der Preußen
schnell der heroischen Stimmung im Heer anheimgibt, nimmt der Berliner sein
Schicksal, Soldat zu sein, zwar an, versucht aber dennoch, sein eigenes Leben
zu retten, indem er sich zu den freiwilligen Jägern versetzen lässt. Von besonderer Strahlkraft ist überdies, wie bereits angedeutet, die Figur des Fritz, eines
offenbar noch sehr jungen Soldaten, der den Kampf zunächst als Spiel begreift,

mit dem Vorrücken der napoleonischen Truppen dann aber seine Ernsthaftigkeit erkennen muss. Die Gegenüberstellung von naiv-kindlichem Eifer und der Notwendigkeit, der grausamen Realität ins Auge zu blicken, birgt ein tragisch-komisches Moment, dessen tragischer Anteil dadurch noch gesteigert wird, dass der Leser bzw. Zuschauer nichts Weiteres über den Verbleib des jungen, kindlich gezeichneten Soldaten erfährt, nachdem dieser der Gefährlichkeit des Krieges gewahr geworden ist.

3.3 Das Volk von Paris

Wie bei Büchners *Danton* ist auch in Grabbes Napoleon-Drama das Volk als handelnde Figur sehr präsent, sei es im Kollektiv, sei es in Form Einzelner. Auf die hohe Relevanz des Volkes deutet bereits die große Anzahl seiner Vertreter hin, die im Personenverzeichnis aufgeführt sind. Einschränkend sei jedoch bemerkt, dass die Handlung des Volkskollektivs häufig nicht als eigenständig angesehen werden kann, sondern eine Reaktion auf eine vorausgegangene Handlung einer anderen Figur darstellt.

Dass die Reaktionen vonseiten des Volkes zumeist durch ein hohes Maß an Hitzigkeit und Gewaltbereitschaft gekennzeichnet sind, wird bereits in der ersten Szene des Stückes deutlich, als Vitry und Chassecœur über die Bezeichnung Napoleons als „meuchelmördrisch" (II, 327) mit dem Ausrufer des Guckkastens in Streit geraten. Ein kurzes Wortgefecht zwischen den dreien genügt, damit das Volk auf den bis dahin unbeachteten Ausrufer losgeht und dazu auffordert, den „Lump" zu „zerreiß[en]" (beide Zitate ebd.). Während an dieser Stelle ein Vertreter der Gendarmerie diese Attacke vereitelt, ruft das Volk noch in derselben Szene erneut zur Gewaltanwendung auf, dieses Mal gegen den Marquis Hauterive und den Herren von Villeneuve. Die beiden Emigranten ziehen den Volkszorn durch eine knappe positive Bewertung von neuen Maßnahmen der Regierung auf sich:

> DUCHESNE: Klöster sind wieder da, die Ächtung aller Heroen der Revolution ist im
> Werke, Leibeigenschaft wird darauf folgen –
> [...]
> MARQUIS VON HAUTERIVE: Nun, mein Herr, das wäre alles noch so übel nicht.
> HERR VON VILLENEUVE: Das mein ich wahrlich auch. (II, 333)

Das Volk kennt keine Gnade mit dem alten Adel, wenn es ruft: „Zu Boden die altadligen Schurken, die dummstolzen Feiglinge!" (ebd.) Als sich daraufhin ein Gefecht zwischen Emigranten und den abgedankten Kaisergardisten entwickelt, lobt Vitry selbst die Courage der beiden Emigranten. Auf seinen anerkennenden

Ausruf „Hoch lebe der Mut, auch bei französischen Emigranten!" (II, 334), antwortet das Volk zustimmend: „Er lebe!" – und enthüllt damit seine Tendenz zur
Wankelmütigkeit. Hatte es die Emigranten gerade noch gnadenlos ausschalten
wollen, lässt es, veranlasst nur durch einen Ausruf Vitrys, den Mut beider nun
plötzlich hochleben. Der Marquis selbst bringt diese Unbeständigkeit in der
Haltung des Volkes auf den Punkt, wenn er erklärt, dessen Betragen sei „mehr
augenblickliche Aufwallung als echtes Gefühl." (alle Zitate ebd.)

Noch deutlicher wird dieser Wankelmut, als der König an späterer Stelle im
Drama angesichts der Rückkehr Napoleons die Stadt verlässt. „Lang lebe der
König!" (II, 377), ruft das Volk da zunächst, ehe es selbigen voll Zorn beschimpft
und verfolgt. Ursache dieses Umschwungs ist allein eine Äußerung des Schneidermeisters, der aus finanziellen Gründen auf die Rückkehr Napoleons spekuliert (vgl. II, 376) und das Volk ebenso mühelos wie erfolgreich zur Aufruhr
gegen den König anzustiften vermag:

> SCHNEIDERMEISTER: [...] Volk, Volk, laß dich durch Mitleid und Edelmut nicht um
> deine Klugheit betrügen! Der König will nach Wien und dort auf dem Kongresse
> Frankreichs beste Provinzen verschenken! Dafür sollen ihm die Russen helfen, alle
> Nicht-Emigranten zu unterdrücken! Das ist schon lange im Werk gewesen!
> VOLK (*wütend*): Der verfluchte bourbonische Heuchler! Ihm nach – fanget, fesselt
> ihn! (II, 377)

Das Volk ist als unreflektierte, hitzige Masse gezeichnet, die sich allzu leicht von
den Worten Einzelner lenken und dadurch zu radikalen Handlungen verleiten
lässt. Auf die Spitze getrieben wird diese Darstellung, als der Schneidermeister
wiederum vorsätzlich „eine Revolution" (II, 378) verursacht, indem er mit den
Augen einen Pflasterstein fixierend, murmelt: „Gefahr – Paris – Die Seine –
Aristokraten". Ein Bürger leitet daraus ab: „Die Aristokraten wollen Paris unter-
graben, es mit Pulver von Vincennes in die Luft sprengen, wollen die Seine ablei-
ten, und die Zufuhr sperren!" Dieser vollkommen gegenstandslosen Vermutung
wird vorbehaltlos Glauben geschenkt und dementsprechend zur schnellen
Gegenwehr aufgerufen: „Waffen! Waffen – Die Arsenale erbrochen! – Waffen!
Waffen!" (alle Zitate ebd.) Ohne, dass also jeglicher Hinweis auf eine tatsächli-
che Bedrohung durch die Aristokraten gegeben ist, gerät das Volk panikartig in
eine Haltung der Selbstverteidigung, in der allein der Einsatz von Waffen und
folglich von Gewalt als sinnvoll erscheint, um sich zu „wehren für Leben, Weib
und Kind, oder was es sonst sein mag!" (II, 379)

Der Schneidermeister amüsiert sich über dieses unentschlossene, leicht mani-
pulierbare Gebaren und erkennt korrekterweise: „Sie wissen nicht was sie wollen, und werden nehmen, was sie bekommen." Er selbst hingegen, und das macht

ihn zum gerissenen, gleichzeitig aber mutwillig Angst und Gewalt schürenden Opportunisten, „weiß [s]ein Teil, – neue Regierung neue Kleider!" (beide Zitate ebd.) Weil der Schneider im Gegensatz zu dem Volkshaufen, dessen Unreflektiertheit er spiegelt, weiß, wie seine eigenen Ziele zu erreichen sind, macht er sich das hohe Aggressionspotenzial und die Gewaltbereitschaft der Menschen zu Nutze.

Bei aller List, die er anwendet, scheitert der Schneidermeister letztlich aber an der Skrupellosigkeit von Jouve, dem „Kopfabhacker von Versailles und Avignon" (II, 380), dem ein Augenblinzeln genügt, um den Schneider als „Schuft, der seine Courage da hat, wo er nichts zu fürchten braucht," (II, 381) zu erkennen. Jouve demaskiert ihn als Opportunisten und erklärt, dass „[d]erlei Memmen [...] schändlicher als die öffentlichsten Mordbrenner [sind]" (ebd.). Ohne zu zögern schlägt Jouve den Schneider nieder und stellt damit seine ihm nachgesagte Gnadenlosigkeit unter Beweis, die am Ende der Szene in einem wahren Blutrausch gipfelt und vonseiten des Volkes leidenschaftlich bejubelt wird.

So wird die Ermordung des Schneidermeisters vom Volke und von den Vorstädtern begeistert mit den Ausrufen „Ha! Blut! Blut! Blut! – Schaut, schaut, schaut, da fließt, da flammt es – Gehirn, Gehirn, da spritzt es, da raucht es – Wie herrlich! Wie süß!" (ebd.) gefeiert. Durch die mehrfache Verwendung von Parallelismen sowie die Wiederholung der Wörter „Blut" und „Gehirn" erhält die Reaktion des Volkes eine besondere Intensität; die Bewertung des blutigen Vorgangs als „herrlich" bzw. „süß" unterstreicht ihre Bizarrheit deutlich. Gesteigert wird dieser Eindruck noch dadurch, dass viele Vorstädter sich dem Aufruf Jouves folgend zunächst das Haar mit dem Blut des Toten färben und dann eifrig dessen Finger abhacken, um sie sich in den Mund zu stecken. Als barbarisch, verroht und blutdürstig kann dieses Verhalten bezeichnet werden, doch unterstreicht es andererseits auch die Unselbstständigkeit des Volkes, das auch hier fremdbestimmt handelt.

Auch die von Jouve angeordnete Erhängung des Gendarmerie-Hauptmannes wird nicht nur bedenkenlos durchgeführt, sondern von den Vorstädtern, spielenden Kindern gleich, mit dem Ausruf „In die Luft den Kerl! Hopsa!" (II, 383) bejubelt. Den Höhepunkt dieser an Brutalität reichen Szene bildet die Ermordung des Krämers, der Kokarden in den Farben der französischen Nation zum Kauf anbietet. Jouve, der dies beobachtet, setzt dazu an, ihm in grausamer Entsprechung „das Trikolor umsonst [zu schaffen]: sieh, diese Faust ballt sich unter deiner Nase, und du wirst weiß, – jetzt erwürgt sie dich und du wirst blau wie der heitere Himmel, – nunmehr zerstampf ich deinen Kopf, und du wirst rot vor Blut." (II, 385) Damit nicht genug, ruft Jouve in sadistischer Manier dazu auf, die infolge der Ermordung ihres Mannes in Ohnmacht gefallene Frau des Krämers zu missbrauchen, „wenn sie so viel wert ist". Nicht nur Jouve, sondern auch das Volk sind in einen Blutrausch verfallen, der nun alle Anwesenden enthusiastisch rufen lässt: „Jouve hoch und abermals hoch!" (beide Zitate ebd.)

Das Volk feiert einen sadistischen Mörder, der auch Vertreter des Volkes selbst rigoros aus dem Weg räumt. Dennoch folgen die Menschen nicht nur ihm, sondern – das sollte die Untersuchung der verschiedenen Szenen gezeigt haben – auch anderen Wortführern blindlings. Das Volk, wie es Grabbe präsentiert, tötet nicht aus Überzeugung, sondern aus Angst oder weil es ihm befohlen wird. Gleichwohl übt der Akt des Tötens offenbar eine immense Faszination auf die Menschen aus, die selbigen mit Jubel begrüßen und sich lustvoll an ihm laben.

Die Darstellung des Volkes als unberechenbare, stets ein gewisses Maß an „anarchistisch-destruktive[r] Energie"[26] in sich bergende „Bestie"[27], der nicht die geringste Sympathie entgegengebracht werden kann, lässt Manfred Schneider von der „Grabbeschen Pöbelverachtung"[28] sprechen. Auch Harro Müller kommt zu dem Schluss, dass Grabbe das Volk „[m]it großer Verachtung und ohne jegliche Ambivalenz"[29] zeichnet. Ursächlich hierfür sei die Geschichtskonzeption des Autors, die den Gegensatz zwischen dem großen, Geschichte machenden Heroen und dem einfachen, wankelmütigen Volk beinhalte[30]. Gleichwohl muss mit Detlev Kopp einschränkend bemerkt werden, dass Grabbe *Napoleon* bereits vor dem Hintergrund eines sich wandelnden Geschichtskonzeptes verfasst hat, das den Einzelnen eben nicht als allmächtigen Heroen begreift, sondern vielmehr auch die seine Macht bedingenden und beschränkenden gesellschaftlichen Rahmenbedingungen berücksichtigt. Gleichwohl aber sei das Stück durchaus noch von der personalistischen Geschichtsauffassung des Autors bestimmt, von welcher er nicht gänzlich abgegangen sei.[31]

4. Gegenüberstellung der untersuchten Dramen

Die Gegenüberstellung der beiden untersuchten Dramen zeigt sowohl einige Gemeinsamkeiten im Umgang mit dem für beide essentiellen Thema der Gewalt auf als auch deutliche Unterschiede. Diese werden im Folgenden dargelegt, wobei direkte Gegenüberstellungen von bisher isoliert betrachteten Figurengruppen nur erfolgen, sofern diese sinnvoll erscheinen, um eine Verknüpfung der gewonnenen Ergebnisse herzustellen.

So soll mit der sprachlichen Gestaltung der Dramen zunächst auf eine der m. E. augenscheinlichsten Gemeinsamkeiten im Hinblick auf das o. g. Thema eingegangen werden. Zahlreiche Beispiele zeugen von dem beide Dramen bestimmenden brutalen Duktus und der Gewaltrhetorik, derer sich ihre Figuren bedienen. So fragt der Dantonist Philippeau: „Wie lange sollen wir noch schmutzig und blutig sein wie neugeborne Kinder, Särge zur Wiege haben und mit Köpfen spielen?" (MA, 70), auch Camille fragt: „[W]ie lange sollen wir Schiffbrüchige auf einem Wrack in unlöschbarem Durst einander das Blut aus den Adern saugen?" (MA, 91) Auf der anderen Seite sind es bei *Napoleon* die Kaisergardisten Vitry und Chassecœur, die den Krieg herbeisehnen und von „Blut und Tod!" (II, 323) schwärmen, ist es ein englischer Obrist, der den „Boden [...] unter den Sturmschritten der Heere [bebend], wie ein blutiges, ein zertretenes Herz" (II, 443) wahrnimmt und damit wortgewaltig den Eindruck Harro Müllers bestätigt, der das Drama als Werk bezeichnet, „das eine Spur spritzenden Hirns durchzieht"[32]. Auffällig ist die Häufigkeit, mit der in beiden Dramen zum einen die Begriffe „Blut" bzw. „blutig" gebraucht werden, und zum anderen (weitere) Bestandteile des menschlichen Körpers Eingang in die Sprache nehmen: „[D]ürft ich mit deiner Kolbe wieder die Kisten zerschmettern wie die Gehirne!" (II, 323), wünscht sich wiederum Chassecœur, das Volk jubiliert angesichts der Ermordung des Schneidermeisters in beinahe barbarischer Manier: „Gehirn, Gehirn, da spritzt es, da raucht es – Wie herrlich! Wie süß!" (II, 381), während Danton Robespierre vorwirft, aus den „abgeschlagn‹en› Köpfen Fleckkugeln für ihre [des Volkes] schmutzigen Kleider zu machen" (MA, 86).

Findet sich die Gewalt nicht nur in beiden Stücken sowohl auf sprachlicher, sondern auch auf praktischer Ebene, d. h. bei *Danton* in Form von Enthauptungen durch die Guillotine, bei *Napoleon* v. a. auf dem Schlachtfeld, so ist als wichtiger Unterschied festzustellen, dass nur in dem erstgenannten Drama die Gewalt auch den Diskurs zwischen den Figuren bestimmt. Während in dem Napoleon-Drama dezidiert nur an einer Stelle der Eintritt in den Krieg und das damit verbundene Töten und Sterben zahlreicher Menschen vonseiten Hortenses infragegestellt wird, begleitet die Reflexion über die Legitimität der jakobinischen Terrorherrschaft *Danton's Tod* durchgehend. Dabei kontrastieren die gemäßigte Haltung der Dantonisten und die unerbittliche Position der Jakobiner, die in der Unterredung zwischen Danton und Robespierre in I,6 einander deutlich gegenübergestellt und im Laufe des Dramas immer wieder von Neuem aktiviert werden. Während Danton und dessen Anhänger erkannt haben: „Wo die Notwehr aufhört fängt der Mord an" (MA, 85), und keine Notwendigkeit mehr sehen, weiterzutöten, nennt Robespierre als Grund eben hierfür, dass „die soziale Revolution [...] noch nicht fertig [ist]" (ebd.). Denn: „Die gute Gesellschaft ist noch nicht tot, die gesunde Volkskraft muß sich an die Stelle dieser [...] Klasse setzen." (MA, 85f.)

Die das Drama bestimmende Reflexion der Figuren über die Legitimität der Anwendung von Gewalt zum Erreichen politischer Ziele führt sowohl bei Danton als auch bei Robespierre zu Momenten, in denen das eigene Handeln überdacht wird und Zweifel hinsichtlich dessen moralischer Vertretbarkeit aufkommen. Bei dem Jakobiner ist dies in der genannten Szene der Fall, nachdem

Danton das Gespräch beendet und Robespierre allein zurückgelassen hat. „Ist's denn so notwendig?" (MA, 87), fragt Letzterer sich da selbst im Hinblick auf die Verurteilung Dantons zum Tode. Die Antwort folgt prompt: „Ja, ja! die Republik! Er muß weg." (ebd.) „Es ist lächerlich wie meine Gedanken einander beaufsichtigen. Er muß weg" (ebd.), stellt Robespierre noch einmal fest, als wolle er sich selbst von der Notwendigkeit der Verurteilung Dantons überzeugen. Und doch lassen ihm die Gedanken an die Unterredung mit diesem keine Ruhe, sondern scheint sich das Gewissen Robespierres zu regen: „Keine Tugend! Die Tugend ein Absatz meiner Schuhe! Bei meinen Begriffen! Wie das immer wiederkommt. Warum kann ich den Gedanken nicht los werden?" (ebd.)

Dasselbe gilt allerdings auch für Danton selbst, dessen Schuldgefühle, die er als Mitverantwortlicher der Septembermorde hegt, ihn in der Nacht einholen und beunruhigen. Von der Straße her meint er, das Wort „September" vernommen zu haben, und wünscht sich Stille und Dunkelheit, „daß wir uns die garstigen Sünden einander nicht mehr anhören und ansehen" (MA, 98). Obwohl Danton also auch sein Handeln als Sünde einzuordnen scheint, fragt er seine Frau dennoch: „Was das Wort nur will? Warum gerade das? Was hab' ich damit zu schaffen? Was streckt es nach mir die blutigen Hände? Ich hab' es nicht geschlagen." (MA, 99) Seine Schuldgefühle quälen Danton, da es ihm nicht gelingt, die Septembermorde ethisch zu rechtfertigen.

Der hier dargestellte Konflikt Dantons ist Ausdruck des im Stück nicht gelösten Widerspruchs „zwischen der Notwendigkeit der Gewalt und dem Wunsch, ihre ‚gräßliche' Fatalität aufzuheben"[33] und ähnelt darin sowohl sprachlich als v. a. auch inhaltlich dem sogenannten „Fatalismusbrief" Georg Büchners an dessen Braut Wilhelmine Jaeglé (vgl. MA, 288f.). „Ich finde in der Menschennatur [...] eine unabwendbare Gewalt, Allen und Keinem verliehen", heißt es da, und das Bemühen des Einzelnen wird bewertet als „lächerliches Ringen gegen ein ehernes Gesetz [...], es zu beherrschen unmöglich". Der Mensch also, so sieht es der Autor Büchner selbst, besitzt keinerlei Handlungsautonomie und ist seinem Schicksal ausgeliefert, ohne es beeinflussen zu können. Danton lässt er wiederholen, was er selbst denkt und der Braut gegenüber formuliert: „Was ist das, was in uns lügt, mordet, stiehlt?" Eine Antwort darauf finden weder Autor noch Held, und beide scheinen gleichermaßen darunter zu leiden – Danton, der Zuflucht sucht bei Julie, Büchner, der seinem Wunsch Ausdruck verleiht, „dies kalte und gemarterte Herz an deine [Wilhelmine Jaeglés] Brust [zu] legen" und damit seine eigene Aussage, er habe sein „Auge ans Blut [gewöhnt]" (alle Zitate ebd.), relativiert.

Schuldgefühle, wie sie Danton und Robespierre äußern, sind Napoleon hingegen fremd. Nicht ein einziges Mal hinterfragt er sein eigenes Handeln, sondern rechtfertigt es stattdessen, als seine Stieftochter die Sinnhaftigkeit des

anstehenden Feldzuges bezweifelt und bittet, Napoleon möge Rücksicht nehmen auf die „Mütter, welche mit zerrißnen Herzen ihre Söhne in den Tod senden!" (II, 395) Der Kaiser jedoch rechtfertigt sein Vorhaben, indem er angibt,
nie ohne Grund gekämpft zu haben. Wenngleich auch er derzeit den Frieden
bevorzuge, sei „Groß und Klein [...] gegen mich, und ich muß kämpfen." „Du
mußt – ja, weil du willst" (beide Zitate ebd.), entlarvt Hortense an dieser Stelle
die Kampfeslust ihres Stiefvaters, die im Zusammenhang mit dessen Geltungsbe-
dürfnis und seiner Selbsterhöhung gesehen werden muss. Denn Napoleon führt
Krieg, um die eigene Macht auszuweiten und damit dem bei seinen Anhängern
verbreiteten Bild des „Erderschütterer[s]" (II, 350), des „Gewaltige[n]" (ebd.)
zu entsprechen, der „mehr [war] als die Welt." (II, 349)

Entspringt die teilweise aufscheinende Napoleon-Begeisterung des Volkes
sowie die Vitrys und Chassecœurs zum großen Teil der Langeweile und Sinnlosigkeit, die in Abwesenheit des Kaisers empfunden wird, lässt sich das Volk
in *Dantons Tod* bei seiner Verehrung mal Dantons, mal Robespierres von seiner Hoffnung auf eine Änderung der politischen Lage sowie die damit verbundene Besserung der eigenen von Armut bestimmten Lebenssituation leiten. Als
„Unbestechliche[r]" (MA, 75) hat sich Robespierre einen Namen gemacht, hat
sich den Ruf des „Messias, der gesandt ist, zu wählen und zu richten" (ebd.), erar-
beitet. Während sich Napoleon in Grabbes Drama hochmütig und abwertend
der „Canaille" (II, 388) gegenüber äußert, begibt sich Robespierre direkt unters
„[a]rme[...], tugendhafte[...] Volk" (MA, 75), um seine Ideen zu propagieren.
Dabei geht es ihm nur vordergründig um die Erschaffung einer freien Republik,
darum, den aristokratischen Teil der Gesellschaft auszumerzen, das Laster und
die Sünde zu beseitigen; tatsächlich aber entlarvt Danton bald die „heimliche
Verlogenheit"[34] Robespierres, der selbst jedoch die Fragwürdigkeit der Motive
seines eigenen politischen Schaffens nicht erkennt[35].

Wie Napoleon sieht auch Robespierre die Gewalt, den Schrecken und den
Terror als einziges Mittel zum Erreichen seiner Ziele an, denn: „Die Unterdrücker der Menschheit bestrafen, ist Gnade; ihnen verzeihen, ist Barbarei." (MA,
78) Napoleon argumentiert: „Die Erde ist am glücklichsten, wenn das größte
Volk das herrschendste ist, [...] und wer ist größer, als meine Franzosen?" (II,
352) Um das Kräftegleichgewicht in Europa zugunsten Frankreichs zu verschie-
ben, „bedarf [es] der Zuchtrute, und [...] wer könnte sie besser schwingen, als
Ich?" (ebd.) Während Robespierre und die Jakobiner sich im Namen der Durchsetzung der Tugend der Guillotine bedienen, bestreitet Napoleon Feldzüge,
worin ein weiterer deutlicher Unterschied zwischen den beiden untersuchten
Dramen besteht. Kann *Danton's Tod* angesehen werden als „illusionsloses Revo-
lutionsdrama"[36], als eines, das dementsprechend „mit Hinrichtungen beginnt
und mit Hinrichtungen endet, ohne dadurch irgendetwas zu erreichen"[37], ist im

Zusammenhang mit *Napoleon oder die hundert Tage* bereits vom Schlachten-drama gesprochen worden. Hauptsächlich auf diesen Unterschied dürfte auch das bei Grabbe stärker ausgeprägte Heroentum zurückzuführen sein, das zumin-dest auf dem Schlachtfeld den dominanten Diskurs prägt. Gekämpft, getötet und gestorben wird auf allen Seiten für das Vaterland, einen Rückzug „erlaubt [...] unsre Ehre nicht" (II, 448), stattdessen gilt es da, mit dem Schwert voller Inbrunst „auf die Lumpen niederzuflammen!" (II, 446)

Allerdings muss wiederum beiden Dramen eine ausnehmende Drastik und Radikalität in der Darstellung von Gewalt bescheinigt werden, die sich auch in Grabbes Stück nicht auf die Schlachtszenen beschränkt, sondern in die in erster Linie das Volk involviert ist. Betrachten wir zunächst *Dantons Tod*, so ist festzustellen, dass Büchner den „leidenschaftliche[n] Haß der Menge"[38] darstellt und „Volksszenen, in denen es blutig, unmoralisch und obszön zugeht"[39]. Ent-scheidend ist nun das Motiv für die Wut des Volkes, welches bspw. einen Mann, den es für aristokratisch hält, kurzerhand hängen will. Angetrieben wird es dabei offenkundig „vom elementaren materiellen Bedürfnis [...], vom Hunger"[40], von der Armut, die, wie es der Dantonist Lacroix formuliert, „ein furchtbarer Hebel [ist]" (MA, 84). Das Volk hasst dabei zunächst einmal alle, die mehr besitzen als es selbst[41], und hält dementsprechend auch seine (Schaden-)Freude über die Verurteilung der Dantonisten am Ende des Stückes nicht zurück. Allerdings ist es auch höchst wankelmütig und schlägt sich wechselseitig auf die Seite der Jako-biner bzw. die der Dantonisten, was besonders zu Beginn der bereits kommen-tierten Szene III, 10 deutlich wird.

Dieser extreme Wankelmut in Verbindung mit einem hohen Gewaltpotenzial ist ebenso dem Volk zu attestieren, welches in Grabbes Napoleon-Drama begeg-net, für dessen Grausamkeit im Gegensatz zum Volk bei Büchner jedoch keinerlei Verständnis erzeugt werden kann. Dass es zu „sadistisch-destruktiven Akten fähig und auf voyeuristischen Lustgewinn erpicht [ist]"[42], kann durch äußere Umstände nicht erklärt werden. Vielmehr kann die Menge als „anarchistisch, putschistisch, gewalttätig"[43], als „aggressive Bestie"[44] gekennzeichnet werden. Es ist überdies nicht zur Reflexion dessen, was es sieht, hört und erlebt, fähig, sondern folgt anscheinend wahllos jedem Wortführer sowie auch dem „lediglich Sichtbaren".[45] Seine emphatischen (sprachlichen) Handlungen sind daher nicht als eigenständig zu werten, sondern als Reaktionen auf die es umgebenden Vorgänge.[46]

Noch deutlicher als bei Büchner wird im *Napoleon* allerdings, dass das Erle-ben von Gewalt, gar von Mord, dem Volk einen wahren Lustgewinn bereitet, der seinen Höhepunkt mit der Tötung des Schneidermeisters erreicht, die das Volk berauscht kommentiert: „Ha! Blut! Blut! Blut! Schaut, schaut, schaut, da fließt, da flammt es – Gehirn, Gehirn, da spritzt es, da raucht es – Wie herrlich! Wie süß!" (II, 381)

5. Fazit

Das Motiv der Gewalt ist für beide untersuchten Dramen zweifelsohne in höchstem Maß relevant, jedoch besitzt es jeweils unterschiedliche Implikationen, die es zu eruieren galt.

Wie gezeigt worden ist, besteht ein wichtiger Unterschied darin, dass in Büchners *Danton* die Anwendung von Gewalt eine bedeutende Rolle für den Diskurs innerhalb der Handlung selbst spielt, ihn ganz entscheidend bestimmt. So erörtern die Figuren dezidiert und durchaus tiefsinnig, ob die Enthauptung mittels der Guillotine als angemessenes Mittel für die Durchsetzung der eigenen politischen Ziele erachtet werden kann oder nicht. Während sich die Dantonisten dabei entschieden gegen ein weiteres Töten aussprechen, legitimieren die Jakobiner ihre Gewaltherrschaft mit dem Kampf für die Freiheit der Republik und gegen die Genusssucht, die als Laster angesehen wird. Im Disput mit Robespierre entlarvt Danton dieses Motiv zu töten jedoch als heuchlerisch und stellt heraus, dass es den Jakobinern lediglich um die Sicherung der eigenen Machtposition geht.

Demgegenüber bestimmt die Gewalt zwar auch Grabbes Napoleon-Drama, ohne dabei jedoch zum Gegenstand des herrschenden Diskurses zu werden. Wie auch bei Büchner ist sie ein Mittel der Darstellung von Wirklichkeit, was besonders in den Schlacht-, aber auch, ähnlich wie bei Büchner, in den Volksszenen zum Ausdruck kommt: Beide Autoren zeigen ein wankelmütiges Volk, das sich allzu leicht zu sadistischen Handlungen hinreißen lässt und selbige genussvoll zelebriert. Während Büchner mit der von Armut geprägten Situation des Volkes allerdings auch die Ursachen für dessen hohe Aggressionsbereitschaft aufzeigt, sie damit legitimiert und nachvollziehbar macht, gilt dies für das Napoleon-Drama nicht. Hier erscheint das Volk ausschließlich barbarisch, blutdürstig und von sadistischer Sensationslust getrieben.

Dies gilt ausgerechnet für die Figur des Napoleon nicht. Die Darstellung des Kaisers fokussiert zwar die ausgeprägte Egozentrik Napoleons und zeigt zunächst seine Vorfreude auf die anstehende Schlacht sowie die Zufriedenheit und Ruhe, die deren Beginn bei ihm auslöst, auf; hemmungsloser Blutdurst aber kann ihm nicht nachgewiesen werden. Die Schlacht erscheint als Mittel zum Zwecke der Eroberung weiterer Länder und dient damit – wie bei den Jakobinern in *Danton's Tod* – dem Ausbau der eigenen Macht.

Eine Verherrlichung der Kampfhandlungen, deren Darstellung einen erheblichen Anteil am gesamten Drama hat, zeigt sich bei den an der Schlacht beteiligten Soldaten verschiedener Nationalitäten. Zum Großteil sind sie getragen von heroischer Erregung und legen eine bedingungslose Aufopferung für das eigene Vaterland an den Tag. Die Gewalt wird hier deutlich glorifiziert, kritische

Stimmen, die den Sinn der Schlacht infragestellen, oder solche, die von Angst zeugen vor dem Tod auf dem Schlachtfeld, sind selten. Diese Heroisierung der Schlacht sowie auch der hinsichtlich des Umfangs große Stellenwert, welcher der Darstellung der Schlacht eingeräumt wird, ist zum einen in der Geschichts-konzeption Grabbes begründet (die hier allerdings nicht ausführlich erörtert werden kann), reflektiert zum anderen aber auch Grabbes Abneigung der als langweilig und spießig empfundenen Haltung des Biedermeiers.

Anmerkungen

1   Georg Büchner: Werke und Briefe. Münchner Ausgabe. Hrsg. von Karl Pörnbacher, Gerhard Schaub, Hans- Joachim Simm und Edda Ziegler. München 1988, S. 75. Künftig zitiert im fortlaufenden Text als MA mit Seitenzahl in runder Klammer. – Der Aufsatz basiert auf einer Hausarbeit, die im Zusammenhang mit dem Seminar „Drama der Revolution – Revolution des Dramas" von Detlev Kopp im Sommerse-mester 2015 an der Universität Osnabrück entstand.

2   Karl Viëtor: Die Tragödie des heldischen Pessimismus. Über Büchners Drama Dan-tons Tod. In: Georg Büchner. Hrsg. von Wolfgang Martens. Darmstadt 1973 (Wege der Forschung, Bd. LIII), S. 98-137, hier S. 124.

3   Harro Müller: „Man arbeitet heutzutag alles in Menschenfleisch". Anmerkungen zu Büchners „Dantons Tod" und ein knapper Seitenblick auf Grabbes „Napoleon oder Die hundert Tage". In: Grabbe-Jahrbuch 7 (1988), S. 78-88, hier S. 83.

4   Gerhard P. Knapp: Georg Büchner. 3., vollst. überarb. Aufl., Stuttgart, Weimar 2000, S. 111.

5   Rüdiger Campe: Danton's Tod. In: Büchner-Handbuch. Leben – Werk – Wir-kung. Hrsg. von Roland Borgards und Harald Neumeyer. Stuttgart, Weimar 2011, S. 18-38, hier S. 30.

6   Müller: „Man arbeitet heutzutag alles in Menschenfleisch" (Anm. 3), S. 86.

7   Gerhard P. Knapp: Georg Büchner. 2., neu bearb. Aufl., Stuttgart 1984, S. 59f.

8   Thomas Michael Mayer: „An die Laterne!" Unbekannte Quellen zu Georg Büchners Darstellung des Sansculotten-Aufruhrs in Dantons Tod (I, 2). In: Wege zu Büchner: Internationales Kolloquium der Akademie der Wissenschaften (Berlin-Ost). Hrsg. von Henri Poschmann. Berlin [u. a.] 1992, S. 159-183, hier S. 172.

9   Knapp: Georg Büchner (Anm. 7), S. 61.

10   Paul Landau: Dantons Tod. In: Georg Büchner (Anm. 2), S. 16-31, hier S. 27.

11   Ebd.

12   Knapp: Georg Büchner (Anm. 7), S. 61.

13   Herbert Wender: Der Dichter von Dantons Tod. Ein „Vergötterer der Revolution". In: Georg Büchner 1813-1837. Revolutionär, Dichter, Wissenschaftler. Der Katalog. Ausstellung Mathildenhöhe, Darmstadt, 2. August bis 27. September 1987. Basel, Frankfurt a. M. 1987, S. 218-226, hier S. 222.

14 Viëtor: Die Tragödie des heldischen Pessimismus (Anm. 2), S. 99.

15 Ebd.

16 Hans-Georg Werner: Büchners aufrührerischer Materialismus. Zur geistigen Struktur von *Dantons Tod*. In: Wege zu Büchner (Anm. 8), S. 85-99, hier S. 91.

17 Vgl. Wender: Der Dichter von Dantons Tod (Anm. 13), S. 225.

18 Ebd.

19 Detlev Kopp: Geschichte und Gesellschaft in den Dramen Christian Dietrich Grabbes. Frankfurt a. M., Bern 1982, S. 148.

20 So etwa die Herzogin von Angoulême: „König, nenn ihn gewaltig, riesenhaft, ungeheuer, – doch nimmermehr groß den Mörder d'Enghiens, – nun und nimmer der groß, welcher Treue, Recht, Ehr und Liebe dem Ruhm und der Macht aufopfert. Das kann auch der Dämon der Hölle." (II, 343)

21 Ladislaus Löb: Christian Dietrich Grabbe. Stuttgart, Weimar 1996, S. 64.

22 Harro Müller: Subjekt und Geschichte. Reflexionen zu Grabbes Napoleon-Drama. In: Christian Dietrich Grabbe (1801-1836). Ein Symposium. Hrsg. von Werner Broer und Detlev Kopp. Tübingen 1987, S. 96-111, hier S. 104.

23 Roy C. Cowen: Christian Dietrich Grabbe – Dramatiker ungelöster Widersprüche. Bielefeld 1998, S. 159.

24 Ebd.

25 Alfred Bergmann: Nachwort. In: Christian Dietrich Grabbe: Napoleon oder die hundert Tage. Ein Drama in fünf Aufzügen. Mit einem Nachwort von Alfred Bergmann. Ditzingen 2002, S. 155-166, hier S. 163.

26 Müller: Subjekt und Geschichte (Anm. 22), S. 102.

27 Ebd.

28 Manfred Schneider: Destruktion und utopische Gemeinschaft. Zur Thematik und Dramaturgie des Heroischen im Werk Christian Dietrich Grabbes. Königstein i. T. 1973, S. 273.

29 Vgl. Müller: Subjekt und Geschichte (Anm. 22), S. 103.

30 Ebd., S. 102.

31 Kopp: Geschichte und Gesellschaft in den Dramen Christian Dietrich Grabbes (Anm. 19), S. 140.

32 Vgl. Müller: Subjekt und Geschichte (Anm. 22), S. 98.

33 Hans-Thies Lehmann: Dramatische Form und Revolution in Georg Büchners „Dantons Tod" und Heiner Müllers „Der Auftrag". In: Georg Büchner. Dantons Tod. Kritische Studienausgabe des Originals mit Quellen, Aufsätzen und Materialien. Hrsg. von Peter von Becker. 2. Aufl., Frankfurt a. M. 1985, S. 106-121, hier S. 118.

34 Viëtor: Die Tragödie des heldischen Pessimismus (Anm. 2), S. 128.

35 Vgl. ebd.

36 Ebd., S. 105.

37 Ethel Matala de Mazza: Geschichte und Revolution. In: Büchner-Handbuch (Anm. 5), S. 168-175, hier S. 173.

38 Lehmann: Dramatische Form und Revolution (Anm. 33), S. 117.

39 Ebd.

40 Wender: Der Dichter von Dantons Tod (Anm. 13), S. 224

41 Vgl. Lehmann: Dramatische Form und Revolution (Anm. 33), S. 116.

42 Vgl. Müller: Subjekt und Geschichte (Anm. 22), S. 102.

43 Ebd.

44 Vgl. Müller: Subjekt und Geschichte (Anm. 22), S. 103.

45 Schneider: Destruktion und utopische Gemeinschaft (Anm. 28), S. 272.

46 Vgl. ebd.

Arin Haideri

„Gespenster aus der guten, alten und sehr dummen Zeit"
Über irreversible Ordnungsmuster
in Grabbes *Napoleon oder die hundert Tage*

Ein Theaterbesucher oder Leser des historischen Dramas *Napoleon oder die hundert Tage* wird rasch bemerken, dass der Protagonist recht spät in die Dramenhandlung eingeführt wird. Wer den Auftritt Napoleons auf der Bühne sehen bzw. lesend erleben möchte, der muss bis zur 4. Szene des 1. Aufzugs warten. Sein Gegenspieler König Ludwig XVIII. betritt die Bühne bereits in der 2. Szene des 1. Aufzugs, und mit ihm wird ein treues, untertänigstes Publikum, bestehend aus *„altadelige[n] Herren und Damen"* (II, 337), vorgestellt, das auch wartet, und zwar sehnlichst auf den bourbonischen Herrscher. Mit dem Auftritt des Königs wähnen die altadligen Figuren, jene Zustände des Ancien Régime seien wieder hergestellt, doch diese hoffnungsvolle Erwartung kann sich – ein moderner Rezipient weiß das – nicht erfüllen. Ständische Denk- und Ordnungsmuster, wie sie etwa in der Interaktion von Oberschichten praktiziert worden waren, haben inzwischen ihre Gültigkeit verloren – es sei denn, diese werden zum Gegenstand von Literatur. In solch einem Fall kann man überlegen, mit welchem Mehrwert „höfische Reliquien" reinszeniert werden. In diesem Sinne fragt der vorliegende Beitrag danach, wie Grabbe irreversible Ordnungsmuster und ihre semantischen Korrelate in seinem *Napoleon* verhandelt.[1]

Das Geschehen der hier zu problematisierenden Szene lässt sich in wenigen Worten zusammenfassen: In den Tuilerien, dem Wohnsitz der 1815 zurückgekehrten Bourbonen, befinden sich neben den Bediensteten auch Angehörige der Adelsschicht sowie bürgerliche Personen. Unter der strengen Aufsicht von Schweizergardisten erwarten die Beteiligten die von der Messe zurückkehrende königliche Familie, an deren Spitze König Ludwig XVIII. voranschreiten wird. Enthusiasmiert von der Präsenz des Königs, seines Gefolges und höfischer Reliquien glaubt der Adel, namentlich Madame de Serré, ein alter Marquis und einige altadlige Emigranten, die vorrevolutionäre Ordnung sei nach langem Warten, genauer: nach 26 Jahren, restituiert. Parallel dazu können die zwei ebenfalls anwesenden Bürger „nur" Hohn und Spott für die (Selbst-)Inszenierung der Oberschicht aufbringen, bevor sie entrüstet von der Bühne gehen.

Im Mittelpunkt steht die Ankunft des Königs. Sein Auftritt fungiert als Ereignis, alle beteiligten Figuren werden als Beobachter in das Geschehen involviert, das sie aber aus unterschiedlichen Perspektiven wahrnehmen und entsprechend ihrer Rolle kommentieren. So vernehmen Madame de Serré und der alte Marquis

zunächst die physische Präsenz des Königs und attestieren ihm eine „unwillkür-
liche Grazie [...] in dem scheinbar nachlässigen Gange". (II, 338) Ferner meint
Madame de Serré in der Physiognomie Ludwigs XVIII. diejenigen Qualitäten
sehen zu können, die ihn für seine Rolle als Monarch prädestinieren: eine „heitere Miene" und „Adel im Antlitz". (Ebd.) Geburt, körperliche Gewandtheit
und erhabene Gesichtsausdrücke werden als Kriterien herangezogen, um das
Auftreten zu bewerten und den bourbonischen Herrschaftsanspruch zu legitimieren. Die „Argumentationsweise" entspricht einer Denklogik, die kennzeichnend ist für gelungene Interaktionen in Oberschichten.[2]
  Während der Adel sich der anmutigen Präsenz des Königs widmet, wählt der
erste Bürger einen interessanten Vergleich, um das wahrgenommene Bild sprachlich einzufangen: „Der dicke Herr König hinkt ja wie der Teufel". (II, 338) Eine
Erklärung dafür bietet sein Gesprächspartner, der die nicht-aufrechte Gangart
des Königs auf seine Gichterkrankung bezieht, die wiederum auf den maßlosen
Lebensstil („Saufen, Fressen und –"; II, 339) des adligen Herrschers zurückgeführt wird. Für die Bürger versinnbildlicht der König Eigenschaften wie Völlerei,
Wollust und Trägheit – Attribute, die unter negativen Vorzeichen als charakte-
ristisch für die adlige Oberschicht firmierten und nicht zufällig die Assoziation
zu den sieben Todsünden hervorrufen, womit die Vergleichsebene zum Teuflischen evident wird. Zugleich treffen die Bürger mit dieser Fremdbeschreibung,
wenn auch nur implizit, eine Aussage über den Stand, den sie selbst repräsentieren: Eine Umkehrung der Todsünden in Kardinaltugenden und also in kenn-
zeichnende Werte der „bürgerlichen Lebensform" wie Maß, Tugendhaftigkeit
und Fleiß werden hier latent mitgedacht. Neben der unverblümten Wechselrede
ist es die „Verbürgerlichung" des Königs durch die Anrede „Herr König", mit
der ihm der Herrschaftsanspruch abgesprochen und in der die Differenz zum
Adel aufgehoben wird, zumal „der Herr König" nicht als öffentliche, sondern als
private Person wahrgenommen, und folglich zu einem (neben vielen anderen)
bürgerlichen Herren wird.
  Auch die adlige Familie wird von den bürgerlichen Beobachtern in Augen-
schein genommen. Besondere Aufmerksamkeit weckt der Herzog von Angoulême: Die Verwandtschaftsbezüge werden mit einer parallelen Komposition wiedergegeben. Der Neffe, tituliert als „ernsthaftes Bocksgesicht" (II,
339), gesellt sich als ikonisches Äquivalent zum hinkenden Teufel an die linke
Seite seines Onkels. Weiter erläutert der eine Bürger: „Die hagere Dame auf
der rechten Seite ist Frau des Bocksgesichts, – sie selbst steht unter der Jesui-
tenkutte, er steht unter ihrem Pantoffel, der König steht unter ihm, und Frankreich unter allen zusammen", und der andere folgert daraus: „Mönchskutte also
unsre Krone, Weiberpantoffel unser Szepter, und Schwächlinge, die sich davon
beherrschen lassen, unsere Tyrannen!" (Ebd.) In dieser Persiflage erteilen die

aufmerksamen Beobachter dem König, seinem Gefolge und dem ständischen Herrschaftssystem eine deutliche Absage. Bezeichnend ist auch hier die „Argumentationsweise": Laut dieser Analyse steht an der Spitze Frankreichs nicht mehr ein *König*, der unmittelbar über alle seine Untertanen herrscht, sondern ein Schwächling, der von einem mehrgliedrigen „System" mittelbar beherrscht wird.[3] Attribute der königlichen Herrschaft, Krone und Zepter, fungieren nicht mehr als Objekte zur Veranschaulichung der Königswürde, vielmehr gewinnen diese eine Art Eigenleben[4], und das scheinbar in demselben Maße wie der König an Handlungskompetenz verliert. Dieser Degenerationsprozess (vom Herrscher zum Beherrschten) wird auf die Handlungsschwäche des Königs bezogen; zugleich wird mit Bezug auf Napoleon eine Vergleichsebene eröffnet, die auf ein anderes Herrschaftsmodell verweist. Nicht die adlige Abstammung, sondern (militärisches) Leistungs- und Handlungsvermögen werden als Qualitätsmerkmale für politische Herrschaft herangezogen, womit der privilegierte Status der Oberschicht, v. a. des Adels, als kontingent gedacht werden kann und die alte, ständische Ordnung an Legitimation einbüßt. – Napoleons Leistungsvermögen wird zwar von den Bürgern gegen die Handlungsschwäche Ludwigs ausgespielt, aber im Stück können sie beide nicht triumphieren, ein Hinweis darauf, dass Politik nicht mehr (ausschließlich) von „großen Männern" betrieben werden kann.[5]

Die Bürger nehmen nicht nur den Auftritt des Königs wahr, sie beobachten auch, wie die Adligen sich wechselseitig beobachten. So hören sie, wie der alte Marquis meint, der König stünde fröhlich da, umgeben von seiner treuen Nation. (II, 339) Eine Bemerkung von dieser Art kann auf bürgerlicher Seite nur Empörung hervorrufen: „Nation? Höre doch, Nachbar! die paar alten, der Guillotine entlaufenen Weiber und Herren nennen sich Nation!" (Ebd.) Die Inanspruchnahme der Selbstbeschreibung als *Nation*[6] ist konfliktbehaftet, offensichtlich ist dieser Begriff mit unterschiedlichen Semantiken versehen, dessen Bedeutungsvariante je nach Partei (adlig/bürgerlich) changiert. Madame de Serré und der alte Marquis verstehen darunter ihre adligen Mitgenossen und die königliche Familie. Die Grenzen des wahrzunehmenden Raumes sind durch das ständische Ordnungsprinzip (Stratifikation) abgesteckt, trotz – so könnte ein moderner Leser hinzufügen – der unbestreitbaren Anwesenheit Dritter. *Die Nation*, das sind diejenigen Personen, die von sich behaupteten, sie *repräsentieren* die (politische) Spitze der Gesellschaft. Nach dieser Lesart wird der Auftritt als eine Interaktion der Oberschicht verstanden – also jenes *exklusiven* Zirkels, in dem (politisch) folgenreiche Entscheidungen getroffen wurden.[7] Die bürgerliche Variante fungiert gleichsam als Gegenbegriff zu dem aristokratischen Verständnis von *Nation*. Mit der Französischen Revolution wird sie als eine sozial-*inklusive* Einheit gedacht, deren Vorzug genau darin besteht, ein

„adelsunabhängige[s] politische[s] System[]"[8] auf- und auszubauen. Aristokratische Herkunft unterscheidet sich von moderner, nationaler Identität genau in
diesem Punkt: *Nation* in dieser Bedeutung „ist nicht gegeben, sie muß definiert,
gewonnen und gesichert werden. Ihr Problem liegt nicht in der Vergangenheit,
sondern in der Zukunft".[9] Vor diesem Hintergrund kann das von Madame de
Serré beanspruchte Anrecht, sich selbst als Nation beschreiben zu dürfen, nur
noch als Anmaßung gedeutet werden. Die adlige Oberschicht repräsentiert eben
nicht mehr die Spitze und auch die politisch relevanten Entscheidungen werden längst auf einem anderen Feld, nämlich in der Politik selbst, getroffen. Mit
dem Verweis auf die Ekelhaftigkeit der adligen Gesellschaft („Dieses Geschlecht
ist schlimmer als schlimm, es ist e k e l h a f t !"; II, 339) verlassen die Bürger die
Szene – sie wissen, dass man sich über das politische Geschehen nicht mehr
durch Zuhören der guten Gesellschaft informiert, sondern durch reflexives
Beobachten, etwa wenn in der Öffentlichkeit am Tisch der alten Putzhändlerin
die Zeitung vorgelesen wird.[10]

Grabbe positioniert Rollen für Adel und Staatsbürger zeitgleich in einem
(sozialen) Raum und eröffnet so Vergleichsmöglichkeiten. Dass aristokratische
Gepflogenheiten sich dann zur Parodie eignen, ist eine Folgeerscheinung. Was
primär verhandelt wird, ist die Frage der Differenz: In dem einen Fall wird sie
mittels Standes- (oben/unten), in dem anderen mittels Staatszugehörigkeit
(inklusiv/exklusiv) erzeugt. Der Umstand, dass diese Frage schon beantwortet
worden ist, nämlich 1789, und dass dennoch die neue und alte Antwort hier
wechselseitig aufeinander bezogen werden, schafft jenen Kontext, der für das
humoristische Moment konstitutiv ist. Der Adel kann, wie der erste Bürger
weiß, nicht mehr das politisch-leitende Agens Frankreichs sein, denn die Kinder
des Königs sind alt, „junge hat er nicht und kann sie auch nicht mehr machen."
(II, 339) Bezeichnenderweise führen die Adligen in ihrer Figurenbezeichnung
das Adjektiv „alt" (der *alte* Marquis, die *alt*adligen Emigranten) mit sich. Und
nicht nur Madame de Serré stammt noch aus der Generation, die sich lebendig
an das höfische Leben vor der Französischen Revolution erinnern kann, zumindest bezeugt dies die Euphorie, die „das Nef" bei ihr auslöst. Zwar ist auch ihre
Enkelin anwesend, aber diese ist so voll mit weißen Lilien besteckt, dass man
sich fragen kann, ob sie nicht zur Zierfläche degradiert ist, an welcher der politische Untergang des Adelsgeschlechts symbolisch unterlegt wird. Obgleich die
weiße Lilie das bourbonische Herrschaftsabzeichen markiert, ist anzunehmen,
dass Grabbe die symbolische Bedeutung ironisch ins Gegenteile wendet, da
die Pflanze ebenso für Verlust und Tod steht.

Die Analyse veranschaulicht, wie die ständische Ordnung (König, Klerus,
Adel, Untertanen) in Segmente dekomponiert wird und auseinander tritt;
die Bürger registrieren diesen Umstand, rechnen ihn jedoch der persönlichen

Unfähigkeit des Königs zu. Erst in der Rückschau kann man sagen, dass die strukturellen Bedingungen, mit denen die adlige Oberschicht ihre Stellung plausibilisieren konnte, unwiederbringlich schwinden. Daraus folgt auch, dass hierarchische Denkfiguren aus dieser Perspektive innerhalb der Interaktion weder reproduziert noch widergespiegelt werden können, ohne Widersprüche oder Irritationen hervorzurufen. Anders formuliert, könnte man von folgenreichen Differenzierungsprozessen sprechen[11], mit dem Resultat, dass die Interaktion in der Oberschicht, gesamtgesellschaftlich betrachtet, *funktionsfrei*[12] wird und ihre semantischen Traditionen soweit wie möglich beibehalten, dann transformiert und schließlich modernisiert werden oder mit der Zeit verloren gehen. Während dieser Übergangsphase wirken zeremonielle Selbstdarstellungen und (Gesprächs-) Schematismen mindestens veraltet und bieten geradezu die Vorlage für humoristische Reflexionen.[13] Die Szene veranschaulicht diesen (De-?) Generierungsprozess: Das „Zusammentreffen" zwischen König und seinem adligen Publikum ist offensichtlich unpolitisch, es läuft aber nach tradierten Interaktionsmechanismen ab. Die ständische Ordnung ist noch sichtbar, der König als der Ranghöhere spricht seine adligen Untertanen zuerst an und offeriert ihnen mit dieser Handlungsgeste, aus ihrer passiven Beobachterrolle herauszutreten und zu sprechen: „Madame de Serré, ich kenne Sie, und wünschte Sie zu grüßen". (II, 340) Damit ist inhaltlich nicht viel gesagt, aber für die adligen Gesprächsteilnehmer (und nur für sie) besitzt die Mitteilungsart so viel Gewicht, dass sie im weiteren Verlauf, obwohl der König weiterzieht, für genügend Anschlussfähigkeiten sorgt. Madame de Serré beflügeln die an ihre Person gerichteten Worte so sehr, dass sie gar den Wunsch äußert, dauerhaft für weitere Kommunikation ausgeschlossen zu sein: „O seliger Tod! Könnt ich jetzt sterben!" (Ebd.) Und auch das übrige adlige Publikum wird seinen royalistischen Erwartungen gerecht, indem es huldvoll die ganzheitliche Person König Ludwigs XVIII. feiert. Hatten die adligen Beobachter zuvor die Präsenz und Performanz des Königs bewundert, „glänzte" er nun mit seiner Eloquenz: „O welch ein Monarch! – Welche Worte: [...] Man sollte sie in Erz graben, – hier ein Monument errichten!" (Ebd.), so die altadligen Emigranten über ihren Monarchen, der einmal mehr im Vergleich zu Napoleon durch „Geist" und „Adel" hervorsteche. Dabei kommt es weniger darauf an, ob die beigemessene Achtung gegenüber dem Monarchen tatsächlich seinem politischen Status entspricht, bedeutsam ist, dass es für die anwesenden Adligen glaubhaft ist. Das spricht für die „Eigenständigkeit" von Interaktionen (als soziales System). Zwar wird das szenische Arrangement höfischer Zeremonien der Lächerlichkeit preisgegeben, aber diese Wahrnehmungsleistung wird auf Ebene des Rezipienten erbracht, das Bühnengeschehen selbst exemplifiziert, wie sich innerhalb eines Gesprächszirkels Eigendynamiken entwickeln, die für die Beteiligten sinnhaft und damit auch anschlussfähig sind. Aus diesem Grund müssen die Bürger die Kommunikation abbrechen, dauerhaft können sie der Episode – außer Ekel – keinen Sinn entnehmen. Der Auftritt der royalen Familie fungiert hier als *Ereignis*, weil er rückwirkend als bedeutendes Moment registriert wird, das nachhaltig das Erleben von Madame de Serré und ihren Adelsgenossen verändern könnte, so zumindest ihre hoffnungsvolle Annahme. Das beständige Wiederholen der „königlichen" Worte vergegenwärtigt die kürzlich vergangene Episode, die trotz geringer Informationsdichte eine euphorische „Stimmung" hervorbringt. Diese wird nicht nur durch den wechselseitigen Bezug von Präsenz (Wahrnehmung) und Performanz (Kommunikation) gesteigert, sie erreicht ihren Höhepunkt als der Zeremonienmeister mit dem Nef, d. h. mit einem schiffsförmigen Tafelaufsatz, vorbeiläuft: „Das Nef, das Nef! O Frankreich ist gerettet!" (Ebd.) Für den Leser bzw. Theaterbesucher mag dies die Zuspitzung des Humoristischen darstellen, darüber hinaus aber belegt diese Sequenz, wie sich bestimmtes Erleben potenziert, wenn man „verbale Kommunikation in ihrem gemeinten Sinn mit Hilfe von Begleitwahrnehmungen" interpretiert.[14]

In ihrer Euphorie lassen sich die altadligen Beobachter nicht von einem kleinen Ofenheizer, einer Nebenfigur also, die qua Standeszugehörigkeit eigentlich nicht als anwesend behandelt werden kann, irritieren. Er wird Teil des Geschehens durch einen kleinen, jedoch entscheidenden Redebeitrag: „Ihr?" (II, 340). Er hinterfragt damit die Handlungsfähigkeit der altadligen Gesellschaft, die sich angesichts der demonstrierten „Selbstdarstellung" Ludwigs XVIII. berufen sieht, der „Canaille" die bourbonische Größe und die damit verbundene politische Macht begreiflich zu machen. (Ebd.) Mit dem Auftritt des Ofenheizers wendet sich die Situation in zweifacher Hinsicht: Zum einen wird die Episode erneut ironisch gebrochen, wodurch die Lächerlichkeit altadliger Semantiken einmal mehr offengelegt wird, zum anderen wirkt er für die Interaktionssituation systemstabilisierend, – unbeeindruckt von einem frechen Bediensteten sinnieren die Aristokraten über „die huldvollen Worte" des Königs. Es ist interessant, dass Madame de Serré, in deren Namen die „feste Treue" buchstäblich eingeschrieben scheint[15], nachdem sie das Signum („das Nef") vernommen hat, den Auftritt des Königs mit der Auferstehung Christi gleichsetzt: „O Gott, auch das Nef ist wieder da! Ja, Christus ist erstanden! jetzt erst glaub ich es recht!" (II, 340) Mit dieser Zusammenführung verleiht sie der Religion gesellschaftspolitische Bedeutung. Der Tafelspitz und auch die Gestalt des Zeremonienmeisters steigern nicht nur das Erlebnismoment, sie wecken Erinnerungen der Beteiligten an die vor-revolutionäre Zeit. Mit Blick auf Zeitlichkeit bietet die Interaktionsform die Möglichkeit, ständische Schematismen in die Gegenwart zu überführen, die Auswirkungen eines irreversibel gewordenen Umbaus können dort in Form von Wunschvorstellungen oder Imaginationen thematisiert werden.

Doch selbst wenn innerhalb dieses sozialen Raumes Madame de Serré und ihre Adelsgenossen „Variables zeitweise wie Konstantes"[16] erleben, ist „der Bruch" zwischen dem Funktionssystem Politik und dem Sozialtypus Interaktion nicht revidierbar, wie der Schweizergardist demonstriert. Dieser ist womöglich die denkwürdigste Figur: Wenn der Auftritt des Monarchen Ereignischarakter besitzt und dadurch die Szene in eine „Vorher-Nachher-Struktur" zergliedert wird, dann steht dieser Gardist nicht nur buchstäblich auf seinem Grenzposten, sondern auch symbolisch. Als personifizierte Grenze tritt er als einzige Figur in jeder dieser drei Episoden auf und konturiert mit seinen Redebeiträgen die jeweiligen Grenzübergänge. So hindert er *vor* dem Auftritt Madame de Serré und den alten Marquis daran, zu nahe an den König heranzutreten. Mit dem Erscheinen des Erwarteten stört er das Verhältnis zwischen Herrscher und Untertan, indem er den König hinter die Grenze befiehlt, und *nachdem* die adligen Interaktionsteilnehmer die Bühne verlassen haben, bleibt er unverändert auf seinem Grenzposten stehen. Die Anwesenheit des Gardisten symbolisiert die sich vollziehende Ausdifferenzierung des politischen Systems und der Interaktion in Oberschichten, diese „lassen sich als soziales Geschehen noch nicht trennen, aber ihre Einheit ist schon unmöglich geworden".[17] Die Interaktion zwischen den Altadligen und König Ludwig XVIII. gelingt, aber das Anrecht, sich als politische Führung zu stilisieren, ist ihnen abhandengekommen. Selbst der Verweis auf den eigenen Status: „Ich bin der König, Freund.", bleibt folgenlos – trotz paritätischer Anrede, denn der Schweizergardist fühlt sich nicht dem König, sondern einzig seinem Offizier gegenüber verpflichtet, Befehle entgegenzunehmen. Der Monarch wendet diese Missachtung seiner Person ins Positive, indem er seinen Kriegern felsenfeste Treue unterstellt. Bei genauerer Betrachtung wird man dies als Hinweis auf den Ort verstehen, in dem Hierarchien konstitutiv bleiben, nämlich in militärisch organisierten Systemen, wie das Regiment der französischen königlichen Garden eines darstellt.

Insgesamt kann der in dieser Szene nachgezeichnete Wandel auch als „sinnentleerte Präsenzkultur"[18] verstanden werden, und für einen externen Beobachter mag dies eine plausible Erklärung sein, doch man übersieht dabei, dass *innerhalb* der Interaktion durchaus sinnhafte Prozesse erzeugt werden. Sie dienen aber nicht mehr der Repräsentation von Stratifikation, sondern bieten Beobachtungschancen von Personen in ihrer Rollenvielfalt. Grabbe führt zwar jene höfischen Rollenmuster ad absurdum und zeigt sich damit als kritischer Gesellschaftsbeobachter, aber auch er besiegelt nicht das Ende der altadligen Figuren, sondern ordnet sie *neben* Bediensteten, Bürgern, angestellten Gardisten und dem König in einen Raum. Das Drama demonstriert, wie semantische Traditionen aus „der guten, alten und sehr dummen Zeit" (II, 331) in der Interaktion gepflegt, tradiert, transformiert oder sogar zum humoristischen Gegenstand

werden können, ehe sie in Vergessenheit geraten. Vielleicht besteht das Besondere bei Grabbe in diesem Konstant-Halten von unvereinbaren Sachverhalten,
die mit einem gewissen Gespür für Witz unterlegt sind, und doch nicht ausge-
lotet werden können.

Anmerkungen

1   Siehe hierzu, mit einer anderen theoretischen Grundierung, die Überlegungen von
     Bodo Plachta: 1789–1815–1830: Grabbes *Napoleon*-Drama vor dem Hintergrund
     historischer Schnittstellen. In: Goethe, Grabbe und die Pflege der Literatur. Fest-
     schrift zum 65. Geburtstag von Lothar Ehrlich. Mit einer Einleitung von Paul Raabe.
     Hrsg. von Holger Dainat und Burkhard Stenzel. Bielefeld 2008, S. 185-197, hier
     S. 188; ferner siehe auch Rolf Füllmann: Modekrieg statt *Hermannsschlacht*. Zur
     Semiotik der Mode in Grabbes *Napoleon oder Die Hundert [!] Tage* und *Scherz,
     Satire, Ironie und tiefere Bedeutung*. In: Grabbe-Jahrbuch 26/27 (2007/2008),
     S. 86-94. – Der Beitrag entstand im Zusammenhang mit einem Seminar von Hol-
     ger Dainat zur Geschichtsdramatik an der Universität Bielefeld im Sommersemester
     2016.
2   Vgl. André Kieserling: Kommunikation unter Anwesenden. Studien über Inter-
     aktionssysteme. Frankfurt a. M. 1999, S. 391ff.
3   Dazu Niklas Luhmann: „Auch der Adel wird jetzt [gemeint ist der Zeitraum ab
     dem 17. Jahrhundert] in die Rolle des Untertanen gezwungen. Seit Machiavelli und
     Bodin legt man Wert auf die Feststellung, daß die Beziehung zwischen Herrscher
     und Untertanen eine unmittelbare sein müsse, die auf dem gesamten Territorium des
     Staates einheitlich zu realisieren sei. Theologisch läuft das auf die These hinaus, daß
     Gott den Herrscher unmittelbar mit unmittelbarer Gewalt (potestas) betraut hat.
     Das heißt nicht zuletzt: Zustimmungsunabhangigkeiten [!] in den Beziehungen zu
     Kirche und Adel, Städten und Korporationen und sonstigen etablierten Rechtsan-
     sprüchen." Ders.: Die Politik der Gesellschaft. Hrsg. von André Kieserling. Frank-
     furt a. M. 2000, S. 202.
4   Man könnte hier an den Differenzierungsprozess von Kirche, Familie und Politik
     denken.
5   Siehe die Ausführungen bei Plachta: 1789–1815–1830 (Anm. 1), S. 193f.
6   Zur genaueren Bestimmung des Begriffs *Nation* siehe Luhmann: Politik (Anm. 3),
     S. 189ff.
7   Vgl. Niklas Luhmann: Interaktion in Oberschichten: Zur Transformation ihrer
     Semantik im 17. und 18. Jahrhundert. In: Ders. (Hrsg): Gesellschaftsstruktur und
     Semantik. Studien zur Wissenssoziologie der modernen Gesellschaft. Frankfurt a. M.
     1980, Bd. 1, S. 72-161, hier S. 122.
8   Luhmann: Politik (Anm. 3), S. 201.
9   Ebd., S. 210.

10 Für weiterführende Überlegungen hierzu vgl. Jürgen Fohrmann: Die Ellipse des Helden (mit Bezug auf Christian Dietrich Grabbes *Napoleon oder die Hundert [!] Tage*). In: Grabbes Welttheater. Christian Dietrich Grabbe zum 200. Geburtstag. Hrsg. von Detlev Kopp und Michael Vogt. Bielefeld 2001, S. 119-135, hier S. 123.

11 Gemeint ist nicht nur die gesellschaftliche Differenzierung in Teilsysteme, auch die Differenzierungsprozesse auf sozialtheoretischer Ebene, d. h. mit Blick auf Interaktion, Organisation und Gesellschaft, sind zu berücksichtigen. Näheres bei Niklas Luhmann: Interaktion, Organisation und Gesellschaft. In: Ders.: Soziologische Aufklärung 2. Aufsätze zur Theorie der Gesellschaft [1975]. 9. Aufl. Wiesbaden 2009, S. 9-24, hier S. 21ff.

12 Luhmann: Interaktion in Oberschichten (Anm. 7), S. 128. Funktionsfrei heißt, der Typus *Interaktion* kann sich an Anlehnungskontexte (Funktionssysteme) koppeln, muss das aber nicht.

13 Vgl. hierzu die Ausführungen bei Jörg Räwel: Humor als Kommunikationsmedium. Konstanz 2005, S. 75ff.

14 Niklas Luhmann: Einfache Sozialsysteme. In: Ders.: Soziologische Aufklärung 2 (Anm. 11), S. 25-47, hier S. 28.

15 *Serré* als französisches Adjektiv verstanden, meint in einer Nebenbedeutung *fest, eng, dicht, stramm*.

16 Kieserling: Kommunikation (Anm. 2), S. 91.

17 Luhmann: Interaktion in Oberschichten (Anm. 7), S. 107.

18 Vgl. Sientje Maes: Souveränität – Feindschaft – Masse. Theatralik und Rhetorik des Politischen in den Dramen Christian Dietrich Grabbes. Bielefeld 2014, S. 101ff.

ANNA LENZ

Metafiktion im historischen Drama am Beispiel der Guckkasten-Szene in Grabbes *Napoleon oder die hundert Tage*

Mit ihrem Versuch über die historiographische Metafiktion regte Linda Hutcheon 1988 eine erneute Diskussion um den historischen Roman an. In der Forschung findet *A poetics of postmodernism* und das hier relevante Kapitel ein weithallendes Echo; am stärksten wohl in Ansgar Nünnings zweibändiger Studie zur Entwicklung des historischen Romans im 20. Jahrhundert.[1] Die Frage, die sich Hutcheon stellt, bezieht sich darauf, was der historische Roman in einer Welt der Diskurse, der *multiplicity of truth,* noch leisten kann.[2] Damit eröffnet sie keine neue Debatte: In welchem Verhältnis Fiktion und Historiographie stehen, wird von Autoren und Wissenschaftlern beider Disziplinen, Historikern wie Literaturwissenschaftlern, diskutiert, seit sich die Fiktion mit historischen Stoffen auseinandersetzt. In der historiographischen Metafiktion, so Hutcheon, mache es sich der Text zur Aufgabe, diese Problematik selbst anzusprechen und sich so im hohen Grad selbst zu diskutieren. Nünning, der ausführliche Analysen zu verschiedenen Romanen vorlegt, arbeitet Hutcheons Anstoß weiter aus, indem er Metafiktionalität im historischen Roman systematisch zu erfassen sucht. Metafiktion entstehe durch Figuren- bzw. Erzählerrede und Anachronismen, durch ein gestörtes Verhältnis zwischen historiographischem Wissen und der Handlung des Romans sowie durch Betonung der Geschichte als Medium, nicht als ontologisches Wissen.[3] Diese Kategorien lassen sich auch auf das historische Drama übertragen. Und obwohl man nicht umhinkommt, zu bestätigen, dass das historische Drama im 20. Jahrhundert sich in höheren Anteilen metafiktional äußert, wohl eher Historiographie und Metafiktion als das historische Ereignis selbst zum Thema hat, lassen sich Tendenzen historiographischer Metafiktion bereits um 1800 finden.[4]

Besonders interessant in diesem Zusammenhang ist Christian Dietrich Grabbes 1831 erschienenes Drama *Napoleon oder die hundert Tage.* Dieses Drama ist allein schon deshalb bemerkenswert, weil es so kurz nach den Ereignissen entsteht, die es beschreibt – der Zeitpunkt der Handlung liegt um 1815 –, und dabei einiges vorwegnimmt, was noch geschehen könnte. So schreibt Grabbe im Vorwort der Erstauflage:

> Dieses Drama war vor den welthistorischen Ereignissen des Juli vorigen Jahres vollendet. Seitdem ist manches eingetroffen, was in ihm vorausgesagt ist, – ebensoviel aber auch nicht. Man halte also den Verfasser an keiner Stelle für einen Propheten ex post.

Seine Krankheit und andere Zufälle verhinderten die frühere Beendigung des Druckes, und es können erforderlichen Falles ehrenwerte Zeugen, welche das Stück vor dem erwähnten Zeitpunkt kannten, jedem Zweifelnden der Wahrheit obiger Angaben sofort beweisen. (II, 317)

Der Dichter zeigt hier schon auf paratextueller Ebene, dass er sich des problematischen Verhältnisses von Historiographie und Fiktion bewusst ist – und dies in besonders hohem Maße angesichts dessen, dass die Geschichte fast gegenwärtig ist, die im Stück geschildert wird.

Doch auch im Text selbst führt Grabbe vor, wie sehr er sich der ‚Geschichte als Medium‘ bewusst ist.[5] Das Drama beginnt mit einer Guckkasten-Szene. Vitry und Chassecoeur, zwei ehemalige Offiziere aus Napoleons Heer, schlendern in Paris durch eine Menschenmenge, in der die Betreiber der Guckkästen, Bildergalerien und Menagerien ihre Kunstwerke bewerben. Neben historischen Gestalten werden auch allerlei Exotika der Fauna gezeigt und es entsteht ein visuelles Durcheinander, für den Leser fast wie ein Wimmelbild, das immer wieder parodistischen Charakter annimmt und sich auch mit der Vermittlung von geschichtlichen Ereignissen auseinandersetzt.

Zunächst wird ein Abbild Ludwigs des Achtzehnten vom Bildergaleristen beworben – und prompt antwortet der gegenüberstehende Menagerist: „Hier, meine Herren, sehen Sie einen der letzten des aussterbenden Geschlechtes der Dronten“. (II, 323) Dass der Menagerist hier durchaus intendiert, das Königshaus als aussterbende Gattung darzustellen, wird an späterer Stelle noch deutlicher. Doch zunächst wird die Parodie noch etwas harscher: „Hier ist zu sehen der Monsieur, der Herzog von Angoulême“, sagt der Ausrufer der Bildergalerie – und die Antwort folgt prompt: „Hier erblicken Sie den langen Orang-Utang, gezähmt und fromm“. (II, 324) Ein Polizeibeamter bemerkt das ‚ketzerische‘ Verhalten: „Mensch, du beleidigst den König und die Prinzen.“ (Ebd.) Unbeirrt antwortet der Menagerist: „Wie, mein Herr, wenn ich Affen zeige?“ (Ebd.), und es lodert der erste Streit auf den Pariser Straßen auf.

Grabbe zeichnet hier eine Atmosphäre, in der die Standpunkte bis hinein in die Straßen, bis ins Volk, nicht geklärt sind. Bonapartisten und Royalisten stehen sich kampfeslustig gegenüber – am Ende der Szene wird aus dem protestierenden, hungernden Volk Pöbel geworden sein. Doch schon hier zeigt sich das erste Problem der Historiographie: Wer wird nun die Ereignisse übermitteln: der Bildergalerist, der seinem Publikum brav Adelsporträts präsentiert, der Menagerist, der mit parodistischem Kunstgriff den Herzog von Angoulême zum Primaten machte, oder doch das Schauspiel, das ihren Konkurrenzkampf vorführt?

Noch evidenter werden Grabbes Reflexionen über die Historiographie an späterer Stelle, als der Ausrufer bei dem Guckkasten ein Bild von Napoleon

Bonaparte präsentiert: „Hier Bonaparte". (II, 325) Indem er den selbstgekrönten Kaiser aber als Bonaparte und nicht als Napoleon vorstellt, präsentiert er ihn als General und nicht als den Kaiser. Dies kritisiert auch Chassecoeur. Gezeigt wird „Bonaparte auf weißem Schimmel". (Ebd.) Beachtenswert ist hier nicht nur der abermals zur Komik beitragende Pleonasmus, sondern auch die Anspielung auf das Gemälde *Bonaparte beim Überschreiten der Alpen am Großen Sankt Bernhard* von Jaques-Louis David (1800), das bis heute in verschiedenen Ausführungen – mal sitzt Napoleon auf weißem, mal auf braunem Pferd – das Bild vom Imperator prägt. Der Schimmel bäumt sich auf, während Napoleon mit ruhiger, entschlossener Miene den rechten Arm hebt, scheinbar den Vormarsch hinauf in die Alpenhänge befiehlt und seine Umgebung vollkommen beherrscht. Das Gemälde stellt Napoleon als überlegenen Herrscher, als Held zu Pferde dar. Dass dies wohl kaum der Wahrheit entspricht, bemängelt Chassecoeur: „Du lügst! Der Kaiser war zu Fuß und kommandierte aus der Ferne." (Ebd.) Durch die Figurenrede zeigt Grabbe hier die Diskrepanz zwischen historischen Tatsachen und der Darstellung historischer Ereignisse, hier in der bildenden Kunst und im populären Medium des Guckkastens. Dies ließe sich auch auf die Historiographie und das Schauspiel übertragen. Geschichte ist hier ganz deutlich medial zu verstehen.

Das Bild Bonapartes kündigt der Betreiber des Guckkastens als Abbild der „großen Schlacht von Moskwa" an. (Ebd.) Damit vertut er sich nicht nur um einige Meilen, sondern auch um einige Jahre: Napoleons Russlandfeldzug beginnt zwölf Jahre, nachdem das Gemälde fertig gestellt wurde. Bericht, Bild und historisches Ereignis gehen also stark auseinander, überlagern sich gleichzeitig und reflektieren somit Historiographie und historisches Drama selbst.

Sicher stellt Grabbe hier noch nicht in Frage, ob es eine ontologische Wahrheit, ob es historische Tatsachen gibt[6], wie es die Postmoderne von Vordenkern der Diskursanalyse tut. Doch erkennt er, dass Wissensvermittlung und eben auch Geschichtsvermittlung perspektiviert und damit auch möglicherweise verfälscht sind – er betont die mediale Vermittlung von Geschichte. Immer wieder werden in Grabbes Stück verschiedene Interpretationen von geschichtlichen Ereignissen gegeneinander ins Spiel gebracht – sowohl auf der Ebene der expliziten Figurenrede, aber eben auch implizit, wie hier zunächst gezeigt wurde, z. B. durch parodistische Methoden. Dass *Napoleon oder die hundert Tage* nur etwa fünfzehn Jahre nach den Ereignissen, die es schildert, geschrieben wurde, macht Grabbes Arbeit nur umso bemerkenswerter. Das Vorwort zeigt, dass er sich auch selbst auf der Ebene perspektivierter Wissensvermittlung sieht. Keinesfalls soll das Drama ontologische Antworten auf historische Fragen geben. Vielmehr gelingt es Grabbe hier schon früh, Probleme der Historiographie aufzuzeigen – zu einem Zeitpunkt, zu dem die Geschichtsschreibung der Ereignisse, mit denen er sich auseinandersetzt, noch in Arbeit ist. Grabbe greift durch seine prompte fiktionale Interpretation historischer Ereignisse in den Prozess der Historiographie selbst ein.

Wenn hier vielleicht auch noch nicht von einem Werk historiographischer Metafiktion gesprochen werden kann, so sind doch Tendenzen der Reflexion über Historiographie und Fiktion, Tendenzen eben der eigentlich postmodernen historiographischen Metafiktion, deutlich zu erkennen.

Anmerkungen

1   Linda Hutcheon: A poetics of postmodernism. London 1988; Ansgar Nünning: Von historischer Fiktion zu historiographischer Metafiktion. 2 Bde. Trier 1995.

2   Vgl. Hutcheon: Postmodernism (Anm. 1), S. 113.

3   Nünning: Historische Fiktion (Anm. 1), Bd. 1, S. 282-291, eine tabellarische Zusammenfassung findet sich auf S. 291.

4   Dies erkennt auch Holger Dainat, dem ich für anregende Gespräche danken möchte. Der Beitrag entstand im Zusammenhang mit seinem Seminar zur Geschichtsdramatik an der Universität Bielefeld im Sommersemester 2016. – Vgl. Holger Dainat: Das Ereignis auf der Bühne? Zur Inszenierung von Geschichte im Historischen Drama. Eine Momentaufnahme um 1830. In: Ereignis. Konzeptionen eines Begriffs in Geschichte, Kunst und Literatur. Hrsg. von Thomas Rathmann. Köln/Weimar/Wien 2003, S. 21-43.

5   Nünning: Historische Fiktion (Anm. 1), Bd. 1, u. a. S. 291.

6   Vgl. dazu auch Dainat: Ereignis auf der Bühne (Anm. 4), S. 39.

Lothar Ehrlich

Gerhart Hauptmann und Christian Dietrich Grabbe
Mit dem unveröffentlichten Gedicht *Grabbe und Goethe* (1936)

I

Dass die Rezeption und Wirkung der innovativen Vormärzdramatik Georg Büchners und Christian Dietrich Grabbes im Naturalismus einsetzte, gilt seit langem als gesicherte Erkenntnis der Germanistik und der Theaterwissenschaft.[1] Betrachtet man jedoch die räumlichen und zeitlichen Fraktionen der naturalistischen Bewegung in Deutschland seit den 1880er Jahren, speziell die literarischen Gattungen und Genres oder einzelne Schriftsteller, so dürfte die gewonnene Einsicht beträchtlich zu differenzieren sein.[2]

Die Tagung der Grabbe-Gesellschaft und des Forum Vormärz Forschung „Innovation des Dramas im Vormärz: Grabbe und Büchner" am 11. und 12. September 2015 in Detmold thematisierte die von ihren Dramen ausgehenden intertextuellen und interstrukturellen Wirkungen auf das moderne deutschsprachige Drama unter verschiedenen weltanschaulichen und ästhetischen Perspektiven und Aspekten.[3] Unberücksichtigt blieben dabei jene Rezeptionsprozesse, die sich auf die Epik, das naturwissenschaftliche Werk oder die revolutionäre Theorie und Praxis Büchners oder auf die biographischen (sozialen, künstlerischen) Dispositionen beider Autoren bezogen. Das betraf z. B. die Sympathieerklärungen gegenüber Büchner und Grabbe von expressionistischen Lyrikern, die naturgemäß keine kreativen Beziehungen zu ihren dramatischen Werken aufzunehmen vermochten.[4] Außerdem ist symptomatisch, dass Autoren oft nur in bestimmten (meist frühen) Schaffensperioden ideell oder ästhetisch an die Tradition Büchners oder Grabbes anknüpften.

Die Studie beabsichtigt, die Rezeption Grabbes durch Gerhart Hauptmann im Einzelnen zu analysieren, und zwar nicht nur – wie in früheren Arbeiten[5] – allein im Horizont und Kontext der Herausbildung epischer Dramen- und Theatermodelle des 20. Jahrhunderts. Vielmehr soll unter Einbeziehung bislang unveröffentlichter Materialien zu Leben und Werk Hauptmanns[6] seine Beschäftigung mit Grabbe umfassend dargestellt werden. Dass der Einfluss der offenen Dramaturgie Grabbes – bei aller objektiven Affinität von Vormärz und Naturalismus – gering zu veranschlagen ist, schloss ein Interesse Hauptmanns an seiner Gestalt und seinen Dramen nicht aus. In seinen literarischen, literaturkritischen und autobiographischen Werken finden sich allerdings kaum Bezüge auf Grabbe, was andere Schriftsteller der nichtklassischen Dramentradition genauso betrifft, etwa Autoren des Sturm und Drang, der Romantik und des Vormärz oder Heinrich von Kleist und Friedrich Hebbel.

Hauptmanns in den 1880er Jahren einsetzende programmatische Hinwendung zum Œuvre Georg Büchners gilt nur für seine naturalistische Phase. In der Autobiographie *Das Abenteuer meiner Jugend* (1937) bestätigt er: „Georg Büchners Werke, über die ich im Verein ‚Durch!' einen Vortrag gehalten habe, hatten mir gewaltigen Eindruck gemacht. [...] Georg Büchners Geist lebte nun mit uns, in uns, unter uns."[7] In *Zweites Vierteljahrhundert* begründet Hauptmann diesen „gewaltigen Eindruck" nicht dramaturgisch, sondern weltanschaulich und sozialpolitisch:

> In beiden Brüdern [gemeint ist auch Ludwig Büchner] glühte und loderte das Herz der ersten, der französischen, der Pariser Revolution. Dieses Glutherz schlug nicht nur in ‚Dantons Tod', schlug in ‚Woyzeck', schlug in ‚Leonce und Lena'. Es schlägt auch in dem Fragment des Wunderwerkes ‚Lenz'.[8]

Nach dem Naturalismus findet sich im literarischen Schaffen Hauptmanns (bis zu seinem Tode 1946) keine intertextuelle Büchner-Rezeption. Inhaltliche und formale Bezugspunkte von Hauptmanns postnaturalistischen Werken stellen vielmehr große Schriftsteller und Bücher der internationalen Weltliteratur und Mythologie (die Bibel) dar, von der Antike und Renaissance, Shakespeare, bis zur Weimarer Klassik (Goethe, Schiller) – ganz abgesehen von der ausgeprägten selbstreferentiellen Tendenz seines Neoklassizismus.

II

Was die deutsche Literatur betrifft, so orientierte sich Hauptmann bereits seit den 1890er Jahren in einem geschichtlich durchaus singulären Ausmaß paradigmatisch an Goethe, an den er geistig, ästhetisch und habituell anknüpfte. Dies dokumentiert zunächst in seiner Biographie auf beeindruckende Weise die opulent inszenierte Lebens- und Arbeitswelt des ‚Dichterhauses' in Agnetendorf im Riesengebirge, das räumlich vielfältige Beziehungen zum Goethehaus in Weimar und zum „nachgeahmten" Olympier Goethe aufweist, was Walter Schmitz in einem ebenso monumentalen wie profunden Text-Bild-Band als „dichterisches Wohnen" rekonstruiert und definiert hat:

> So hat Hauptmann immer gern akzeptiert, daß sein Haus ‚Wiesenstein' auf Goethes Haus am Frauenplan antwortete, ja, er hat diesen Dialog der Zeiten für sein Werk für unverzichtbar, für sein Haus für wesentlich gehalten.[9]

Über der von Johannes Maximilian Avenarius 1922 geschaffenen ‚Paradieshalle‘
der Villa mit dem leitmotivischen Vers aus Goethes *Wanderers Sturmlied*, „Wen
Du nicht verlässest, Genius...", thronte seit dem Grabbe-Gedenkjahr 1936 die
am 15. November zum 74. Geburtstag Hauptmanns aufgestellte Goethebüste
von David d'Angers (1829)[10], „welche die Rauminszenierung vollendet, im Aufstieg zum vollendeten Genius Goethe demnach umfängt dann der Blick die
gesamte Paradieswand."[11] Und auf Hauptmanns Schreibtisch im Arbeitszimmer
stand außerdem ein Bronze-Abguss der Gipsstatuette Goethes von Christian
Daniel Rauch (1828/1829).[12]

Über die Aufstellung der Büste von David d'Angers, dessen Original Hauptmann im Oktober 1934 bei einem Besuch in der Sächsischen Landesbibliothek
in Dresden gesehen hatte[13], schrieb Erhart Kästner, Leiter der Handschriftenabteilung und von 1936 bis 1937 Sekretär Hauptmanns in Agnetendorf, an Fritz
von Woedtke, der übrigens später einen Essay über das im vollsten Kontrast zum
‚Wiesenstein‘ stehende Sterbehaus Grabbes veröffentlichte[14]:

In der Halle bauten wir auf [...]. Kaum waren wir fertig, etwa 7 Uhr, kam der Alte
ins Bad, wir gingen in Deckung, die Halle lag im ersten Dämmer des Morgens. Mit
Luchsaugen sah er das Ding wahrhaftig, obwohl es ganz unauffällig zwischen Kamin
und Gästebuch stand. Er lief zu Greten und sagte in ihren Schlaf: ‚ich habe den neuen
Hausgenossen gesehen‘. [...] Ich hätte nicht gedacht, daß man ihm eine solche Freude
macht, ich hätte aber auch nicht gedacht, daß sie sich so schön macht. Er verschleppte
sie natürlich sogleich, und nun steht sie oben auf der Hallengalerie, Schmalseite, den
Fenstern gegenüber. Sie blickt auf die Halle herunter, wirkt ganz entrückt und wie
ein Gott von oben. Er war so glücklich, wie Du es Dir nur denken kannst, und kein
Mensch betritt das Haus, der nicht erst eine Viertelstunde die Büste anschaun muß.[15]

In diesem symbolisch extrem aufgeladenen „klassischen" Ambiente verfasste
Hauptmann am 14. Dezember 1936 – also nur einen Monat nach der Platzie-
rung seines ‚Gottes‘ Goethe auf der Empore – ein bisher ungedrucktes Gedicht,
in dem er den Detmolder und den Weimarer Autor gegenüberstellt. Es wird hier
erstmals aus dem Nachlass ediert:

Grabbe und Goethe:
ein Gott und eine magische Krote.
Ein vergroberter Jean Paul –
und das nur ein Huftritte verteilender Gaul –
Aber auch ein Gaulmensch solcher Art
Mit guten Hufeisen ist sei Gegenwart![16]

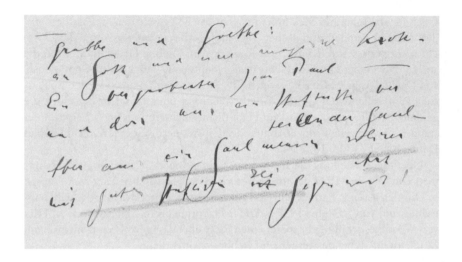

Gerhart Hauptmann, *Grabbe und Goethe*
Staatsbibliothek zu Berlin. Stiftung Preußischer Kulturbesitz
Gerhart Hauptmann Nachlass, 104, Bl. 129r

Offenbar wurde Hauptmann durch die Berichterstattung über die zahlreichen Veranstaltungen, Theateraufführungen und Publikationen zu Grabbes 100. Todestag an ihn erinnert. Zum einen schrieb er das Gedicht *Grabbe und Goethe* in sein Notizbuch, zum anderen las sein jüngster Sohn Benvenuto am Abend des 21. Dezember 1936 „einige Szenen (Schulmstr. Teufel, Gottliebchen etc.)" aus *Scherz, Satire, Ironie und tiefere Bedeutung*.[17]

Der lyrische Sechszeiler ist nicht das Ergebnis der literarischen Hauptbeschäftigung Hauptmanns am Tage, bei der er seinen Sekretärinnen oder Sekretären im Stehen oder Gehen diktierte, sondern eines eigenhändigen Schreibvorganges am späten Abend, und er steht produktionsästhetisch in der Nachbarschaft der ‚Hanswurstgedichte' der 1930er und 1940er Jahre und ähnlicher Verse, die zumeist keinen Eingang in die Ausgabe letzter Hand zum 80. Geburtstag 1942 fanden.[18] Margarete Hauptmann notierte am 5. Dezember 1936 die Äußerung des Dichters: „Du weisst wol [!] nicht, woran ich spät abends jetzt arbeite? Hanswurst's Auferstehung!"[19] Zur Lektüre dieser komischen, oft von ‚Scherz, Satire und Ironie' durchdrungenen kleinen Gedichte gab Hauptmann C. F. W. Behl den Ratschlag: „Man muß Wein getrunken haben, um diese Verse und Reimereien recht verstehen und goutieren zu können!"[20]

Der sarkastisch reflektierende Text *Grabbe und Goethe* ist zwar nicht den monologischen oder dialogischen ‚Hanswurstgedichten' als „Inszenierungen der Dichter-Rolle im Spätwerk Gerhart Hauptmanns"[21] zuzurechnen, folgt aber dennoch ihren Eigentümlichkeiten. Es handelt sich um schnell und flüchtig hingeworfene und später nicht mehr überarbeitete, durchweg gereimte Verse, wobei der Eindruck entsteht, dass der Autor neben der drastischen Lexik und der ungewöhnlichen lyrischen Sprechweise vor allem auf schockierende Endreime setzte. Betrachtet man Hauptmanns lyrische Werke, von denen viele im Hinblick auf die literarische Qualität sicher nicht zu seinen bedeutendsten künstlerischen Leistungen gehören, so ist festzustellen, das für ihn ein Gedicht nur in Versen und mit Endreimen, meist aus Paarreimen, verfasst sein sollte. So reimen sich in *Grabbe und Goethe* auf spektakuläre Weise „Goethe" und „Kröte" sowie „Jean Paul" und „Gaul".

Das Außergewöhnliche des Gedichts ist darin zu sehen, dass Hauptmann zwei Schriftsteller, die die divergierenden literarischen Traditionen in der deutschen Literatur gleichsam typisch repräsentieren, kontrastiert. Was den antiklassischen Kanon betrifft, so wählt er nicht Kleist, Hölderlin oder Büchner aus, sondern Grabbe, den er ansonsten weitgehend ignorierte. Es ist also bemerkenswert, dass der 74jährige deutsche ‚Klassiker' der ersten Hälfte des 20. Jahrhunderts und leidenschaftliche Goetheverehrer ausgerechnet den Goethefeind Grabbe zum Gegenstand literarischer Reflexion macht. Wenn Hauptmann in seinen späten autobiographischen und literaturkritischen Schriften, z.B. im *Theater-Gespräch* (1929), von deutschen Dramatikern sprach, nannte er – neben Goethe und Schiller – immer nur Kleist, Hebbel und Grillparzer, nicht aber Büchner und Grabbe.[22] Und im Übrigen bewegte er sich ohnehin meist auf der internationalen ‚Königsebene', wenn er etwa den deutschen Bühnen empfahl. „Adeln doch immer wieder erlauchte Namen wie Calderon, Shakespeare, Schiller, Goethe, Hebbel, Grillparzer, Ibsen, Strindberg, Kalidasa und andere den Theaterzettel."[23] Bei solchen öffentlichen Nennungen fällt immer wieder auf, dass wichtige deutsche Dramatiker fehlen, übrigens oft auch Lessing, und dass er keinerlei Argumente für die theatergeschichtliche Bedeutsamkeit der erinnerten Autoren anführt.

Nicht zufällig dürfte sein, dass Hauptmann einen weiteren Autor der nichtklassischen deutschen Literatur, einen prominenten und in seiner Zeit vielgelesen Antipoden Goethes in die lyrische Struktur integriert: Die „magische Kröte" (Grabbe als rätselhafter, kleiner ‚böser' Mensch) ist ein „vergroberter Jean Paul". Jean Paul begleitete Hauptmann – wie Peter Sprengel zeigte[24] – von der ersten Lektüre des *Titan* 1884 in einem römischen Krankenhaus, wo er sich „in und mit seiner göttlichen Seele und Schöne" erholte[25], bis zur Novelle *Mignon* (1939 bis 1944), die sich eingangs topographisch auf den Roman bezieht. Besonders intensiv beschäftigte er sich mit dem *Titan* während eines Aufenthalts in Stresa am Lago Maggiore im Sommer 1937, an dem Ort also, den er zu Beginn des Romans in seiner faszinierenden südlichen Schönheit beschreibt. Ins Tagebuch trug Hauptmann hingegen ein: „Ich komme wieder nicht weiter in Jean Paul, es ist alles zu wirklich, verkrüpelt [!], eng, verwaschen, und darum krank, bleichsüchtig [...].“[26] Und am 14. September entstand dann ein Gedicht, das intentional und kompositorisch *Grabbe und Goethe* ähnelt:

> Ich fürchte, Jean Paul ist unerkannt:
> Er ist ein bittrer, bittrer deutscher Musikant.
> das deutsche Sein und immerwährende Erdbeben:
> lässt sich an ihm wohl am besten erleben.[27]

Ein Jahr später, im November 1938, schloss Hauptmann seine immer wieder abgebrochene *Titan*-Lektüre mit den Worten ab: „Hier bin ich ganz Goethe.“[28] *Mignon* fundiert die Verehrung des Weimarer Klassikers, dessen *Italienische Reise*, *Wilhelm Meisters Lehrjahre* und *Faust* er in der phantastischen und sensiblen poetischen Dichtung imaginiert. Peter Sprengel resümiert: „Nachdem Jean Pauls Roman versagt hat, wird Goethes Drama dem Stresa-Aufenthalt tieferen Sinn verleihen.“[29]

Wie Jean Paul in der epischen Gattung, so ist Grabbe in der dramatischen ein „bittrer, bittrer deutscher Musikant", der das „deutsche Sein" in der europäischen Restaurationsepoche als „immerwährende[s] Erdbeben" wahrnahm und abspiegelte. Trotz aller geistigen und literarischen Unterschiede ähneln sich beide Schriftsteller in ihrer antiklassischen Grundhaltung und vor allem in ihrem ablehnenden Verhältnis zu Goethe. Dieser hatte in dem Gedicht *Der Chinese in Rom* (1796) den literarisch erfolgreichen Jean Paul von der Warte der klassischen Ästhetik wegen angeblicher Formlosigkeit attackiert, indem er die alternativen Befunde „gesund" und „krank" zu seiner Kennzeichnung heranzog.[30] Insofern bewegt sich Hauptmanns zitierte Charakterisierung des *Titan* als „krank, bleichsüchtig" in dieser künstlerischen Terminologie. Jean Paul sandte seine ersten Romane *Die unsichtbare Loge* (1793) und *Hesperus oder 45 Hundsposttage* (1795) nach Weimar[31] – ebenso wie Jahrzehnte später Grabbe seine frühen *Dramatischen Dichtungen* (1827)[32]. In beiden Fällen hielt Goethe eine Antwort für nicht erforderlich.

In Hauptmanns Gedicht stehen Grabbe und Jean Paul für die moderne Literatur während und nach der klassisch-romantischen ‚Kunstperiode'. Der Dramatiker kann deswegen als ein „vergroberter Jean Paul" angesehen werden, weil sich seine Tragödien, wie es Ludwig Tieck im Brief vom 6. Dezember 1822 formulierte, „im Entsetzlichen, Grausamen und Zynischen" gefallen und einen „unpoetischen Materialismus" (I, 4-5) erkennen lassen. Die aggressiven

Intentionen und Potenzen der kritischen Theaterstücke Grabbes vergleicht Hauptmann mit den „Huftritte[n]" eines „Gauls" – eines „Gauls", weil sich das Wort auf „Paul" mit einer satirischen Pointe reimen sollte. Solche radikalen und daher für ihn letztlich unproduktiven gesellschaftskritischen Impulse eines literarischen „Gauls" lehnt Hauptmann ab, sein „Gaulmensch" verweist indessen metaphorisch auf den Zentaur der griechischen Mythologie, der „mit guten Hufeisen" humane Wirkungen in der „Gegenwart" erreichen möge. Er spricht sich also nicht generell gegen literarische „Huftritte" aus. Entscheidend dabei seien vielmehr die „guten Hufeisen". Diese Strategie ist plausibel, weil im schlesischen „volksprachlichen Wortschatz" der „Gaul" die Bedeutung eines „Springhengstes" und eines „schönen" Tieres besitzt.[33] Dadurch erlangt das Gedicht eine überraschende Identität von volkstümlicher und mythologischer Semantik: Realer „Gaul" und idealer „Gaulmensch" bilden insofern die wirkungsästhetische Klammer des Gedichts.

„Man muß Wein getrunken haben, um diese Verse und Reimereien recht verstehen und goutieren zu können!", gab Hauptmann für die Lektüre zu bedenken. Auch wenn man sich auf die Ästhetik der metrischen Sprache einlässt – sie ,goutiert' – bleibt der referentielle Widerspruch zwischen den ersten beiden Zeilen problematisch, der durch die Findung des Reims verursacht sein mag:

Grabbe und Goethe:
ein Gott und eine magische Kröte.

Sprachnormativ könnte Grabbe der „Gott" und Goethe die „magische Kröte" sein, was freilich der weiteren rhythmischen Fügung der lyrischen Bilder widerspräche, zumal am Ende der ersten Zeile ein Doppelpunkt steht, der „ein Gott" durch Kleinschreibung unmittelbar an „Goethe" anschließt. Der Autor verkehrte also um des Reimes Willen die übliche Beziehung zwischen beiden Nomen, und so stellt Goethe den „Gott" und Grabbe die „magische Kröte" dar, die dann in der dritten Zeile mit Jean Paul identifiziert wird.

Hauptmanns Gedicht ist auch bei einer Einlassung auf die Ästhetik der in den späten Abendstunden produzierten Texte künstlerisch kein Meisterstück. Im Gegenteil: Es ist eine seiner schwächsten lyrischen Dichtungen. Deshalb nahm er *Grabbe und Goethe* nicht in die „Ausgabe letzter Hand" zu seinem 80. Geburtstag 1942 auf, die übrigens nur einige wenige Gedichte dieser Jahre enthält – ebenso wie die Centenar-Ausgabe. Das Gedicht verdiente trotzdem in einer Studie zu den Spuren Christian Dietrich Grabbes bei Gerhart Hauptmann Interesse, weil es ein solitäres Dokument einer literarischen Rezeption darstellt.

III

Dass die Abfassung eines grobianischen Gedichts über Grabbe, Goethe, Jean Paul und einen Gaul eigentlich nicht mit der kultivierten Arbeitsatmosphäre im ‚Wiesenstein‘ übereinstimmte, bezeugt wiederum Erhart Kästner, der im Januar 1937 über den 74jährigen Dichter bemerkte:

> Verschmäht alle Surrogate. Liest nicht Phantasiefutter. Liest überhaupt nicht ‚Literatur‘, nie kleinere Geister, nie moderne Schriftsteller (früher allerdings doch) immer nur ihm Bekanntes, Essentielles, Schweres. Buddha während er krank ist, die völlig zerlesenen Bände. Dann entdeckt er wieder mal Herodot [...].[34]

Und weiter über Hauptmanns Dichtungen:

> Es offenbart sich eben nun, bei nachlassender Quellkraft und bei der eintretenden Ermattung, daß in ihm die klaren, sozusagen klassischen Mächte so wenig Raum haben. Es ist alles auf Nächtigkeit, Dumpfheit und Außervernünftigkeit gebaut bei ihm, seine ganze Größe ist chthonisch.[35]

Kästner nahm sehr genau den gravierenden Widerspruch zwischen Hauptmanns letztlich unproduktivem Kult Goethes und dem produktiven wissenschaftlichen, kulturellen und künstlerischen Schaffen des Weimarer Klassikers wahr. Die entscheidende Differenz zwischen beiden bestehe darin:

> [...] das Klare, Menschlich-Bewußte, die Ueberschau, die Erfahrung und alles das was bei ihm an Rezeptivem da ist, Naturwissenschaft, Kunsterfahrung, das Objektive und das Urteil... das alles fehlt ja bei unserem Vater eben doch gründlich [...].[36]

Gerhart Hauptmann hat Goethe, mit allen von Kästner formulierten Einschränkungen im Hinblick auf die nicht universelle Tätigkeit des ‚Vaters‘ vom ‚Wiesenstein‘, seit den 1890er Jahren als den Repräsentanten der deutschen Nationalliteratur glorifiziert. Schon im Tagebuch vom 20. September 1892 steht emphatisch: „Einer der größten Religionsstifter ist für mich Goethe.“[37] Und bereits 1894 schuf er das hymnische Gedicht:

> Auf meinen Knien liegt ein Buch,
> Das Buch der Schönheit und der Stärke,
> Die Bibel der Zukunft, deutscher Geburt:
> Goethes sämtliche Werke.

Und daß ich ein Deutscher geboren bin,
Des will ich im Tiefsten mich letzen.
So bin ich ein Erbe von diesem Buch
Und seinen unendlichen Schätzen.[38]

Am 1. August 1897 pointierte Hauptmann in eben diesem Sinne: „Goethe: Hoherpriester [!] der Deutschen."[39] Und wenige Tage später, am 16. August, begründete er:

Goethe war ein Bildner und letzten Endes Menschenbildner. Seine Prometheus-Hand hatte nicht Marmor als Material, sondern schon Fleisch und Blut, ‚Menschen'! An sich, in sich und aus sich wirkte er schaffend, das Prometheuswerk gleichsam fortführend, halbgöttlich.[40]

In den Tagebüchern, Reden und Schriften, vor allem zur Zeit der Weimarer Republik, zumal im Gedenkjahr 1932, wird dieser programmatische Bezug auf Goethe und seinen an der Antike orientierten Humanismus befestigt, vertieft und an einzelnen Werken erläutert. Den Höhepunkt bildet Hauptmanns berühmte große Rede *Goethe* an der Columbia-Universität New York am 1. März 1932, die er danach in Deutschland mehrmals gehalten hat, jedoch nicht in Weimar.[41]

Der für Hauptmanns Rhetorik charakteristische Text ist tendenziell autobiographisch strukturiert. Hauptmann exponiert ihn mit der Vergegenwärtigung seiner Wanderung von Jena nach Weimar im Jahre 1883, um dann die Welt Goethes im Haus am Frauenplan exemplarisch zu paraphrasieren. Seine Feststellung „Individuum est ineffabile" mündet in der symbolischen Weiterung die „Persönlichkeit ist ein Mysterium".[42] Von Goethes poetischen und naturwissenschaftlichen Werken wird vor allem *Faust* als für die Gegenwart beispielgebendes Werk gewürdigt. Die immer wieder zwischen Biographie und Werk oszillierende Rede gipfelt schließlich in der Verkündung der neuhumanistischen Bildung des Menschen:

Die Welt wird weder mit Gold noch durch Gewalttat erlöst, sondern allein durch Menschlichkeit, durch Menschenachtung, durch Humanität. [...] Nicht Revolutionen bringen die Fortschritte, aber eine immerwährende, wie das Leben selber gegenwärtige, stille Reformation.[43]

Dass Hauptmann, bei allem Bekenntnis zur Nationalkultur, Goethe als Ereignis einer internationalen geistigen und ästhetischen Interaktion begriff, dokumentiert seine am 28. August 1932 in der Frankfurter Paulskirche gehaltene Rede *Der Geist der Kultur*, in der er ausführte:

Wer, der an Goethe denkt, denkt nicht zugleich an Homer, Dante, Shakespeare, Herder, Kant, Spinoza, Diderot, an griechische Tempel und gotische Dome, an Ossian und das Bibelbuch, an Galilei, Newton und Kepler und so fort. [...] Nationalkulturen sind vielleicht national getrennt; kulturell, also durch den Reichtum und Überfluß im Geist, aber immer verbunden.[44]

1932 war nicht nur ein Goethe-Gedenkjahr, in dem am Ende der Weimarer Republik versucht wurde, den Humanismus der Klassik gegen die drohende nationalsozialistische Diktatur gesellschaftlich zu aktivieren, sondern auch das Jahr des 70. Geburtstags von Hauptmann, sodass die nationalen Ehrungen des Klassikers mit denen eines allgewärtigen zeitgenössischen Repräsentanten eine Einheit bildeten.

Sowohl das Goethe-Bild Hauptmanns als auch sein Kunstverständnis besitzen eine religiöse Dimension, die der zum Sakralen tendierenden Kanonisierung der Weimarer Klassik in Deutschland seit dem ausgehenden 19. Jahrhundert entsprach. „Meine Kunst ist meine Religion!", gestand Hauptmann in der Ansprache *Kunst ist Religion* während seiner Geburtstagsfeier in der Berliner Messehalle am 14. November 1932 und nannte historische Beispiele, in deren Tradition sich der Jubilar zu bewegen meinte: „Bachs Musik, Dantes ‚Göttliche Komödie', die plastische Kunst Michelangelos und Goethe ‚Faust' [...]."[45] In diesem kulturgeschichtlichen Kontext ist der „Gott" in *Grabbe und Goethe* der Weimarer Klassiker, der 1932 – wie der Autor selbst – reichsweit glorifiziert wurde und literarisch nichts mit der „magischen Kröte" aus Detmold gemein hatte.

Am 14. April 1945 verfasste Hauptmann, im Zusammenhang mit wiederholter, genauer Lektüre der Edition des *West-östlichen Divan* von Ernst Beutler[46], ein letztes Gedicht über Goethe, nachdem er bereits 1941 in *Iphigenie in Delphi* das klassische Humanitätskonzept angesichts des Zweiten Weltkrieges zurückgenommen hatte[47]:

Entschuldige, Goethe,
ich nenne nicht mehr deine Historie ein Wunder,
sondern Plunder.
Die Welt ist zu blutig und zu dumm:
wir kommen um diesen Punkt nicht herum.[48]

IV

In einem Dankeswort zu seinem 70. Geburtstag findet sich die einzige öffentliche Erwähnung Grabbes durch Hauptmann. Im Herbst 1932 nahm er an mehreren Veranstaltungen im Rheinland teil, und am 24. November verwies er

in der *Rede in Düsseldorf* nach Aufzählung der Stationen seiner „Wallfahrten"
zu Goethe in den USA und in vierzehn Städten in Deutschland (die geradezu
„Wallfahrten" zu ihm selbst darstellten) auf Grabbe. Hauptmann sprach über
das spannungsvolle Verhältnis der Produktion der ‚materiellen' Güter zu den
„Musen und Grazien" in der Rheinmetropole:

> Ich weiß, wo ich bin: inmitten eines zyklopischen Industriebezirks, eines der gewal-
> tigsten Phänomene des dämonischen, flammenspeienden Arbeitsgeistes moderner
> Zeit, eines urmächtigsten Ausbruchs des Elementaren, wogegen gehalten Musen und
> Grazien, inbegriffen die schönen Künste, zur lautlosen Schwäche verdammt scheinen
> und alle anderen als materielle Arbeitsideale sich, wie man denke sollte, kaum durch-
> setzen können.[49]

Der „lautlosen Schwäche", zu der die „schönen Künste" in der industriellen
Großstadt der Gegenwart „verdammt scheinen", stellte Hauptmann einige
Repräsentanten ihrer kulturellen Vergangenheit entgegen, wenn er hoffte:
„Immer wieder mögen Leute in Düsseldorf wirken wie Immermann, Grabbe,
Freiligrath, und die musikalischen Dichtungen unsrer deutschen Meister mögen
ebenso weiter gehört werden."[50]

Der literarisch und theatralisch außerordentlich erfolgreiche Autor Hauptmann, von dem in der Jubiläumsspielzeit 1932/1933 allein 62 [!] Inszenierungen von *Vor Sonnenuntergang* und 175 [!] Inszenierungen aller seiner Dramen
auf den etwa 100 deutschsprachigen Bühnen zu erleben waren[51], stellte Grabbe
in eine Reihe mit Karl Immermann und Ferdinand Freiligrath. Hatte der seit
1827 in Düsseldorf als Landgerichtsrat tätige Immermann von 1834 bis 1837 das
Stadttheater zu einer in Deutschland aufsehenerregenden „Musterbühne" in der
Tradition Hamburgs, Mannheims und Weimars entwickelt[52], so reduzierte sich
die Anwesenheit von Freiligrath auf wenige Monate zwischen Mai und Oktober
im Revolutionsjahr 1848, bevor er in Köln in die Redaktion der *Neuen Rheinischen Zeitung* von Karl Marx eintrat, um einige Jahre später wieder ins Ausland
zu emigrieren. Grabbe hingegen, der immerhin von 1834 bis 1836 in der Stadt
lebte, vollendete *Hannibal*, begann *Die Hermannsschlacht* und würdigte Immermanns Projekt in der Abhandlung *Das Theater zu Düsseldorf mit Rückblicken auf
die übrige deutsche Schaubühne* (1835), bevor er es in zahlreichen Besprechungen
im *Düsseldorfer Fremdenblatt* (1835/36) vernichtend kritisierte.[53]

Es wäre gewiss provokativ gewesen, wenn Hauptmann vor dem Düsseldorfer
Bildungsbürgertum mit ein paar Worten an den Vormärzdramatiker erinnert
hätte. Es dürfte ihm ohnehin nicht in den Sinn gekommen sein, obwohl er seinem Freund, den in der Stadt ansässigen Schriftsteller Herbert Eulenberg (1876-
1949) begegnete, der seit 1910 literarisch und publizistisch für Grabbe gewirkt

und nach dem Aufruf für ein Denkmal im Jahre 1911 am 12. September 1930 wenigstens die Aufstellung der bronzenen Grabbe-Büste von Ernst Gottschalk im Stadtmuseum durchgesetzt hatte.[54] 1931 veröffentlichte Eulenberg einen Aufsatz über Grabbe[55], und im gleichen Jahre besuchten die beiden Schriftsteller sein Grab in Detmold.[56] Ob Eulenberg mit Hauptmann über Grabbe sprach, ist nicht überliefert, aber wahrscheinlich, weil er sich für seine Stücke begeisterte, die das Theater der Weimarer Republik gerade in ihrer ästhetischen Modernität entdeckt hatte.

Demgegenüber nahm die professionelle Kritik die häufigen Hauptmann-Inszenierungen, zuletzt die Uraufführung von *Vor Sonnenuntergang* 1932 im Deutschen Theater Berlin, keineswegs als ideell und ästhetisch innovativ wahr, wie die naturalistischen Dramen vor der Jahrhundertwende, sondern als höchst traditionell. Herbert Jhering schrieb:

> Vierzig Jahre, in denen Gerhart Hauptmann vom oppositionellen Dramatiker zum offiziellen Dichter Deutschlands wurde. [...] So wurde die Premiere von ‚Vor Sonnenuntergang' zu einer großen, feierlichen Demonstration des bürgerlichen Theaters, zu einer Festvorstellung und zu einem gesellschaftlichen Ereignis (fast könnte man sagen: zu einer Nachfeier des Presseballs).[57]

Und in dem Essay *Die Hauptmann-Feiern* resümierte Jhering die Situation des deutschen Theaters Ende der 1930er Jahre, zumal zwischen dem 60. und dem 70. Geburtstag des Dichters, und stellte heraus, dass man es „versäumte", dramaturgische Tradition und Avantgarde, „das Drama Hauptmanns mit dem Drama Wedekinds und Georg Kaisers und Brechts zu kontrastieren."[58] In diesem ästhetischen Horizont markieren die öffentlichen Auftritte und Reden Hauptmanns zu Goethes 100. Todestag und die Inszenierungen der Dramen zu seinem 70. Geburtstag die Alternative in der Traditionsbestimmung der deutschen Theaterästhetik im 20. Jahrhundert – die Aufnahme und Weiterführung entweder der klassischen Dramaturgie Lessings, Goethes und Schillers oder der nichtklassischen von Lenz, Grabbe und Büchner, die zu Wedekind, Kaiser und schließlich zu Brecht führte.

Obwohl Hauptmann sich in seinen zahlreichen Reden und publizierten Schriften, von der Düsseldorfer Reminiszenz abgesehen, an keiner Stelle auf Grabbe bezog, hat er sich doch seit seiner Jugendzeit mit ihm beschäftigt. Diese sporadische Auseinandersetzung ermöglicht keine Rückschlüsse auf die Wirkung der Dramaturgie Grabbes auf Hauptmanns Werke. Seine naturalistischen Dramen stehen zwar objektiv in der Traditionslinie des von Shakespeare, dem Sturm und Drang und dem Vormärz herkommenden modernen epischen Theater[59], doch ein unmittelbarer Einfluss Grabbes auf sie ist nicht nachzuweisen, zumal er – bei aller Modernisierung – in essentiellen dramaturgischen Parametern (Wirkungsästhetik, theatralischer Illusionismus, Figurenaufbau, geschlossene Dramenform) weitgehend dem klassischen Paradigma folgte.[60]

V

Gerhart Hauptmann las Grabbe zuerst während seiner Breslauer Kunstschulzeit im März 1881 – da war er neunzehn Jahre alt – und zuletzt am 11. und 18. Dezember 1944 – da stand er im 82. Lebensjahr. An diesen Tagen war *Die Hermannsschlacht* seine Abendlektüre, wie Margarete überliefert.[61] In seiner Bibliothek besaß er Oskar Blumenthals „Erste kritische Gesammtausgabe" [!] von Grabbes Werken (1874)[62], die er 1881 und später gelegentlich zur Hand nahm. Grabbes Geschichtsdrama las er in einer Reclam-Ausgabe von 1942.[63] Über sein frühes Grabbe-Verständnis hat sich Hauptmann nicht geäußert, es bleibt also unklar, welche Stücke und mit welchen Eindrücken er sie tatsächlich zur Kenntnis nahm. Die Hauptmann-Chronik vermerkt unmittelbar danach: „Drang zum Drama."[64] Der junge Dichter erinnerte den entscheidenden Impuls für sein dramatisches Schaffen im Tagebuch vom 18. Dezember 1897, allerdings ohne Grabbe zu erwähnen:

> Shakespeare lernte ich zeitig kennen, mit vierzehn oder fünfzehn Jahren, ebenso Kleist, durch die Meininger. Kleist und Shakespeare ahmte ich frühestens nach. Alles drängte zum Drama in mir. [...] Die Vorstellung von ‚Gespenster' im Residenztheater [9. Januar 1887] zeigte mir das wiedererstandene Theater. Von da ab fühlte ich meinen Beruf.[65]

Die damals in ganz Europa berühmte Schauspieltruppe des Meininger Hoftheaters unter ‚Theaterherzog' Georg II. gastierte 1877 in Breslau mit *Macbeth*, *Julius Cäsar*, *Wallenstein* und Kleists *Hermannschlacht*. Als Hauptmann sein erstes historisches Drama, *Germanen und Römer* (1881/82), diktierte[66], kannte er also mindestens Kleists Stück, das er „übertreffen wollte"[67], Grabbes hingegen meinte er, nach seiner (falschen?) Erinnerung erstmals im Dezember 1944 gelesen zu haben. Zu dieser Zeit räumte er immerhin ein,

> daß Grabbe damals schon in der Menschengestaltung und in den Dialogen jene Wirklichkeitsnähe erstrebt habe, die man mit „Naturalismus" bezeichnet und die er selbst erreicht habe. Aber Grabbe sei noch durchaus zwiespältig. Zwischendurch komme bei ihm immer wieder reine Pathetik zum Vorschein.[68]

Erfasste Hauptmann einerseits mit der Wendung „reine Pathetik" tatsächlich
ein ideelles Moment dieses Geschichtsdramas, das seit der Uraufführung 1936
im „Dritten Reich" gerade massiv heroisch-völkisch instrumentalisiert wurde, so
fällt andererseits auf, dass er lediglich die naturalistische „Wirklichkeitsnähe" in
Figur, Dialog und Handlung hervorhob und nicht die avantgardistische Qualität der offenen Form. Vielmehr kritisierte er „die fehlende Formgestaltung"[69],
was seinem dramaturgischen Konservativismus nicht nur in späterer Zeit, sondern schon im Naturalismus entsprach. *Die Weber* (1892) und *Florian Geyer*
(1895) bleiben, bei allen strukturellen Neuerungen im Detail, im Ganzen der
klassischen Dramenform verpflichtet – und das gilt erst recht für die weitgehend
im familiären Milieu angesiedelten *Vor Sonnenaufgang* (1889), *Das Friedensfest*
(1890) und *Einsame Menschen* (1891). Am Beispiel seines Bauernkriegsdramas
bestätigte Hauptmann am 13. März 1944 die problematische Einschätzung der
Dramaturgie Grabbes durch Behl:

> Bei aller Größe im einzelnen muten mich Grabbes Dramen etwa so an, als seien alle
> dem Eindringen in den Stoff gewidmeten, dann aber ausgeschiedenen Florian-Geyer-
> Szenen stehen geblieben.[70]

Abgesehen davon, dass *Germanen und Römer* ebenso Tendenzen „reine[r] Pathetik" erkennen lässt, und zwar im Geiste der problematischen pangermanischen
Mythologie von Wilhelm Jordans *Die Nibelunge* [!] (1874) und Felix Dahns
Ein Kampf um Rom (1876), verwirklicht auch dieses Jambendrama die Regeln
des geschlossenen klassischen Dramas vollkommen. Es ist dramaturgisch nicht
von Grabbe beeinflusst, weder ästhetisch von seiner Dramaturgie noch ideell
von der *Hermannsschlacht*. Hauptmanns Stück, nicht uraufgeführt und einzig
in der Centenar-Ausgabe ediert, besteht aus fünf Aufzügen mit einem umfangreichen individualisierten Figurenensemble, ohne Thusnelda wie bei Kleist
und Grabbe. Es handelt, obwohl es eine leitmotivische Figur namens Osmundis, Tochter des Schmieds von Teutoburg, gibt, zunächst allgemein in Germa-
nien. Die konventionelle Strukturierung des dramatischen Konfliktes zwischen
Römern und Germanen ist daran zu erkennen, dass die Schlacht im Teutoburger Wald erst am Ende des fünften Aufzugs (V/17) beginnt und außerhalb der
Szene stattfindet. Regieanmerkung: „In der Ferne Getöse des Kampfes".[71] Und
kurz darauf wird schon sein erfolgreicher Abschluss vermeldet: „Jünglinge kommen in Waffen, mit Jubel und Gesang, begleitet von vielem Volk."[72] Während
Grabbe eine „fortwährende Schlacht mit abwechselndem Glück" (III, 372) in
räumlichem und zeitlichem Kolorit extensiv ausbreitet, signalisiert Hauptmann
die kämpferische Auseinandersetzung zwischen Römern und Germanen lediglich mit klassischem Bühnenlärm: „Heftiger Blitz und Donnerschlag".[73] Aktiv

handelnde Volksmassen in sozial konkret gegliederten szenischen Räumen, wie in den *Webern*, gibt es genauso wenig wie realistische „Wirklichkeitsnähe" in den von Hauptmann bei der Lektüre von Grabbes *Hermannsschlacht* erinnerten naturalistischen Dramen.

Blieb Grabbe Anfang der 1880er Jahre also ohne Einfluss auf Hauptmanns dramatisches Schaffen, so stellt sich das Verhältnis zu ihm in den naturalistischen Geschichtsdramen differenzierter dar. Die Affinität in der ‚wirklichkeitsnahen' Gestaltung von Sprache, Figur, Milieu und Handlung ist, im Sinne von Hauptmanns spätem Eingeständnis, dabei unstrittig, wobei sie nicht für die gesamte Dramatik Grabbes zutrifft. Als vormärzlichen Vorläufer der modernen Theaterliteratur rezipierte die Berliner Gruppe des Naturalismus um Hauptmann eben Büchner, während für die Autoren um die Münchner Zeitschrift *Die Gesellschaft*, Michael Georg Conrad, Julius Hillebrand, Karl Bleibtreu u. a., Grabbe wichtiger war.[74] Als Gerhart Hauptmann von Ende Januar bis Oktober 1888 bei seinem Bruder Carl in Zürich lebte, war Büchners Grab ihr „Wallfahrtsort", doch die abendlichen Gesprächsrunden, an denen gelegentlich Karl Henckell und Frank Wedekind teilnahmen, der sich bald von Hauptmanns illusionistischer Dramenästhetik abwandte, „kreisen um Nietzsches ‚Also sprach Zarathustra' sowie um Leben und Werk von Lenz, Büchner und Grabbe."[75]

Hauptmanns naturalistische Theaterstücke setzten, bei allen strukturellen Differenzen, intentional die Tradition der späten Geschichtsdramen Grabbes fort. *Die Weber* und *Florian Geyer* verwirklichten ein antiidealistisches geschichtsdramatisches Konzept, dass Brecht als „Durchbruch des Realismus in der modernen Literatur und auf dem modernen Theater" bezeichnete, weil die abgespiegelte Realität nicht „durchidealisiert" sei, sondern in ihrer materiellen Widersprüchlichkeit und Prozesshaftigkeit reproduziert würde.[76] Das betrifft in erster Linie die szenische Darstellung des Verhältnisses von politisch handelnden Individuen und Volksmassen, von Einzel- und Kollektivhelden. In dieser Hinsicht hat Brecht Autoren wie Lenz, Grabbe, Büchner und Hauptmann als Vorläufer des modernen epischen Theaters begriffen.[77]

Trotzdem folgen Hauptmanns Geschichtsdramen *Die Weber* und *Florian Geyer* formal weitgehend den klassischen Regeln. Die thematisierten Aufstände (Weberaufstand 1844 und Bauernkrieg 1525) werden nicht szenisch reproduziert, sondern lediglich durch Teichoskopie knapp berichtet. Bei allem vielfältigen Figurenensemble und einzelnen epischen Elementen ist die dramatische Handlung klassisch strukturiert. Die Aktionsräume sind eingeschränkt und abgeschlossen. Exemplarisch seien einige Handlungsorte in *Florian Geyer* angeführt: Hofstube auf dem Schloss Unserer Frauen Berg bei Würzburg; Kapitelstube des Neu-Münsters zu Würzburg; Trinkstube in einem Gasthaus in Rothenburg. Straßen- und Schlachtenszenen vermeidet Hauptmann gänzlich.

Der letzte Aufzug, der eigentlich die für die Katastrophe des tragischen Helden entscheidende Schlacht zeigen könnte, handelt in einem Saal im Schlosse zu Rimpar: „Es ist Nacht, durch die hohen Bogenfenster schwacher Feuerschein" und „Fernes Schießen".[78] Das ist alles, was vom Bauernkrieg szenisch erfahrbar wird, und Florian Geyer fällt nicht in der Schlacht, sondern wird im Schloss mit einer Armbrust getötet.[79]

Die fünf Aufzüge der *Weber* handeln ebenso ausschließlich in Zimmer, Stübchen, Schankstube, Privatzimmer und Weberstübchen. Noch geschlossener in Raum, Zeit und Figuren, die der Autor zumeist als „Dramatis personae" definiert, sind *Vor Sonnenaufgang, Das Friedensfest* und *Einsame Menschen*. Hauptmanns spätere Dramen sind dann vollkommen klassizistisch, denn: „Dramatische Komposition beruht auf Einheit von Zeit und Ort und ist ebendarum die strengere [im Vergleich zum Epischen]: Logik, Kondensation, Konzentration, Ökonomie, Architektur."[80]

Erst Jahre nach seiner naturalistischen Schaffensphase zitierte Hauptmann erstmals Grabbe, aber nicht eines der dramen- und theatergeschichtlich innovativen Werke wie *Napoleon oder die hundert Tage* oder *Hannibal*, sondern *Scherz, Satire, Ironie und tiefere Bedeutung*, und zwar höchst peripher. Er trug am 1. Dezember 1906, ohne auf die dramaturgische Form der radikal-realistischen Literatur- und Gesellschaftskomödie über die Restaurationsepoche einzugehen, einen Ausspruch des Barons in sein Tagebuch ein: „Gemüthlich? Wo haben sie das jämmerliche Wort her."[81] Es handelt sich dabei um eine Stelle aus der Szene I, 3 „Saal auf dem Schlosse". Der Schulmeister hat von Fräulein Liddy Geld zur Unterstützung der „kranken Marie" erhalten, was den Teufel zu Tränen rührt:

> TEUFEL (sich die Augen trocknend) Ja, es machte mich melancholisch.
> LIDDY Beruhigen Sie sich; es soll sobald nicht wieder geschehn!
> BARON Nein, das ist bei einem Generalsuperintendenten doch höchst singulär!
> WERNTHAL Was meinen Sie dazu, Herr Schulmeister?
> SCHULMEISTER Seine Hochwürden scheinen sehr gemütlich zu sein!
> BARON Gemütlich? Wo haben Sie das jämmerliche Wort her?
> SCHULMEISTER Aus der Zeitung für die elegante Welt [...]. (I, 225)

In welchem Kontext Hauptmann diese ironische Passage verwendete, ist unklar.

VI

Es war im Zusammenhang mit der einzigen öffentlichen Nennung Grabbes in Hauptmanns Düsseldorfer Geburtstagsrede von 1932 bereits angedeutet worden, dass er zusammen mit Herbert Eulenberg 1931 dessen Grab besucht hatte.

Die Reise nach Detmold fand in der Grabbe- und in der Hauptmannforschung bislang keine Beachtung. In den Jahren von 1928 bis 1938 weilten Margarete und Gerhart Hauptmann regelmäßig einige Wochen zur Kur in Bad Eilsen in Schaumburg-Lippe.[82] Hauptmanns Frau litt an einer Augenkrankheit, die der Leiter einer Privatklinik, Dr. Maximilian Graf von Wiser, behandelte. Margarete notierte am Sonntag, 31. Mai 1931, in der für sie typischen Weise:

> Grau, kühl. Start 3 Autos z. Lunch, im Detmolder Hof, Detmold, Einladung Wiser's: Grf, Grfn. Wiser, Dr. u. Fr. von Tippelskirch, G., ich, 4 Eulenbergs 11 Uhr, zurück ½ 5. Besichtigen alte Häuser in Lemgo.[83]

Die Teilnehmer dieser Ausfahrt waren neben dem Chef der Augenklinik seine Gattin Eleonore, der Mitarbeiter von Wiser Dr. Friedrich von Tippelskirch und Frau sowie das mit Hauptmanns befreundete Ehepaar Hedda und Herbert Eulenberg mit ihren beiden Söhnen Anselm und Till. Wie in den meisten anderen Tagebucheintragungen beschränkt sich Margarete Hauptmann auf Informationen über das Wetter, die Reiseumstände, die Mitreisenden, das Essen und Sehenswürdigkeiten. Dass die Reisegesellschaft Grabbes Grab besuchte, ist weder ihrem Tagebuch noch dem ohnehin zu dieser Zeit nur sporadisch geführten von Gerhart Hauptmann zu entnehmen, sondern lediglich einem Bericht in der *Lippischen Landes-Zeitung* vom 2. Juni 1931:

> Gerhart Hauptmann stattete am Sonntag in Begleitung des berühmten Augenarztes Graf Wiser der Landeshauptstadt einen Besuch ab. Die Herren verweilten einige Zeit im Detmolder Hof und besichtigten dann Grabbes Ruhestätte auf dem alten Friedhof. Gerhart Hauptmann weilt augenblicklich zur Kur in Bad Eilsen.[84]

Das Niveau der Berichterstattung dokumentiert noch mehr die *Lippische Tageszeitung*, in der am gleichen Tage zu lesen war: „Der Dichter Gerhardt [!] Hauptmann weilte am Sonntag zum Besuch des Teutoburger Waldes in Detmold und speiste mit Bekannten im ‚Detmolder Hof‘." Keine der beiden Zeitungen hielt es für richtig, den Besuch des damals bekanntesten deutschen Dichters zu nutzen, um mit ihm über den berühmtesten Sohn Detmolds zu sprechen. Aber auch Hauptmann nahm den Besuch an Grabbes Grab nicht zum Anlass, um über ihn zu reflektieren – jedenfalls ist nichts überliefert.

Über den Inhalt der Gespräche im „Detmolder Hof" erfährt man Näheres erst über zwanzig Jahre später in der *Lippischen Landes-Zeitung* vom 15. November 1952. Aus Anlass des 90. Geburtstages des 1946 verstorbenen Hauptmann berichtete die Zeitung ausführlich über seinen Besuch in Detmold und mit einem Foto von 1931. Unter der Überschrift „Begegnung mit Gerhart

Hauptmann. Erlebnisreiche Plauderstunde mit dem großen schlesischen [!] Dramatiker im ‚Detmolder Hof‘" ist vom „Führer [!] des Naturalismus" die Rede, der sich über Detmold geäußert habe:

> Sein ganz besonderes Interesse widmete der damals fast Siebzigjährige dem kulturellen Leben in der ihm bekannten Kunststadt mit reicher Tradition. Er sprach über Ferdinand F r e i l i g r a t h, über Albert L o r t z i n g und Johannes B r a h m s, die mit Detmold sehr eng verwachsen waren.[85]

Nun ist nicht zu verifizieren, ob Hauptmann tatsächlich nur über Freiligrath, Lortzing und Brahms gesprochen hat – das ist jedoch unwahrscheinlich. Es ist für das mediale Verhältnis zu Grabbe im Detmold der Jahre nach dem Zweiten Weltkrieg hingegen symptomatisch, dass er, der im Übrigen mit der Stadt nicht „sehr eng verwachsen war", aus diesem Artikel ausgeblendet blieb. Der Autor von 1952 ignorierte Grabbe deswegen, so ist zu vermuten, weil er es nicht für opportun hielt, an ihn und damit an den nationalsozialistischen Kult in Westfalen-Lippe zwischen 1936 und 1945 zu erinnern.[86] Daher ließ er sich lieber über die Detmolder Theaterintendanten und ihre Hauptmann-Inszenierungen aus. Zum 100. Geburtstag Hauptmanns 1962 wiederholte sich die Berichterstattung über seinen Besuch in Detmold, ebenso ohne ein Wort über Grabbe. Neu ist diesmal die Information, dass der Dichter dem Eigentümer des „Detmolder Hofes", Hubert Wewer jun., der die Reisegesellschaft fotografierte, die gerade erschienene Erzählung *Die Spitzhacke* mit einer persönlichen Widmung schenkte.[87]

Dass Hauptmann in den späten 1930er Jahren, insbesondere als die nationalsozialistische Verfälschung Grabbes in und nach dem Jubiläumsjahr 1936 auf einen Höhepunkt gelangte, zwischen seinem authentischen Werk und der gelenkten öffentlichen Instrumentalisierung im „Dritten Reich" unterschied, verdeutlicht eine Tagebucheintragung im April 1938 über Gespräche mit Richard Strauss am 3. und 5. März 1938 in Genua und Rapallo: „Merkwürdig übrigens Richard Strauss sein Hass und seine Geringschätzung gegen Grabbe. – Grabbe (heut) das grösste Missverständnis."[88] Da sich weder bei Hauptmann noch bei Strauss zum Kontext dieser Tagebuchnotiz weitere Informationen finden, ließe sich über ein Grabbe-Bild des berühmten Komponisten und Dirigenten nur spekulieren. Mehr als „merkwürdig", sondern geradezu unverständlich wäre der „Hass" des Musikers auf den Dichter Grabbe schon, zumal die autobiographischen Quellen und die Schriften von Strauss keinerlei Spuren einer Beschäftigung mit seinem Werk aufweisen.[89] Überdies ist unwahrscheinlich, dass sich Hauptmann und Strauss über die „Grabbe-Tage" 1936 und 1937 in Detmold als Beispiele für die heroische Kanonisierung des Dichters im nationalsozialistischen Deutschland unterhielten, sodass Hauptmann deswegen nach einem Gedankenstrich anfügte „Grabbe (heut) das grösste Missverständnis."

Die Anmerkung dürfte so zu verstehen sein, dass Hauptmann, nachdem er die – für ihn schwer nachvollziehbare – Äußerung von Strauss niedergeschrieben hatte, über den Widerspruch zwischen Grabbes Werk und seiner Verfälschung nachdachte. Dass er die Grabbe-Interpretation im „Dritten Reich" als „das grösste Missverständnis" bezeichnete, setzt eine anhaltende Kenntnisnahme seines Werkes voraus, über das er sich allerdings leider nirgends schriftlich geäußert hat, und zwar nicht nur, weil er es als Gegenentwurf zur Weimarer Klassik begriff, sondern weil er sich mit Schriftstellern der nichtklassischen Tradition in der deutschen Literaturgeschichte ohnehin nicht eingehend auseinandersetzte.[90]

Anmerkungen

1 Dietmar Goltschnigg: Rezeptions- und Wirkungsgeschichte Georg Büchners. Kronberg/Ts. 1975; Georg Büchner und die Moderne. Texte, Analysen, Kommentar. Hrsg. von Dietmar Goltschnigg. Berlin 2001-2004, Bd. 1: 1875-1945; Lothar Ehrlich: Christian Dietrich Grabbe. Leben – Werk – Wirkung. Berlin 1983, S. 87-98.

2 Zu diesem Problem Ariane Martin: Büchner-Rezeption im Naturalismus. In: Literatur für Leser 28 (2005), H. 1, S. 3-15. Zu Grabbe vgl. Frank Höfer: „Ein Sohn des Winters". Die Rezeption Christian Dietrich Grabbes im Naturalismus 1880-1900. Wittersrhlick, Bonn 1994; ders.: Die Rezeption Christian Dietrich Grabbes im Naturalismus 1880-1900. In: Grabbe Jahrbuch 15 (1996), S. 65-88.

3 Innovation des Dramas im Vormärz: Grabbe und Büchner. Hrsg. von Lothar Ehrlich und Detlev Kopp. Bielefeld 2016 (Vormärz-Studien, XXXVIII); darin: Lothar Ehrlich: Grabbe, Büchner und das deutschsprachige Drama seit dem Naturalismus, S. 159-196.

4 Vgl. Ehrlich: Grabbe (Anm. 1), S. 106-107.

5 Ehrlich: Grabbe (Anm. 1), S. 92-98; Grabbe und Büchner (Anm. 3), S. 163-166.

6 Die Auswertung des Nachlasses von Gerhart Hauptmann in der Staatsbibliothek zu Berlin wurde an der Freien Universität Berlin unter Leitung von Peter Sprengel weitergeführt: zuletzt durch die Digitalisierung der Kalenderaufzeichnungen von Margarete Hauptmann 1924 bis 1946 (künftig: TBMH). Für die Bereitstellung bisher unveröffentlichten Materials und Unterstützung bei der Entstehung der Studie gilt Prof. Dr. Peter Sprengel, Dr. Antje Johanning und Heike Liesegang mein herzlicher Dank.

7 Gerhart Hauptmann: Sämtliche Werke (Centenar-Ausgabe). Hrsg. von Hans-Egon Hass. Fortgeführt von Martin Machatzke (künftig: CA mit römischer Band- und arabischer Seitenangabe). Frankfurt a. M., Berlin 1962-1974, Bd. VII, S. 1061.

8 CA XI, 493-494.

9   Walter Schmitz: Das Haus ‚Wiesenstein'. Gerhart Hauptmanns dichterisches Woh-
    nen. Dresden 2009, insbesondere die Kapitel „Eine Dichterresidenz auf dem ‚Wie-
    senstein'" (S. 13-73) und „Vorbild Goethe: Repräsentatives Wohnen und symbo-
    lisches Leben im Dichterhaus" (S. 153-193). Das Zitat S. 16. Im ‚Wiesenstein' sei
    „Goethe als Hausgott – ‚Lar' im altrömischen Sinne – im Bilde gegenwärtig, mit
    seiner monumentalen Büste wie mit Leitsätzen aus seinem Werk im Bildprogramm."
    (S. 171). Hauptmanns Tagebuch vom 28. September 1898 verzeichnet die beispiel-
    gebende Lektüre von: Die Schätze des Goethe-Nationalmuseums in Weimar. Sech-
    zig Tafeln in Lichtdruck ausgew. und erl. von Carl Ruland. Hrsg. von Louis Held.
    Weimar, Leipzig 1887. Tagebücher 1897 bis 1905. Hrsg. von Martin Machatzke.
    Frankfurt a. M. u. a. 1987, S. 218.

10 TBMH, 15. November 1936.

11 Schmitz: Wiesenstein (Anm. 9), S. 63. – Zum bildkünstlerischen Goethekult vgl.
    zuletzt: Jörg Traeger: Goethes Vergötterung. Bilder eines Kults. In: Verehrung, Kult,
    Distanz. Hrsg. von Wolfgang Braungart. Tübingen 2005, S. 93-136.

12 Tagebuch, 5. Januar 1899: „Einen Goethe von Rauch [von Margarete zu Weihnach-
    ten geschenkt bekommen], der mir immer gefallen hatte." In: Hauptmann: Tagebü-
    cher 1897 bis 1905 (Anm. 9), S. 242. Vgl. dazu: „stets bereit, dich nachzuahmen".
    Gerhart Hauptmanns Goethe-Statuette. In: Michael Davidis, Gunther Nickel u. a.:
    Erinnerungsstücke. Von Lessing bis Uwe Johnson. Eine Ausstellung des Schiller-
    Nationalmuseums und des Deutschen Literaturarchivs. Marbach a. N. 2001 (Mar-
    bacher Kataloge, Nr. 56), S. 167-172.

13 Perseus-Auge Hellblau. Erhart Kästner und Gerhart Hauptmann. Briefe, Texte,
    Notizen mit einem Vorwort von Albert von Schirnding. Hrsg. von Julia Freifrau
    Hiller von Gaertringen. Bielefeld 2004, S. 320. Hauptmann habe gesagt: „Ich liebe
    das Bild."

14 Fritz von Woedtke: An Grabbes Sterbehaus. In: Ders.: Weltreise nach Bückeburg.
    Kleine Essays. Hamburg 1942, S. 135-140.

15 Perseus Auge Hellblau (Anm. 13), S. 129. – Über die Wahrnehmung der Büste durch
    Gäste des Hauses gibt es in der Belletristik eine schöne Anekdote: Eine Zeichenleh-
    rerin glaubt, die „mächtige Büste des Dichters [Hauptmanns!] auf der Empore" zu
    sehen. „Oh, sagte der Sekretär, das ist der Goethekopf Angers." Horst Bienek: Glei-
    witz. Eine oberschlesische Chronik in vier Romanen. München 2000, S. 1357.

16 Gerhart Hauptmann: Notizbuch 1934-1938. Staatsbibliothek zu Berlin. Stiftung
    Preußischer Kulturbesitz. Gerhart Hauptmann Nachlass (künftig: GH Hs) 104, Bl.
    129r. Die Staatsbibliothek stellte ein Digitalisat der Handschrift des Gedichtes zur
    Verfügung und erteilte die Abdruckgenehmigung. Für Hilfe bei der Transkription
    bedanke ich mich bei Heike Liesegang (Berlin) und Dr. Ariane Ludwig (Weimar).
    Textkritische Bemerkungen: „Krote" steht statt „Kröte", „vergroberter" hingegen
    dürfte richtig und daher keine Nachlässigkeit sein. In der letzten Zeile strich Haupt-
    mann den Indikativ „ist" und setzte über die Zeile den Konjunktiv „sei". Die Unter-
    streichung der beiden letzten Zeilen mit starkem Rotstift und das Fragezeichen am
    linken Rand stammen offensichtlich von fremder Hand.

17 TBMH, 21. Dezember 1936.
18 Gerhart Hauptmann: Das gesammelte Werk. Ausgabe letzter Hand zum 80. Geburts-
    tag des Dichters am 15. November 1942. Erste Abteilung in siebzehn Bänden. Berlin
    1942.
19 TBMH, 5. Dezember 1936.
20 C[arl] F[riedrich] W[ilhelm] Behl: Zwiesprache mit Gerhart Hauptmann. Tage-
    buchblätter. München 1949, S. 101.
21 Peter Sprengel: Priester und Hanswurst. Inszenierungen der Dichter-Rolle im
    Spätwerk Gerhart Hauptmanns. In: Dichtung im Dritten Reich? Zur Literatur in
    Deutschland 1933-1945. Hrsg. von Christiane Caemmerer, Walter Delabar. Opla-
    den 1996, S. 29-52, hier S. 43-52.
22 CA XI, 1272, 1279.
23 CA VI, 773.
24 Peter Sprengel: Echo aus weiter Ferne. Jean-Paul-Spuren bei Freytag, Meyer, Hamer-
    ling, Hauptmann. In: Jahrbuch der Jean-Paul-Gesellschaft 31 (1996), S. 103-140,
    hier S. 125-140.
25 CA VII, 991.
26 Zit. nach Sprengel: Echo (Anm. 24), S. 134.
27 Ebd., S. 133.
28 Ebd., S. 135.
29 Ebd., S. 138.
30 Goethes Werke. Hamburger Ausgabe in vierzehn Bänden. Hrsg. von Erich Trunz.
    8. Aufl. Hamburg 1967, Bd. I, S. 206.
31 Jean Paul an Goethe, Hof, 27. März 1794 bzw. 4. Juni 1795. In: Jean Pauls Sämtliche
    Werke. Historisch-kritische Ausgabe. 3. Abt., 2. Bd. Briefe 1794-1797. Hrsg. von
    Eduard Berend. Berlin 1958, S. 8 bzw. S. 90. Der Hrsg. vermerkt zum 2. Brief: „Auch
    dieser Brief blieb unbeantwortet. Goethes sandte das ihm dezidierte Exemplar des
    Hesperus am 10. Juni an Schiller mit den Worten: ,Hierbei ein Tragelaph von der
    ersten Sorte.'"(S. 418)
32 Grabbe an Goethe, Detmold, 26. Oktober 1827: „Mit einem unüberwindlichen
    Zagen wag ich dem ersten Dichter der Nation anbei ein Exemplar meiner Jugend-
    werke zu überreichen." (V, 185) In Goethes Bibliothek finden sich die „Dramatischen
    Dichtungen" nicht. Goethes Bibliothek. Katalog. Bearbeiter der Ausgabe Hans Rup-
    pert. Weimar 1958. Dass Goethe die Sendung erhalten hat, geht aus der Existenz des
    Briefes in seinem Nachlass hervor. Goethe- und Schiller-Archiv. Bestandsverzeich-
    nis. Bearb. von Karl-Heinz Hahn. Weimar 1961, S. 104.
33 Walther Mitzka: Schlesisches Wörterbuch. Bd. 1. Berlin 1963, S. 371. Im Unter-
    schied dazu bedeutet ,Gaul' in der deutschen Schriftsprache ein „schlechtes Pferd".
    Kluge. Etymologisches Wörterbuch der deutschen Sprache. Bearb. von Elmar See-
    bold. 25., durchgesehene und erweiterte Auflage. Berlin, Boston 2011, S. 335. Bereits
    im Deutschen Wörterbuch von Jacob und Wilhelm Grimm. Bd. 4. Abt. 1. Leipzig
    1878, Sp. 1567, findet sich zu Gaul: „schon ganz früh, im 14. und 15. Jh., erscheint
    es auch mit der verächtlichen bedeutung, die jetzt im vordergrunde steht."

34 Perseus-Auge Hellblau (Anm. 13), S. 155.

35 Ebd., S. 159.

36 Ebd.

37 Gerhart Hauptmann: Tagebuch 1892 bis 1894. Hrsg. von Martin Machatzke. Frankfurt a. M. u. a. 1985, S. 62.

38 Nicht in einer Werkausgabe, daher zit. nach: Peter Sprengel: Gerhart Hauptmann. Bürgerlichkeit und großer Traum. Eine Biographie. München 2012, S. 262.

39 Hauptmann: Tagebücher 1897-1905 (Anm. 9), S. 34.

40 Ebd., S. 52.

41 CA VI, 836-856. – Das gedruckte Programm der „Goethe-Gedächtnis-Woche" in Weimar vom 20. bis 28. März 1932 kündigte Hauptmann als Redner am 27. März an. Am 20. Januar 1932 sagte er in einem Brief an den Präsidenten der Goethe-Gesellschaft, Julius Petersen, jedoch ab (Goethe- und Schiller-Archiv Weimar, Goethe-Gesellschaft, Nr. 290). Hauptmann traf bereits am 23. März wieder in Bremerhaven ein und nahm an einer Willkommensfeier am nächsten Tag in Bremen teil. Vom 26. bis 28. war er in Hamburg und reiste dann nach Hiddensee.

42 CA VI, 841.

43 Ebd., 855. – Schon in einer Rede an der Berliner Universität zu seinem 60. Geburtstag am 15. November 1922 entwickelte Hauptmann dieses Humanitätskonzept. CA VI, 767-768.

44 Ebd., 866-870, hier 866-867.

45 Ebd., 871-873, hier 872.

46 Johann Wolfgang Goethe: West-östlicher Divan. Hrsg. und erl. von Ernst Beutler. Leipzig 1943.

47 Vgl. Peter Sprengel: „Vor Sonnenuntergang" – ein Goethe-Drama? Zur Goethe-Rezeption Gerhart Hauptmanns. In: Goethe-Jahrbuch 103 (1986), S. 31-53, hier S. 49-51.

48 CA XI, 748.

49 Ebd., 880.

50 Ebd.

51 Gerhart Hauptmann: Diarium 1917 bis 1933. Hrsg. von Martin Machatzke. Frankfurt a. M. u. a.1980, S. 307-308.

52 Vgl. Soichiro Itoda: Theorie und Praxis des literarischen Theaters bei Karl Leberecht Immermann in Düsseldorf 1834-1837. Heidelberg 1990; Lothar Ehrlich: Immermann und die deutsche Klassik. In: Epigonentum und Originalität. Immermann und seine Zeit – Immermann und die Folgen. Hrsg. von Peter Hasubek. Frankfurt a. M. u. a. 1997, S. 19-34.

53 Vgl. Lothar Ehrlich: Grabbes Auseinandersetzung mit dem Düsseldorfer Stadttheater unter Immermanns Leitung (1834/36). In: Immermanns *theatralische* Sendung. Karl Leberecht Immermanns Jahre als Dramatiker und Theaterintendant in Düsseldorf (1827-1837). Zum 175. Todestag Immermanns am 25. August 2015. Hrsg. von Sabine Brenner-Wilczek, Peter Hasubek, Joseph Anton Kruse. Frankfurt a. M. 2016, S. 129-142.

54 Vgl. Alfred Bergmann: Grabbe Bibliographie. Amsterdam 1973, Nr. 2015 u. a.

55 Herbert Eulenberg: Deutsches Pantheon. Christian Dietrich Grabbe. In: Der Vorstoss. Wochenschrift für die deutsche Zukunft 1 (1931), H. 48, S. 1892-1895.

56 Siehe S. 150-152.

57 Herbert Jhering: Von Reinhardt bis Brecht. Vier Jahrzehnte Theater und Film. Berlin 1961, Bd. III, S. 237.

58 Herbert Jhering: Der Kampf ums Theater und andere Streitschriften 1918 bis 1933. Berlin 1974, S. 415.

59 Bertolt Brecht: „Die Linie, die zu gewissen Versuchen des epischen Theaters gezogen werden kann, führt aus der elisabethanischen Dramatik über Lenz, Schiller (Frühwerke), Goethe (*Götz* und *Faust*, beide Teile), Grabbe, Büchner." In: Werke. Große kommentierte Berliner und Frankfurter Ausgabe. Hrsg. von Werner Hecht, Jan Knopf, Werner Mittenzwei und Klaus-Detlef Müller. Berlin, Frankfurt a. M. 1988-1998, Bd. 22, S. 317-318.

60 Vgl. Peter Szondi: Theorie des modernen Dramas. Frankfurt a. M. 1966, zu Gerhart Hauptmann, S. 62-73, zur „konservativen Tendenz" des naturalistischen Dramas, S. 83-86.

61 TBMH, 11. und 18. Dezember 1944.

62 Christ. Dietr. Grabbe's sämmtliche Werke und handschriftlicher Nachlaß. Erste kritische Gesammtausgabe. Hrsg. und erl. von Oskar Blumenthal. Detmold 1874 und Berlin 1875. Staatsbibliothek zu Berlin, Hauptmann-Bibliothek, Sign. 202759 R.

63 Die Hermannsschlacht. Drama. Hrsg. mit einem Nachwort von Alfred Bergmann. Leipzig 1942 (Reclams Universalbibliothek, Nr. 7499). Ebd., Sign. 202760.

64 C[arl] F[riedrich] W[ilhelm] Behl, Felix A. Voigt: Chronik von Gerhart Hauptmanns Leben und Schatten. Bearb. von Mechthild Pfeiffer-Voigt. Würzburg 1993, S. 19.

65 Hauptmann: Tagebücher 1897 bis 1905 (Anm. 9), S. 121.

66 Vgl. Peter Sprengel: Abschied von Osmundis. Die Musen-Dichtungen des jungen Gerhart Hauptmann: Datierung und Deutung. In: Abschied von Osmundis. Zwanzig Studien zu Gerhart Hauptmann. Dresden 2011, S. 9-51; Louis Ferdinand Helbig: Geschichte und Gegenwart in Gerhart Hauptmanns Jugenddrama *Germanen und Römer* . In: Gerhart Hauptmann. Neue Studien zu seinem Werk. Hrsg. von Klaus Hildebrandt und Stefan Rohlfs. Berlin 2014, S. 19-33.

67 CA VII, 883.

68 Behl: Zwiesprache (Anm. 20), S. 261. – Behl, langjähriger Mitarbeiter Hauptmanns, hat 1923 einen Artikel über Grabbe publiziert: Christian Dietrich Grabbe. In: Blätter des Deutschen Theaters Berlin 10 (1923), H. 6, S. 41-43.

69 Behl: Zwiesprache (Anm. 20), S. 205.

70 Ebd.

71 CA VIII, 185.

72 Ebd., 189.

73 Ebd., 185.

74 Ehrlich: Grabbe (Anm. 1), S. 87-92.

75　Eberhard und Elfriede Berger: Carl Hauptmann. Chronik zu Leben und Werk (Carl Hauptmann: Sämtliche Werke. Supplement). Stuttgart, Bad Cannstatt 2001, S. 45.

76　Brecht: Werke (Anm. 59), Bd. 25, S. 442.

77　Vgl. im Sinne des Brecht-Zitats in Anm. 59 zuletzt Lothar Ehrlich: Grabbe und Büchner (Anm. 3), S. 170.

78　CA I, 687.

79　Ebd., 709.

80　„Das Problem des Dramatischen". CA VI, 917-918.

81　Hauptmann: Tagebuch 1906, 140. Peter Sprengel vermerkt in seiner Edition, dass es keine Anstreichungen in der Grabbe-Ausgabe gibt. Gerhart Hauptmann: Tagebücher 1906 bis 1913. [...] Hrsg. von Peter Sprengel. Frankfurt a. M., Berlin 1994, S. 525.

82　Vgl. Sprengel: Hauptmann (Anm. 38), S. 624-634. Die Reise nach Detmold wird nicht erwähnt.

83　TBMH.

84　Diese und die folgenden Zeitungen wurden in der Lippischen Landesbibliothek Detmold eingesehen. Claudia Dahl gilt herzlicher Dank dafür, dass sie die Veröffentlichungen nachwies und Scans davon zur Verfügung stellte.

85　Nr. 265 vom 15. November 1952. Der Autor dieses Beitrags ist A[ugust] K[och]. Da er auf Grabbe nicht eingeht, ist der Artikel nicht in der Bibliographie von Bergmann (Anm. 54) verzeichnet.

86　Vgl. Grabbe im Dritten Reich. Hrsg. von Werner Broer und Detlev Kopp. Bielefeld 1986.

87　Vgl. H[ermann] L[udwig] S[chaefer: Gerhart Hauptmann besuchte Detmold. Nachklang zum hundertsten Geburtstag des unvergessenen Dichters. In: Lippische Landes-Zeitung, Nr. 298 vom 24. Dezember 1962. Die Widmung: „Hubert Wewer jun. Mit bestem Dank für die übermittelten Bilder. Gern werde ich mich immer an den ‚Detmolder Hof' erinnern. Gerhart Hauptmann, Juni 1931, Eilsen."

88　GH Hs 262a, Bl. 82v. Vgl. Franz Trenner: Richard Strauss. Chronik zu Leben und Werk. Hrsg. von Florian Trenner. Wien 2003, S. 587: 3. März 1938: „Bei Vetters mit M. Mautner und Hauptmanns." – 5. März 1938: „Bei G. Hauptmann in Rapallo."

89　Im Richard-Strauss-Institut Garmisch-Partenkirchen werden die „Aufzeichnungen" des Komponisten für eine Edition vorbereitet. Nach Auskunft des Leiters Dr. Jürgen May gibt es im Nachlass von Richard Strauss keinerlei Grabbe-Spuren.

90　Insofern wäre eine Feststellung von Walter Schmitz zu relativieren, jedenfalls mit Blick auf Grabbe: „Gerhart Hauptmann hat aber auch die ‚andere', der Goetheschen komplementäre Tradition in der deutschen Literatur früh geschätzt und sie auch später noch gelten lassen – jene Unbehausten, Frühvollendeten und jung Gestorbenen, wie sie in der literarischen Rebellion der jungen ‚Naturalisten' gleichsam in einen Gegenkanon erhoben wurden, also Büchner etwa, Kleist und Hölderlin." Schmitz: Wiesenstein (Anm. 9), S. 342.

LOTHAR EHRLICH

Peter Hille und Christian Dietrich Grabbe*

Von 1872 bis 1874 ging Peter Hille, der wohl bekannteste Bohemien um die Jahrhundertwende in Berlin, auf das Paulinum in Münster und befreundete sich mit den späteren Theoretikern des Naturalismus Julius und Heinrich Hart, die ebenfalls dieses Gymnasium besuchten. Julius Hart erinnert sich:

> Er verführte uns zuerst in die uns streng verbotenen Kneipen und zu tief in die Nacht ausgedehnten Bierreisen. Überhaupt war er ein höchst undisziplinierter Schüler, und mit dem ganzen Schulgeist stand er auf gespanntem Fuße. Sein Lehrer im Deutschen, August Buschmann, ein vortrefflicher Pädagoge, schüttelte immer wieder über seine Aufsätze traurig den Kopf. „Ihre Arbeit" so meinte er, „ist gewiß von ungewöhnlicher Originalität und von höchstem geistigem Wert. Aber vom Standpunkt der Schule aus muß ich ein Ungenügend darunterschreiben. Sie werden einmal sehr, sehr schwer im Leben zu kämpfen haben."[1]

Und Heinrich Hart resümiert: „Er war unser erster Verführer und verlockte uns in die vom Schulgesetz streng verbotenen Wirtshäuser."[2] Bei allen Parallelen zu Grabbe, der allerdings seine Schulausbildung in Detmold erfolgreich abschloss[3], dürfte der Lebensstil Hilles schon in Münster exzessiver als der Grabbes gewesen sein. Über seine Lektüren in jenen Jahren schreibt Hart: „Die anerkannten Klassiker Goethe, Schiller, Shakespeare berührten ihn weniger. Seine Lieblinge waren vor allem die großen tragischen Gestalten, die Lenz, Hölderlin, Lenau, Grabbe."[4]

Beizeiten konstituierte sich also eine Traditionslinie, die gegen den etablierten literarischen Kanon im Wilhelminischen Kaiserreich opponierte, wie ihn etwa Wilhelm Scherer repräsentierte, aus dem die vermeintlichen Außenseiter der deutschen Literatur vom Sturm und Drang bis zum Vormärz ausgeschlossen blieben. 1883 gestand Scherer in seiner *Geschichte der deutschen Literatur*, dass er Grabbe „bloß lächerlich"[5] fände und konturierte damit die Entstehung seines Bildes in der konservativen nationalen Literaturgeschichtsschreibung des ausgehenden 19. Jahrhunderts. Dass sich gegen diese offizielle Bildung eines klassisch orientierten Kanons die naturalistische Bewegung richtete, fand nicht nur die Zustimmung Hilles, sondern er beteiligte sich publizistisch am Aufbrechen des vorherrschenden germanistischen Dogmas und an der Integration literarischer Außenseiter, denn schließlich fühlte er sich selbst als ein solcher: „Enragierte Literaturschulmeister wie Gervinus[6] und Biedermann[7], die sich sittlich erblöden [!]

über die Günther, Lenz und Grabbe, da wo es auf kulturpsychologische Analyse
ankommt [!], fangen bereits an, stark antiquiert zu werden, und die Urteile lau-
ten nun etwas anders."[8]

Demgegenüber hatte in den 1870er Jahren allerdings schon die Veröffentlichung von Grabbes Werken in Gestalt von zwei Gesamtausgaben eingesetzt
– 1870 von Rudolf von Gottschall im Reclam-Verlag[9] und 1874 von Oskar Blumenthal im Detmolder Meyer-Verlag.[10] Reclams Universalbibliothek brachte
überdies Einzelausgaben von *Herzog Theodor von Gothland* (1869), *Don Juan
und Faust* (1870), *Napoleon oder die hundert Tage* (1870) und *Scherz, Satire, Ironie und tiefere Bedeutung* (1872) heraus. Diese editorischen Leistungen schufen
die notwendige Voraussetzung für die Rezeption Grabbes, die spätestens in den
1880er Jahren im Münchner und Berliner Naturalismus einsetzte und bald eine
ästhetische Programmatik entfaltete.[11]

Dass Peter Hille die Edition von Oskar Blumenthal kannte, ist zwar erst für
das Jahr 1900 belegt[12], doch dürften für den leidenschaftlichen Leser schon
während der Schulzeit mindestens die Reclam-Ausgaben die Grundlage seiner
Grabbe-Kenntnis gebildet haben – falls er nicht in den Bibliotheken im Schloss
Holzhausen und der Gymnasien in Warburg und Münster auch auf Erstdrucke
zurückgreifen konnte. Hille war, wie er selbst gestand, ein „Bücherwurm"[13], der
die antiken Autoren, die italienische, französische, englische und russische Literatur genauso las wie die deutschen Klassiker, aber auch die Autoren des Sturm
und Drang und des 19. Jahrhunderts. Seine stupende Literaturkenntnis geht aus
den Essays und Aphorismen hervor. So enthält die umfangreiche Abhandlung
– mit dem missverständlichen Titel – *Zur Geschichte der Novelle* (1878) kluge
Beobachtungen über viele Werke der europäischen Literatur.[14]

Über das Ausmaß der Lektüre und sein Verständnis Grabbes lässt sich, über
die evidente Identifizierung mit Gestalt und Werk im Sinne von Heinrich
Hart hinausgehend, freilich nur spekulieren. Es existieren leider nur wenige
aussagekräftige biographische und literarische Zeugnisse für die frühe Grabbe-
Rezeption Hilles. Auch die letzten, sehr verdienstvollen Quellen-Publikationen
bringen darüber leider – bis auf einen Brief – keine neuen Erkenntnisse, sodass
sich die Feststellung von Rüdiger Bernhardt für Grabbe nicht weiter präzisie-
ren lässt: „Westfalens literarische Traditionen (Grabbe, Annette von Droste-
Hülshoff, Hoffmann von Fallersleben, Friedrich Wilhelm Weber) und kultur-
geschichtliche Denkmale (Marienmünster, Corvey) waren dem Schüler Hille
Orientierung."[15]

Gibt es im Hinblick auf die Auseinandersetzung mit den genannten Schriftstellern und Orten einige aufschlussreiche Dokumente, so trifft das für das Verhältnis Hilles zu Grabbe – jedenfalls vor der Jahrhundertwende – nur bedingt
zu. In seinem autobiographischen Text *Ich bin ein Sohn der roten Erde* erinnert

er – neben einer Reise mit dem Vater als „dreizehnjähriger Knabe" nach Höxter und Corvey, wo er Hoffmann von Fallersleben sah – auch an Detmold, ohne jedoch Grabbe zu erwähnen: „Detmold mit seinem Marstall, der damals noch leer, ohne Standbild, wie eine Granate im Teutoburger Walde stehende ‚Hermann' und die Urvagabunden versunkener Zeitschichten, die erratischen Externsteine prägten Märchen in dem jungen Sinn."[16] Die Notiz könnte aber auch ein Resultat von Ausflügen sein, die der Tierarzt und Lehrer an der Nieheimer Privatschule Edmund Rave „arrangierte".[17]

Dass Hille in seinen Urteilen über Dramatik und auch über den „westfälischen Großdichter" Grabbe, „den nur zerklüftete Wildheit und Verbitterung dichterisch schädigt"[18], gelegentlich unsicher war bzw. dabei weniger substantielle, sondern mehr individuelle Motive den Ausschlag gaben, zeigt eine Rezension der Dramen seines Freundes Detlev von Liliencron. Über die dramatisch und theatralisch wenig geglückten Stücke des bedeutenden impressionistischen Lyrikers meint er: „Auch ist zum Befremden der dramatischen Genußwelt von heute in sämtlichen Dramen Liliencrons die Wucht der harten charakteristischen dramatischen Stimmung wieder einmal sehr fühlbar. Sie erinnert an Grabbe."[19] Das ist freilich ein Missverständnis. Es scheint so, als ob Hille durch einen Verweis auf den in naturalistischen Zeitschriften prominent rezipierten Dichter die Dramen Liliencrons ästhetisch aufzuwerten bestrebt war.

Ein umgekehrtes Verfahren wählte er in einem Text zu Otto Ludwigs Vorspiel *Die Torgauer Heide* zu dem Drama *Friedrich II. von Preußen* (1844). Hier lobt Hille die Gestaltung des Feldlagers als ein „Idyll", indem er es von Grabbes preußischem Tableau in *Napoleon oder die hundert Tage* (IV, 5) positiv abhebt: „Es ist durchsichtiger, elastischer als die Lagerszenen in Grabbes Napoleon, die zu episch breit und schwerfällig erscheinen, besonders das schwammige Geschwätz zwischen den Lützowern. Grabbe taugte zum Idyll nicht."[20] Hille nahm nicht wahr, dass Grabbe überhaupt kein „Idyll" zu entwerfen, sondern ein regional und kulturell differenziertes militärisches Milieu vor einer Schlacht realistisch zu gestalten beabsichtigte.

Um die Jahrhundertwende häufen sich dann die Zeugnisse einer intensiven und konstruktiven Beschäftigung mit dem Werk Grabbes auf der Grundlage der frühen, sicherlich auch wiederholten Lektüre. Nach dem 20. März 1899 besuchte er die Inszenierung von *Don Juan und Faust* im Berliner Schiller-Theater.[21] Die Auseinandersetzung mit einem seiner literarischen „Lieblinge", vielleicht dem wichtigsten, markieren vor allem zwei Projekte der letzten Lebensjahre: Das eine – der Essay *Grabbe* – wurde vollendet, das andere – die Auswahlausgabe seiner Werke – blieb Idee. Über die geplante Edition schrieb Hille im November 1900 an Ludwig Jacobowski:

Wollen Sie mir von Dichtern für's deutsche Volk meine Landsleute und Freunde
– Liebling ist albern – Annette Droste und Grabbe übertragen? Ganz gleich, ob's
Honorar gibt oder nicht.
Nur in Beziehung auf Grabbe wär's mir erwünscht, da ich dann die 3- bändige Meyer-
sche Ausgabe (durch Blumenthal besorgt) mir anschaffen könnte und daraus besonders aus ‚Gothland', dem Lustspiel, ‚Napoleon' und ‚Hermannsschlacht' – vielleicht
auch etwas Aschenbrödel auswählen würde.[22]

Jacobowski war damals einer der einflussreichsten Publizisten in Berlin, u.a.
Herausgeber der Zeitschrift *Gesellschaft*, und leitete seit 1899 im Café „Nollen-
dorf" in der Kleiststraße den Lesezirkel „Die Kommenden", an dem auch Peter
Hille teilnahm. Besonders verdienstvoll dürfte sein editorisches Projekt *Deutsche Dichter in Auswahl für's Volk* gewesen sein, von dem in Hilles Brief die Rede
ist. Das Vorhaben konnte allerdings schon deswegen nicht realisiert werden,
weil Jacobowski am 2. Dezember 1900 verstarb.[23] Drei Jahre später kam Hille
darauf zurück. Dem mit ihm befreundeten Iserlohner Lehrer und Schriftsteller
Ludwig Schröder, den er häufig besuchte, schrieb er über seine künftigen Pläne:

> Besonders aber ein Buch Hölderlin, vielleicht auch Grabbe,
> sicher Droste. [...] Gewinne ich Verleger, werde ich meinen
> Pennälertraum verwirklichen und den bedeutenden Kranz von
> Sammlungen herausgeben.
> Die großen Westfalen
> 1. kath. Droste
> 2. lutherisch Grabbe.[24]

Da zu diesem Zeitpunkt der Versuch, einen Grabbe-Band herauszugeben,
bereits gescheitert ist, war die Ankündigung von vornherein illusorisch und nur
informatorisch, zumal Hille selbst einschränkte: „Gewinne ich Verleger".

Der Essay „Grabbe" (1901)

Während das editorische Grabbe-Projekt auch an Hilles Unvermögen scheiterte, ausgewählte Dramen mit einer wissenschaftlichen biographischen Einleitung und historischen Erläuterungen herauszugeben – wie es zu dieser Zeit in
Berliner literarischen Kreisen verbreitet war –, ist der Essay *Grabbe* ein Text, der
die tragische Gestalt des Dichters und sein dramatisches Werk konzentriert und
plastisch vorstellt. Er entstand im Zusammenhang mit Grabbes 100. Geburtstag
am 11. Dezember 1901. Warum es Hille nicht gelang, den Essay zu veröffentlichen, obwohl er über Beziehungen zu Verlegern und Redakteuren verfügte, ist

unbekannt. Da sich die maßgebliche Handschrift im Nachlass von Julius Hart in der Stadt- und Landesbibliothek Dortmund befindet, ist davon auszugehen, dass Hille ihm den Text überlassen hatte. Zuletzt bot er ihn im Juli 1902 Wilhelm Schäfer, dem Herausgeber der Zeitschrift *Die Rheinlande*, vergeblich an: „Können Sie Grabbe-Aufsatz und sonst etwas nicht gebrauchen wollen [!] Sie's mir bitte, aufheben."[25] Hille hatte übersehen, dass im Jubiläumsjahr in dieser *Monatsschrift für deutsche Kunst* bereits ein Gedenkaufsatz erschienen war, und zwar ausgerechnet von dem konservativen Arthur Moeller van den Bruck, der den „verirrten Deutschen" Grabbe als exemplarisches Dichterschicksal verstand, dessen Werke für die von ihm entworfene nationalistische Monumentalkunst freilich nicht in Frage kam.[26]

Hilles Essay wurde erstmals 1986 von Friedrich Kienecker in den *Gesammelten Werken*[27] publiziert und im Grabbe-Jahrbuch[28] nachgedruckt. Die Grundlage für die Edition bildete die aus neun paginierten Blättern bestehende, einseitig beschriebene und von ihm unterzeichnete Handschrift Hilles.[29] Die Ausgabe bot den Text modernisiert: „Rechtschreibung und Zeichensetzung wurden behutsam heutiger Praxis angepaßt."[30]

Ein anderes Autograph des Essays befand sich im Hille-Nachlass der Staats- und Universitätsbibliothek Königsberg. Walther Pfannmüller, der 1940 die verschollene Sammlung beschreibt, notiert dazu: „Grabbe. Druck ungewiß. Ms. teilweise entwurfsmäßig, 10 Seiten."[31] Am Königsberger Konvolut fällt auf, dass das Manuskript ein Blatt mehr umfasst als das Dortmunder und zu Recht als „teilweise entwurfsmäßig" bezeichnet wird.[32] In Pfannmüllers Beschreibung einer zu diesem Zeitpunkt bereits vorhandenen Hille-Sammlung in Dortmund ist übrigens von 32 weiteren Manuskripten die Rede, freilich nicht vom Grabbe-Essay.[33]

Das Grabbe-Archiv der Lippischen Landesbibliothek Detmold bewahrt die Kopie einer handschriftlichen Version des Essays auf[34], die nicht mit dem Dortmunder Textzeugen identisch ist, sondern diverse Entwürfe, Streichungen und Einschübe in mehreren Passagen enthält, z.B. eine abweichende Fassung der ersten Seite, die nicht über die Geburts- und Sterbedaten Grabbes informiert, wie die abgedruckte Handschrift, und die wegen des nicht durchgehenden Duktus in der Darstellung offensichtlich eine frühere Textstufe repräsentiert. Der entstehungsgeschichtliche Status der Detmolder Kopie ist hinsichtlich des Verhältnisses zu den Handschriften in Königsberg bzw. Dortmund zu verifizieren, ebenso seine Provenienz, obwohl sich im Grabbe-Archiv keine direkten Hinweise dazu finden. Es dürfte sich wegen des tatsächlich „teilweise entwurfsmäßig[en]" Charakters des Essays und des gleichen Umfangs von zehn Blättern um eine Kopie der von Pfannmüller verzeichneten Handschrift aus dem Königsberger Hille-Nachlass handeln.[35]

Im Kommentar der *Gesammelten Werke* stellt Michael Kienecker zur Essayistik fest: „Hille schreibt vor allem über solche Künstler, zu denen er eine geistige und künstlerische Affinität verspürt: Detlev v. Liliencron, Else Lasker-Schüler, aber auch Christian Dietrich Grabbe oder Gottfried Keller."[36] Und er spricht mit vollem Recht von Hilles „essayistischer Begabung".[37]

Diese Wertschätzung gilt im hohen Maße gerade für den Grabbe-Essay, der hier nach dreißig Jahren nochmals veröffentlicht wird. Winfried Freund formuliert 1986 als Editionsprinzip: „Die vollständige nachstehende Wiedergabe des Textes folgt im wesentlichen [!] der Lesart Kieneckers."[38] Die kritische und kommentierte Edition des Essays im vorliegenden Jahrbuch basiert hingegen auf Hilles eigenhändiger Reinschrift des Essays[39] und reproduziert den Text in originaler Gestalt. In Rechtschreibung und Zeichensetzung wird nicht eingegriffen. Die Absätze in der Handschrift werden konsequent übernommen, Zeilenfälle jedoch nicht beibehalten, Blattwechsel durch senkrechte Striche markiert. Textliche Veränderungen Hilles sind in den Lesarten verzeichnet. Die beigegebenen Faksimiles vermitteln einen Eindruck des charakteristischen Schriftbildes.

Grabbe.

(Geboren am 11. Dezember 1801 zu Detmold, gestorben ebenda am 12. September 1836.)

Noch immer lebt seine Tradition fort in der Teutoburger Stadt.

5 Aber nicht etwa wie in Weimar, der Stadt geistiger Pietät man des Musenhofes gedenkt.

Detmold fühlt anders. Frisch wie vor siebzig Jahren ist noch der Haß und die Abneigung des Philisteriums und der Kleinstadt gegen die schroffe Größe des unseligen Menschen, der hier seine Lebensjahre beschließen mußte vor den Augen

10 seiner hämischen Mitbürger, die sich freuten, den Verwegenen zu quälen, der früh aus ihrem Kreise fortstrebte, der aber bald hilflos wieder unter sie zurückfiel.

Einsamkeit und Trotz, Mangel an Anregung trieb zum Trunk, und der Trunk hetzte immer tiefer in Verbitterung und Zerfall hinein.

Weist man nun die Eingeborenen auf ihre Berühmtheiten hin, auf Grabbe

15 und Freiligrath, da lassen sie allerdings Freiligrath gelten. Grabbe indeß ist ihnen nur ein Schandfleck ihrer guten Stadt, und sie nennen ihn nicht anders als den „verrückten Grabbe".

Nur im Museum findet er sein Recht, da steht seine Büste neben der Freiligraths, grade wie in der Wehnder Gasse sein Sterbehaus neben dem Geburtshause

20 Freiligraths steht.

Als ich vor fünfzehn Jahren in Detmold den Spuren der beiden Dichter nachging, wohnten in dem einen Hause |2| ein Schuster, im andern ein Schneider.

Herren, die ich nach den nahe neben einander liegenden Grabstätten Grabbes und seiner erst lange nach dem Hinscheiden ihres unglücklichen Sohnes

25 hochbetagt gestorbenen Mutter fragte, wußten keinen Bescheid; ein Schlossergesell, sein Handwerkszeug in der rissigen Hand, gab Auskunft.

Im Museum waren neben einer Gedichthandschrift von Freiligrath besonders merkwürdig jugendlich steife Dank- und Bittbriefe des jungen Menschen an seinen Vater und an seinen Gönner Klostermeier. Die Bittbriefe betrafen

30 Schulklassiker, so Cicero's „de officiis" und „de oratore", aber auch einige Bände Shakespeare-Übersetzung.

Ergreifend wegen des schönen Wahnes, der sich darin ausspricht, wirkt ein Brief des Vaters an den Berliner Studenten: er soll einen Riesenerfolg mit seinem „Herzog Theodor von Gothland" gehabt haben und als Dichter am königlichen

35 Schauspielhause angestellt sein mit einigen tausend Talern als Jahresgehalt.

So hatte die Legende den jungen, von Gönnern, aber auch durch die unerhörtesten elterlichen Opfer erwerblich fruchtlos aufgezogenen Geist mit märchenhaftem Glück |3| geschmückt; einem Glück, wie's nur die Ferne anzudichten vermag.

Nein, du armer Zuchtmeister Grabbe, dein Christian Dietrich war kein

40 Theaterdichter! Nur einmal ward zu Grabbes Lebzeiten ein Drama von ihm, der

Peter Hille *Grabbe*, Bl. 1
Stadt- und Landesbibliothek Dortmund, Julius Hart-Nachlass, Sign. Atg, 10047

„Don Juan und Faust" auf der elenden Wanderbühne seiner Heimat aufgeführt; er mußte froh sein, daß seine Werke nur gedruckt wurden.

An Honorar irgendwelcher Art gar nicht zu denken! Nur ein bald mißglückender Versuch, mit von Immermann bezahlten Kritiken über dessen Düsseldorfer Bühne sein Leben zu fristen, könnte allenfalls unter litterarischen Erwerb fallen.

Die Sache konnte nicht gehn. Der beamtenmäßige Ordnungssinn (Oberhof) des Apellationsgerichtsrats Immermann und die geniale Unordnung des davongejagten Auditeurs Grabbe vertrugen sich ebensowenig miteinander wie die direktoriale Reizbarkeit des zu Konzessionen an's Publikum gezwungenen Auftraggebers und seiner in ihrer Ebenbürtigkeit fortwährend verwundeten, sich zurückgesetzt fühlenden Schreibkraft, die Schund lobend besprechen sollte, wo die eigenen gigantischen Werke des Dichters nicht die mindeste Beachtung fanden.

Kein Wunder, daß sich namenlose Aufregung in Form und Inhalt des Briefes verrät, in dem Grabbe seiner nach ihrem Sohne sich sehnenden Mutter verbietet, zu ihm nach Düsseldorf zu kommen.

Die sonderbarsten Gründe greift er auf:

„Was willst du hier, wo alles katholisch ist, da du doch Katholisches gar nicht ausstehn kannst?"

Die letzte Reliquie stammt aus den letzten Tagen des Dichters. |4| Es sind einige mit Bleistift hingewühlte Dankzeilen an seinen Jugendfreund Justizrat Petri, der ihm zur Spazirfahrt einen Wagen zur Verfügung gestellt hatte.

Da ist nichts mehr darin als äußerster Verfall, nichts mehr von dem Lapidarismus, der seinen Schriftzügen sonst eigen war, „kopfschwere Buchstaben, die ihr Gewicht fühlen", wie sie Adolf Henze, der frühere Graphologe der „Leipziger Illustrirten Zeitung" so treffend bezeichnet.

Grabbe (Grabbe, Grab) ist ein Sohn des Winters: in der ersten Hälfte des Dezembers vor nunmehr hundert Jahren geboren, endete er kaum mehr als ein Menschenalter darauf sein gequältes zerrüttetes Dasein.

Es ist möglich, daß das Fieber des Alkohol seinen ungeheuren Werken die Züge in's Maßlose verzerrte; es ist möglich, daß das Grinsen einsamen Grimmes noch herber ausfiel unter der tobenden Lethe des Trunkes: das wollen wir nicht vergessen, wir haben es hier mit Werken zu tun, die mitten in ihrer etwaigen Zerrüttung noch gewaltig zu ragen wissen.

Vers und Melodik waren dieser Cyklopenkraft versagt; wollte er gefühlsmäßig wirken, so ward es läppisch, das heitere Märchenartige, fabulirend Phantastische, wie es seinen romantischen Tagen eignete, mit denen er so eigentlich gar nichts gemein hatte, |5| gemein haben konnte, war ihm versagt.

Konnte nun auch aus dem stille Beschaulichkeit zu seiner Entstehung erheischenden, gedankenhohen Faust eben so wenig etwas werden, wie aus dem

Peter Hille *Grabbe*, Bl. 4

freien deutschen Welthumor des Tyll Eulenspiegel in so gequetschter Lage, oder
der anmutigen, leicht federnden Genußkraft eines Don Juan, wofür der Dichter nur eine abgewiesene Liebe und eine aus gesellschaftlicher Eitelkeit vollzo-
gene Gönnerehe mit einem angejahrten Blaustrumpf, in die Wagschale werfen
85 konnte, dazu den Rausch in seiner plumpsten Gestalt, den Rausch als Surrogat
– Menschen mit düsterem Schicksalsschritt ward die einsame Kraft dieses Ath-
lethengeistes [!] in schwächlichem Körper um so eher gerecht.

Da haben wir das einen ganzen starken Band einnehmende dramatische Epos
„Napoleon", ein Panorama der Weltgeschichte, das seines Gleichen sucht.

90 „Barbarossa" und „Heinrich der Sechste" sind deutsche Dramen; das erste
voll blonder Urkraft und Stärke blauer treuer Augen, das andere voll des dämo-
nisch blendenden Zaubers des treulosen Südens in der gewalttätigen Seele Heinrich des Sechsten. Eine herrliche Episode darin der durch ein blutrotes Abendrot
angekündigte Fall der ebenso wohlbehäbigen, wie treulosen niedersächsischen
95 Hansastadt Bardowieck – vestigia leonis.

Das erste Drama aus der Zeit der Hoffnungslosigkeit ist „Hannibal" mit seiner bittern Gestaltungskraft voll fanatischem Molochtums.

Grabbe war der Poet seines Verfalls; seines eigenen, persönlichen, bitter am
eigenen Leibe empfundenen Verfalls – nicht wie jetzt bei einigen |6| Jüngelchen
100 Unzufriedenheit der Millionen, Mißvergnügen des Besitzes und irgendwie in
der Luft liegende Verfall.

Die Sachen aus seiner aufstrebenden Hoffnungszeit haben zum Teil etwas
Künstliches, lassen die innere Freudigkeit, der auch die echte Tragik nicht entra-
ten kann, das Untergehen mit Begeisterung, vermissen oder entbehren der Ein-
105 heit, des richtigen Stoffes.

Einige schwächere Dramen, die sich auch von Tieck wenig unterscheiden,
wie „Aschenbrödel", übergehe ich. „Herzog Theodor von Gothland" ist auch
dem Umfange nach ein ungeheures Schreckensdrama, ein Drama des Hasses[,]
des gegenseitigen Vernichtens und einer wahren Wollust der Verdammnis, es
110 erinnert in Grausamkeit an die blutgierigsten Genossen des Speerschüttlers von
Avon, übertrifft sie und auch ihn in dieser Art – an Folgerichtigkeit und Wucht
des bösen verbitterten Geistes. Grabbe hatte die Arbeit schon als Primaner in
seiner Vaterstadt begonnen.

Das Scherzspielchen: „Scherz, Satire, Ironie und tiefere Bedeutung[!] ist ein
115 krauses Ding voll springender Witzkraft, aber doch ohne rechten Inhalt.

Wo grade die tiefere Bedeutung stecken soll, ist mir unerfindlich.

Ich glaube, die ganze Sache ist auch mehr ein Brandopfer auf dem Altare der
Romantik.

Es ist nur ein Stück Anlage, ein Befähigungsnachweis, eine Löwenklaue – aber
120 der dazu |7| gehörige Löwe, der Löwe des höhern Lustspiels ist ausgeblieben.

Er konnte das Klima nicht vertragen.

„Don Juan und Faust" ist mehr eine künstliche Nebeneinanderstellung als Durchdringung des Lebens und Gegenüberstellung seiner Pole.

Übrigens ist der Spanier lebendiger herausgekommen als der Deutsche.

125   Zu seiner meist recht einsichtigen, ebenso treffenden wie unerschrockenen Schrift gegen die Shakespeareomanie hatte Grabbe als der Kongenialere jedenfalls mehr Recht als das drollige Kleinchen von der Pleiße: Roderich Benedix.

Die Pleiße rempelt den Avon an: ein Schauspiel für Götter und Menschen!

Nach der von einem buchhändlerischen Freunde veranstalteten, durch
130   Zensurlücken angeschwärzten Sammlung hat Hofrat von Gottschall eine recht oberflächliche Ausgabe in zwei Bänden bei Reclam erscheinen lassen. Eine ebenso liebevolle wie gewissenhafte Zusammenstellung, die wol[!] abschließend sein dürfte, gab Ende der Siebziger Oskar Blumenthal bei Meyer in Detmold heraus.

135   Ein Widerpart, wie er sich schroffer nicht denken läßt, eine Sympathie für den Gegensatz!

Von „Don Juan und Faust" wie auch von „Barbarossa" |8| brachten Berliner Theater nicht ohne Erfolg Einstudirungen; die sehr verballhornte, auf ein Fünftel gekürzte Bearbeitung des „Napoleon" für das Belle Alliance-Theater in Berlin
140   sah über hundert volle Häuser.

Man sollte auf vaterländischen Bühnen das Ganze vielleicht in einer Tetralogie oder Pentalogie unangetastet bringen, und man hat ein Weihespiel, wie man es nicht besser wünschen kann.

Und ich glaub', ein Zugstück dazu[.]

145   Schade, daß Marius und Sulla Torso blieb.

Dieses Fragment bringt Demokratie und Aristokratie in gewaltigem Kampf, die Aristokratie siegt, muß siegen.

Große Persönlichkeiten wie Grabbe und Hebbel waren für schneiderheiße Volksbeglückungen niemals recht zu haben.

150   Um so einen Torso, der vielleicht das Bedeutendste seines Dichters geworden wäre – ich erinnere an Schillers „Demetrius" – ist es eine unangenehme Sache. Alle Versuche der Vollendung sind vergeblich: es ist wie mit dem Straßburger Uhrmacher, der sein Werk zum Stehen brachte, und keiner kann es wieder in Gang bringen.

155   Das letzte, das der Dichter schuf, war er oder vielmehr sein Grimm, der die zahllosen Feinde für sein Leben gern erschlagen hätte, und seine Heimat; ein Werk, dem man Kälte und Trockenheit, skeletthafte Magerkeit vorwirft.

Ich kann mir nicht helfen: eine fette „Hermannsschlacht" kann ich mir schwer denken. |9| Ich finde: dies Verbitterte, zerrissen Verbleichte paßt zum
160   Gegenstande und den heimatnahen Externsteinen.

Und nun meine ich, man sollte zur Sühne für die Unbill, die der Dichter der Hermannsschlacht in seinem Geburts- und Sterbestädtchen erfuhr und erfährt, da draußen auf der Grotenburg, auf dem Wege zum Hermann die Beiden auch im Leben ineinandergreifenden heimatstarken und auch im Fremden heimat-
165 brennenden Dichter zusammenstellen in zwei Büsten, nahe einander oder einander gegenüber, in einem rüstigfrischen Dreiviertelrund von Fichten oder Eichen.

Hierher gehören Sie zusammen, nicht in die Stadt, die nur Freiligrath, nur den Einen wollte.

Und da die guten Detmolder schwerlich sich für Grabbe in's Zeug legen wer-
170 den, so mögen Westfalen, die auf ihre großen Männer stolz sind, die Angelegenheit zu der ihrigen machen!

Peter Hille.

Lesarten

Abkürzungen
alR   *am linken Rand*
gestr.   *gestrichen*
H_1 *Handschrift (Kopie) aus dem Julius Hart-Nachlass der Stadt- und Landesbibliothek Dortmund*
H_2 *Handschrift (Kopie) aus dem Peter Hille-Nachlass der ehemaligen Universitätsbibliothek Königsberg*
udZ   *unter der Zeile*
üdZ   *über der Zeile*
urspr.   *ursprünglich*

2 11. Dezember] H_1 *urspr.* Sept., *gestr.*
     1801] H_1 *üdZ*
23 nahe] H_1 *danach unleserliche, gestrichene Graphe.*
     neben] H_1 *alR*
28 jugendlich] H_1 *üdZ*
39 du armer Zuchtmeister] H_2 *üdZ*
     dein Sohn Christian Dietrich] H_2 *üdZ,* Sohn *gestr.*
40 Grabbes] H_2 *üdZ, gestr.* seinen
46 (Oberhof)] H_2 *üdZ*
47 des Apellationsgerichtsrats Immermann] H_2 *üdZ*
     des davongejagten Auditeurs] H_2 *üdZ*
49 Auftraggebers] H_2 Immermann *gestr.*

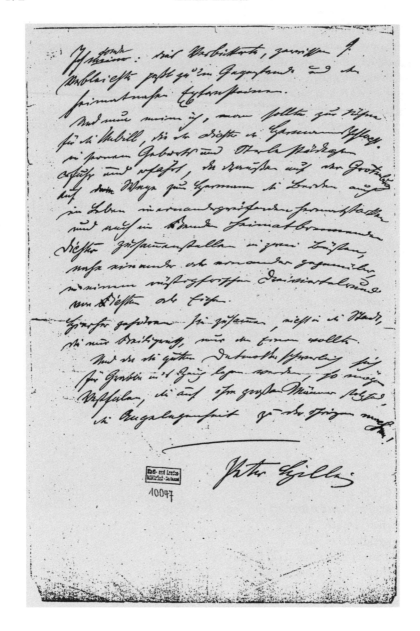

Peter Hille *Grabbe*, Bl. 9

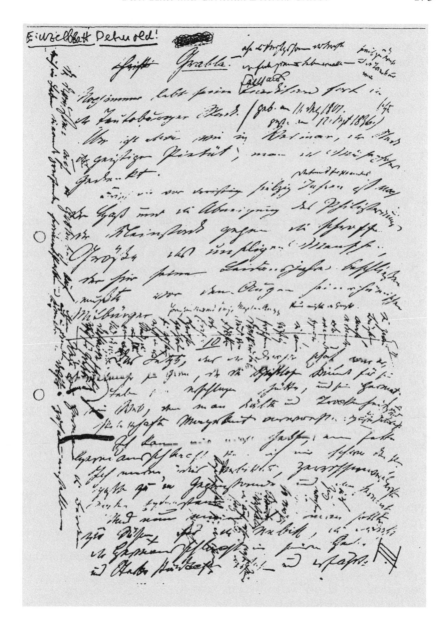

Peter Hille *Grabbe*, Einzelblatt zu Anfang und Ende des Essays
Lippische Landesbibliothek Detmold, Grabbe-Archiv Alfred Bergmann, Ms 440b

52　des Dichters] H$_2$ *üdZ*

56　zu ihm] H$_1$ *udZ*

61　Jugendfreund] H$_1$ *danach gestr.* Petri

67　(Grabbe, Grab)] H$_1$ *üdZ*

69　Dasein] H$_1$ *danach gestr.* ehe die Frühlingssonne die Kräfte der Erde zu neuem Leben gelockt.

74　Zerrüttung] H$_2$ *üdZ, gestr.* Entrüstung

76　wirken] H$_2$ *üdZ, gestr.* werden

77　er] H$_1$ *danach gestr.* sonst

78　konnte] H$_2$ wollte
　　war ihm versagt] H$_2$ *üdZ*

81　Tyll] H$_1$ *danach gestr.* Augen [?]

82　wofür der Dichter nur eine abgewiesene Liebe] H$_2$ *Text wird zunehmend unruhig, größere und kleine Schriftzeichen wechseln einander ab. Hille streicht und fügt vermehrt Wörter und Sätze ein, auch alR, mitunter quer zur üblichen Schreibrichtung. Manche Graphe sind schwer oder nicht zu entziffern.*

83　vollzogene] H$_1$ *danach gestr.* Ehe

84　Gönnerehe] H$_1$ *üdZ*

89　Panorama der Weltgeschichte] H$_2$ *urspr.* Weltpanorama, *gestr.*

90　und] H$_1$ *danach gestr.* Keiser

98　persönlichen,] H2 *danach gestr.* Verfall

104　der Einheit] H$_1$ *alR*

106　Dramen] H$_1$ *üdZ (von fremder Hand), gestr.* Sachen

107　„Aschenbrödel"] H$_2$ *ohne Anführungsstriche*

108　auch dem Umfange nach ein ungeheures Schreckensdrama] H$_2$ *üdZ, ohne* ein

109　Verdammnis,] H$_2$ *urspr.* Punkt, *dann* Komma
　　es] *urspr.* und, *gestr.*

110　des Speerschüttlers von Avon] H$_2$ *üdZ, ungestr.* Shakespeares

112　Primaner] H$_1$ *danach gestr.* beginn

114　Scherz] H$_2$ *urspr.* Ernst, *gestr.*

119　ein Stück] H$_2$ *üdZ*

124　Spanier] H$_2$ *urspr.* Don, *gestr.*

125　meist recht einsichtigen, ebenso treffenden wie unerschrockenen Schrift gegen die] H$_2$ *üdZ*

130　Sammlung] H$_1$ *üdZ urspr.* Werken, *gestr.*

131　bei Reclam erscheinen lassen] H$_2$ *üdZ*

137　„Don Juan und Faust"] H$_2$ *urspr.* Faust und Don, dann *üdZ* Don Juan

140　über] H$_2$ gegen

148　schneiderheiße] H$_2$ schneidermüßige

153 kann] H$_1$ *urspr.* konnte, *gestr.*
159 finde] H$_1$ *üdZ urspr.* meine, *gestr.*

Erläuterungen

5 man des Musenhofes gedenkt] *Die nationale Identität stiftende Erinnerungs-kultur in Weimar setzt nach dem Tode des letzten Goethe-Enkels Walther Wolfgang 1885 mit der Gründung des Goethe-Nationalmuseums, des Goethe-Archivs (später Goethe- und Schiller-Archiv) und der Goethe-Gesellschaft ein.*

8 Philisteriums] *Vgl. den „großen Feldzug gegen das Philisterium" in „Des Plato-nikers Sohn".*[40]

9 vor den Augen seiner hämischen Mitbürger] *Vgl. etwa die Lesung Grabbes aus der „Hermannsschlacht" im Gasthaus „Stadt Frankfurt".*[41]

10 früh aus ihrem Kreise fortstrebte] *Am 5. Mai 1820 bezieht Grabbe die Leip-ziger Universität, um Rechtswissenschaften zu studieren. Am 29. Januar 1823 schreibt er aus Berlin an die Eltern: „[...] daß ich in Detmold, wo mich Nie-mand verstehen [,] sondern höchstens nur verachten kann, auf immer leben soll, werdet Ihr mir nicht zumuthen [...]." (V, 57)*

11 bald hilflos wieder unter sie zurückfiel] *An Ludwig Tieck schreibt Grabbe unmittelbar nach seiner Rückkehr nach Detmold am 29. August 1823: „Nun sitze ich hier in einer engen Kammer, ziehe die Gardinen vor, damit mich die Nachbarn nicht sehn, und weiß keine Menschen in den gesammten [!] lippi-schen Landen, denen ich mich deutlich machen könnte [...]." (V, 92)*

18 Nur im Museum [...] da steht seine Büste neben der Frciligraths] *Seit 1886 befanden sich das Naturwissenschaftliche Museum und die Bibliothek im Palais Woldemar (Prinzenpalais), dem heutigen Sitz der Lippischen Landesbiblio-thek. Dort standen damals die Büsten von Freiligrath und Grabbe.*

19 Wehnder Gasse] *Unter der Wehme; Grabbes Sterbehaus, Nr. 7, Freiligraths Geburtshaus, Nr. 5.*

21 Als ich vor fünfzehn Jahren] *Eine Reise Hilles nach Detmold um 1885 ist nicht zu verifizieren. Der autobiographische Text „Ich bin ein Sohn der roten Erde" verweist auf einen Aufenthalt in Grabbes Heimatstadt bereits vor der Ein-weihung des Hermannsdenkmals 1875. Vgl. S. 160-161.*

23 Grabstätten] *Auf dem ehemaligen Friedhof an der Weinbergstraße befinden sich (noch heute) die Gräber von Grabbe, seiner Mutter und seines Vaters.*

25 hochbetagt gestorbenen Mutter] *Dorothea Grabbe, geborene Grüttemeier (1765-1856).*

27 Im Museum waren neben einer Gedichthandschrift von Freiligrath] *Bereits 1862 hatte Freiligrath der Bibliothek Handschriften einiger seiner frühen*

Gedichte überlassen. Das Grabbe-Archiv entstand erst 1938 durch den Erwerb der Sammlung von Alfred Bergmann.

29 an seinen Vater] *Adolph Henrich Grabbe (1762-1832), Zuchtmeister und Leihbankverwalter in Detmold. Vgl. Grabbes Briefe an seine Eltern vom Februar und an seinen Vater vom 17. Oktober 1818. (V, 13-15, 16-17)*

an seinen Gönner Klostermeier] *Grabbes – spätere – Briefe an seinen Förderer, den Juristen und Archivrat Christian Gottlieb Clostermeier (1755-1829), enthalten keine Bücherwünsche.*

Cicero's „de officiis" und „de oratore"] *Bei der Meyerschen Hofbuchhandlung in Detmold bestellen Grabbe und sein Vater am 14. Juli 1818 M. T. Ciceronis „de officiis libri tres"* [„Über die Pflichten". *Drei Bände] (V, 16). Weiterhin bittet er um „de legibus"* [„Über die Gesetze"], *„Cato maior de senectute"* [„Cato der Große über das Greisenalter"] *und „de finibus bonorum et malorum"* [„Über das größte Gut und das größte Übel"]. *Auch die Schrift „de oratore"* [„Über die Redekunst"] *kannte Grabbe sicher, obwohl sie sich in den Quellen nicht findet.*

30 einige Bände Shakespeare-Übersetzung] *Von Shakespeares Werken ist mehrfach in den frühen Briefen die Rede. Im Februar 1818 begründet Grabbe sein Begehren gegenüber den Eltern: „Es ist in seiner Art das erste Buch der Welt und gilt bei Vielen mehr als die Bibel, denn es ist das Buch der Könige und des Volks, es ist das Buch, wovon einige behaupten [,] daß es ein Gott geschrieben habe, es sind: die Tragödien Shakespeares [...]." (V, 13)*

33 Brief des Vaters [...] mit einigen tausend Taler als Jahresgehalt] *Am 25. Dezember 1822 schreibt der Vater an Grabbe, dass man in Detmold erzählt, er habe eine „Comedie" geschrieben und „daß Dir der Russische Keiser [!] dafür 3000 fl. [Florin: franz. für Gulden] Geschenk gemacht und wärest Theaterdichter in Berlin geworden." (V, 55)*

41 „Don Juan und Faust"] *Uraufführung im Detmolder Hoftheater am 29. März 1829 durch die Hofschauspieler-Gesellschaft von Direktor August Pichler mit einer Bühnenmusik von Albert Lortzing, der Don Juan spielte.*

42 daß seine Werke nur gedruckt wurden] *Obwohl Grabbe die zeitgenössischen Theater verschlossen bleiben, werden seine Dramen immerhin gedruckt und häufig rezensiert.*

43 An Honorar [...] nicht zu denken!] *Grabbe erhält jedoch Honorare. Am 15. August 1829 schließt er mit der Joh. Christ. Hermann'schen Buchhandlung (Georg Ferdinand Kettembeil) in Frankfurt/M. einen Kontrakt ab, in dem er sich zur Lieferung von zwei Hohenstaufen-Dramen pro Jahr verpflichtet, wofür er monatlich 24 Reichstaler und ein Extrahonorar für die vom dritten Band an gelieferten Werke in Höhe von 100 Reichstaler erhalten sollte. (VI, 362-364) Nach Erscheinen von „Napoleon oder die hundert Tage" (1831) war der Vertrag*

jedoch ungültig. In Düsseldorf bekommt Grabbe vom Buchhändler Carl Georg Schreiner für „Aschenbrödel" 50 Reichstaler und für „Hannibal" 100 Reichstaler. (VI, 364-366)

44 von Immermann bezahlte Kritiken] *Während seines Aufenthaltes in Düsseldorf von Dezember 1834 bis Mai 1836 unterstützt Immermann Grabbe lediglich in den ersten Monaten finanziell. Die extrem kritischen Rezensionen im „Düsseldorfer Fremdenblatt", die im Februar 1836 zum Zerwürfnis zwischen beiden führen, werden von Immermann natürlich nicht „bezahlt".*

46 Oberhof] *das Oberlandesgericht.*

47 Apellationsgerichtsrats] *Immermann wirkt seit 1827 als Landgerichtsrat in Düsseldorf.*

des davongejagten Auditeurs] *Nach Ablehnung einer Petition, Leopold II. Fürst zur Lippe möge „einige hundert rthlr. [Reichstaler] jährlich gnädigst zu bewilligen", damit er „an den Ufern des Main oder des Rhein" als Dichter wirken könne (VI, 51), reicht Grabbe am 15. Februar 1834 seinen Abschied als Auditeur ein: „Doch, doppelte Rollen (Auditeur und Poet) spiel' ich nicht mehr." (VI, 64) Als Auditeur erhält er monatlich 12 Reichstaler nebst zusätzlichen Gebühren (Sporteln) für die einzelnen Amtshandlungen.*

54 in Form und Inhalt des Briefes [...] zu ihm nach Düsseldorf zu kommen] *Vgl. Grabbe an seine Mutter, Düsseldorf, 21. Juli 1835: „Du willst hieher kommen? [...] Bist Du noch nicht auf dem Weg, so bleib ja in Detmold, bist Du auf der Reise [,] kehre ja gleich um, und siehe, daß Du Deine Pension behältst. Die wird nicht in's Ausland bezahlt." (VI, 267)*

58 „Was willst du hier [...]"] *Die Passage lautet: „Kommst Du hieher, wo Du gar nicht hinpaßt, weil Du nichts Katholisches, nichts Vornehmes, kein Hochdeutsch verstehst?" (VI, 267)*

62 einen Wagen zur Verfügung gestellt hatte] *Grabbe ist mit Moritz Leopold Petri mehrmals mit einem Wagen unterwegs. Jedenfalls ist davon in den Briefen an seinen Freund im Sommer 1836 öfter die Rede. Unter dem 21. Juli 1836 fragt er z. B. an: „Was ist übrigens meine Schuld für die Fahrt nach den Extersteinen [!] u. Meinb[erg]?" (VI, 349)*

65 Adolf Henze, der frühere Graphologe] *Adolf Henze (1814-1883), seit 1851 Autor graphologischer Beiträge für die „Illustrirte Zeitung" in Leipzig.*

67 (Grabbe, Grab)] *In den Briefen an Georg Ferdinand Kettembeil vom 16. Mai und 23. September 1827 verwendet Grabbe selbst diese sprachliche Kombination: „Sepulcrum + b (Grab – be)" bzw. „sep. + b." (V, 154, 185).*

ein Sohn des Winters] *Hilles Aphorismus „Grabbe: Ein Sohn des Winters."[42] Vgl. die Variante „Grabbe: Verwitterungsseligkeit ein Sohn des Winters."[43]*

72 Lethe] *In der griech. Mythologie Fluss des Vergessens in der Unterwelt.*

75 Cyklopenkraft] *Cyclope In der griech. Mythologie einäugiger Riese.*

81 Tyll Eulenspiegel] *Überliefert sind lediglich ein paar Zeilen aus dem Jahre 1835. (IV, 343)*

84 Gönnerehe mit einem angejahrten Blaustrumpf] *Grabbes am 6. März 1833 geschlossene, von Anfang an unglückliche Ehe mit der Tochter seines „Gönners", des Archivrates Clostermeier, Louise Christiane (1791-1848).*

89 das seines Gleichen sucht] *Hille antizipiert damit die Wertschätzung des Dramas durch Autoren des 20. Jahrhunderts.*

90 „Barbarossa"] *„Kaiser Friedrich Barbarossa" (1830). Erster Band der geplanten Serie „Die Hohenstaufen".*

„Heinrich der Sechste"] *„Kaiser Heinrich der Sechste" (1830). Zweiter Band der geplanten Serie.*

95 Fall der [...] Hansastadt Bardowieck – vestigia leonis] *Vgl. „Kaiser Heinrich der Sechste", II. Akt, 4. Szene. Das Heer Heinrichs des Löwen (vestigia leonis – die Spur des Löwen) stürmte die Stadt mit den Worten: „Krämer sinds – Nicht Geist, nicht Mut/Besitzen sie, – verbrennt ihre Ballen, reißt/ Das Geld aus ihren Fäusten, sind sie nichts!" (II, 164)*

96 Zeit der Hoffnungslosigkeit] *Nach der Entlassung Grabbes aus dem lippischen Staatsdienst am 16. September 1834 und der Reise nach Frankfurt/M. und Düsseldorf.*

„Hannibal"] *Erste Fassung 1834, Umarbeitung nach Vorschlägen Immermanns, Druck 1835.*

99 wie jetzt bei einigen Jüngelchen] *Auf wen sich die Kritik Hilles bezog, ist unklar. Vielleicht sind einige seiner Berliner Kumpane gemeint.*

102 seiner aufstrebenden Hoffnungszeit] *Grabbes Jahre nach dem Druck der „Dramatischen Dichtungen" (1827) und der Entstehung von „Don Juan und Faust" sowie der Hohenstaufen-Dramen.*

106 schwächere Dramen, die sich auch von Tieck wenig unterscheiden] *Tatsächlich steht „Aschenbrödel" (1. Fassung 1829, 2. Fassung 1835) in der freilich gebrochenen dramaturgischen Tradition der Komödien Ludwig Tiecks.*

107 „Herzog Theodor von Gothland"] *Entstand zwischen 1819 und 1822 und wurde 1827 in den „Dramatischen Dichtungen" veröffentlicht.*

110 des Speerschüttlers von Avon] *Speerschüttler wörtliche Übersetzung von Shakespeare (shake: schütteln; speare: Speer).*

117 Brandopfer auf dem Altare der Romantik] *Auch „Scherz, Satire, Ironie und tiefere Bedeutung" begreift Hille zu recht in Tiecks Tradition der romantischen Komödie, verkennt allerdings die dramaturgische Innovation des Lustspiels.*

126 Schrift gegen die Shakespeareomanie] *Den „Dramatischen Dichtungen" ist als Programmschrift für die Schaffensperiode Grabbes zwischen 1827 und 1829 die antiromantische „Abhandlung über die Shakspearo-Manie" beigegeben.*

127 das drollige Kleinchen von der Pleiße] *Hille grenzt Grabbe von Julius Roderich Benedix (1811-1873) aus Leipzig (an der Pleiße) ab, mit über 100 Lust-
spielen der erfolgreichste Bühnenautor des 19. Jahrhunderts.*

129 von einem buchhändlerischen Freunde] *Georg Ferdinand Kettembeil
(1802-1857), den Grabbe in Leipzig kennenlernte, der Verleger der „Dramatischen Dichtungen".*

130 Hofrat von Gottschall eine recht oberflächliche Ausgabe] *Die erste Ausgabe von „Grabbe's sämmtlichen Werken" von Rudolf von Gottschall. Leipzig:
Reclam 1870.*

133 Oskar Blumenthal bei Meyer] *„Grabbe's sämmtliche Werke und handschriftlicher Nachlaß". Hrsg. und erl. von Oskar Blumenthal. Detmold: Meyer 1874.
Als er für Ludwig Jacobowskis Reihe „Deutsche Dichter in Auswahl für's Volk"
einen Grabbe-Band anbietet, verweist Hille auf diese Edition als Textgrundlage.
Vgl. S. 162.*

137 Von „Don Juan und Faust" wie auch von „Barbarossa" brachten Berliner
Theater [...] Einstudirungen] *„Don Juan und Faust" kam am 20. März 1899
im Schiller-Theater heraus (Bearbeitung: Raphael Löwenfeld), „Kaiser Friedrich Barbarossa" am 29. August 1896 im Friedrich-Wilhelm-Städtischen Theater (Bearbeitung und Regie: Heinrich Ottomeyer).*

139 Bearbeitung des „Napoleon" für das Belle Alliance-Theater] *Premiere am
28. September 1898 (Bearbeitung: O. G. Flüggen, Regie: Georg Droescher).*

140 über hundert volle Häuser] *Es gab – immerhin – 67 Aufführungen.*[44]

145 Marius und Sulla Torso] *Sowohl die erste Fassung von 1823 als auch die
zweite von 1827 blieben Fragment.*

151 Schillers „Demetrius"] *Schillers letztes Geschichtsdrama von 1805 blieb
Fragment.*

152 Straßburger Uhrmacher] *Die astronomische Uhr im Straßburger Münster,
1574 gebaut von den Brüdern Josias und Isaak Habrecht, ging bis 1789, blieb
dann stehen und wurde erst 1838 bis 1842 wieder repariert.*

158 „Hermannsschlacht"] *Vgl. Hilles biographisch stilisierende Reminiszenz:
„Der dritte Tag der Hermannsschlacht, der Tag der Entscheidung. Am Tage der
Hermannsschlacht bin ich geboren."*[45] *Die Entscheidungsschlacht im Jahre 9
fand nicht am 11. September, sondern erst Ende des Monats statt.*

Interpretation

Der Grabbe-Essay Hilles dokumentiert, dass er die markante ideelle und ästhetische Qualität der Dramen Grabbes wahrgenommen hat und zu würdigen
verstand. Der zu seinen Lebzeiten nicht publizierte Text ist insofern eine der

bemerkenswertesten Würdigungen, die zu Grabbes 100. Geburtstag 1901 und um die Jahrhundertwende überhaupt entstanden sind.[46] Der Aufsatz ist auf der Grundlage umfassender Kenntnis Grabbes und seines Werkes, auch seiner Briefe – soweit sie in der Ausgabe von Oskar Blumenthal vorlagen[47] – verfasst.

Hille eröffnet den Essay mit der Skizzierung des Dilemmas, dass an Grabbe in seiner Heimatstadt, die ihn nie geliebt, sondern immer nur abgelehnt, ja gehasst habe, auch im ausgehenden 19. Jahrhundert noch nicht gebührend erinnert würde – einerseits im Unterschied zur nationalen Verehrung Goethes und andererseits zu dem zweiten bedeutenden Dichter aus Detmold, Ferdinand Freiligrath, der gerade nach Gründung des deutschen Kaiserreichs 1871 eine beträchtliche vaterländische Resonanz erfuhr. Gleichzeitig setzte sich nicht nur in Lippe-Detmold und West-falen, sondern in Deutschland insgesamt eine Ignoranz gegenüber Grabbe durch, dessen Dramen nicht in den nationalen Literaturkanon eingingen.

Nach dieser erinnerungskulturellen Reminiszenz charakterisiert Hille an einigen markanten biographischen Ereignissen Grabbes „gequältes, zerrüttetes Dasein", das ihn – „den Sohn des Winters" – in die Katastrophe führte. Die Ent-stehung seiner Werke begreift er zu Recht in Opposition zur dem Autor intentio-nal fremden romantischen Dichtung der 1820er Jahre. *Aschenbrödel* und *Scherz, Satire, Ironie und tiefere Bedeutung* gehören für Hille in diese anachronistische Tradition, die Grabbe, wie Hille unterstellt, um Ludwig Tieck zu gefallen, aufge-griffen und weitergeführt habe. In den anderen Theaterstücken jedoch lehnte die „Cyklopenkraft" Grabbes das „heitere Märchenartige, fabulirend Phantastische" ab und brachte eine qualitativ neue Dramatik hervor, ohne – als sinnbildliches Symptom klassischer wie romantischer Poesie – „Vers und Melodik".

Hille vermittelt einen knappen Überblick über Grabbes Schaffen, er wählt nicht nur die ihn beeindruckenden Werke aus – er betreibt also keine selektive Aneignung, wie sie in der Rezeptionsgeschichte oft üblich war, die einzelne Dra-men immer wieder aussonderte. Das stärkste Theaterstück ist für ihn, der keine Geschichtsdramen schrieb, das „dramatische Epos ‚Napoleon', ein Panorama der Weltgeschichte, das seinesgleichen sucht", während er *Kaiser Friedrich Barba-rossa* und *Kaiser Heinrich der Sechste* als nur „deutsche Dramen" durchgehen lässt. Von den späten Dramen hebt Hille *Hannibal* wegen „seiner bittern Gestal-tungskraft voll fanatischem Molochtums" und *Die Hermannsschlacht* hervor. Die radikale kritische Gestaltungskraft Grabbes als „Poet seines Verfalls; seines eigenen, persönlichen, bitter am eigenen Leibe empfundenen Verfalls" entdeckt Hille im Geschichtsdrama über den antiken Karthagischen Feldherrn, wäh-rend er die Werke aus „seiner aufstrebenden Hoffnungszeit" nach 1827, also die traditionellen Hohenstaufen-Dramen und *Don Juan und Faust*, die literarisch „etwas Künstliches" aufweisen, geringer schätzt. Insofern befindet er sich in Übereinstimmung mit der neueren Literaturwissenschaft, die die Theaterstücke der mittleren, am klassischen Drama orientierte Lebens- und Schaffensperiode zwischen 1827 und 1830 als nicht innovativ bewertet.

In Grabbes Frühwerk vermag Hille die ästhetische Originalität von *Scherz, Satire, Ironie und tiefere Bedeutung* nicht wahrzunehmen. *Herzog Theodor von Gothland* hingegen, ein „ungeheures Schreckensdrama, ein Drama des Hasses, des gegenseitigen Vernichtens und einer wahren Wollust der Verdammnis", „erinnert" ihn an die Dramen Shakespeares, von denen der junge Grabbe tatsächlich beeinflusst ist. Die Gestalt des Afrikaners Berdoa, der das „Schreckensdrama" atmosphärisch und real prägt, hat den Mohren Aaron aus *Titus Andronicus* zum Vorbild.

Peter Hille erinnert in seinem Gedenkaufsatz die Berliner Inszenierungen von *Don Juan und Faust* (1899), *Kaiser Friedrich Barbarossa* (1896) und *Napoleon oder die hundert Tage* (1898), letztere zutreffend als „sehr verballhornte", und schlägt vor, man möge „auf vaterländischen Bühnen das Ganze vielleicht in einer Tetralogie oder Pentalogie unangetastet bringen," eine Idee, die an den realen Theaterverhältnissen um die Jahrhundertwende in Deutschland vorbeigeht.

Bemerkenswert ist, dass sich Hille für das Fragment *Marius und Sulla* interessiert und es in den Kontext der Herausbildung der großen Geschichtsdramen stellt, weil es den dramatischen Konflikt zwischen „Demokratie und Aristokraten" widerspruchsvoll gestaltet und zugunsten des Einzelnen entscheidet, denn „große Persönlichkeiten wie Grabbe und Hebbel waren für schneiderheiße Volksbeglückungen niemals recht zu haben." Hille bedauert daher, unter Hinweis auf Schillers *Demetrius*, dass Grabbe dieses Drama nicht vollendete. Seinen erinnerungskulturellen Gedanken vom Anfang als Klammer wieder aufnehmend, schließt er seinen Essay mit der Hoffnung ab, dass, wenn schon nicht die Detmolder an ihren großen Sohn erinnerten, es die Westfalen tun sollten.

Hille und Grabbes Künstlertum

Die Sympathie des Bohemiens Peter Hille für Grabbes Künstlertum verweist auf jene Traditionslinie in der Geschichte der deutschen Literatur, die mit Johann Christian Günther einsetzt und über Jakob Michael Reinhold Lenz, Kleist, Hölderlin, Grabbe in den Naturalismus (Carl Bleibtreu, Otto Julius Bierbaum) und Expressionismus (Georg Heym, Georg Trakl, Klabund [eigentl. Alfred Henschke]) führt und – bei allen Unterschieden in Mentalität und künstlerischem Habitus – in den europäischen Horizont von Paul Verlaines *Les Poétes maudits* (1883) gehört.[48] Die Eigentümlichkeiten von Grabbes spannungsvollem Leben und Schaffen sind insofern antizipierende Elemente eines

Künstlertyps, der sich verstärkt in der zweiten Hälfte des 19. und im 20. Jahrhundert herausbildet und gekennzeichnet ist durch eine extrem antibürgerliche Haltung und Lebensweise, die die gleichsam am Rande der Gesellschaft entstehenden künstlerischen Werke mit geprägt hat.

Die Dichtungen dieser lebensgeschichtlich verwandten Künstler sind durch eine rigorose, unversöhnliche Wahrnehmung und Abspiegelung der inhumanen, sie frustrierenden Realität gekennzeichnet, ohne dass sie zugleich formale Übereinstimmungen in der ästhetischen Gestaltung aufweisen müssen. Bei einer solchen Aneignung bleibt die individuelle weltanschauliche und soziale Disposition prioritär. Insofern ist bei den rezeptions- und wirkungsgeschichtlichen Vorgängen innerhalb dieser Traditionslinie zu unterscheiden zwischen Affinitäten einerseits in den Biographien und andererseits in den Werken der Autoren. Ein genuiner, innovativer Dramatiker wie Grabbe, der in anderen literarischen Gattungen und Genres nur wenig und Belangloses produzierte, vermag trotzdem über die soziale Disposition seiner Künstlergestalt Wirkungen auf Lyriker und Epiker zu erreichen.

Während sich Hille als absolut freier Bohemien verstand, der jegliche Formen eines ihn einschränkenden „Philisteriums" ablehnte und daher radikal antibürgerlich lebte, handelte es sich bei Grabbe allenfalls um die Vorstufe einer solchen Lebensweise. Obwohl der Gegensatz zwischen bürgerlicher und künstlerischer Existenz in seiner Biographie einen latenten, real nicht aufzuhebenden Widerspruch darstellte, versuchte er sich – im Unterschied zu Hille, der sich schon während der Schuljahre dagegen entschied –, durch Ausübung eines Berufs und durch eine Ehe in der Gesellschaft zu etablieren, auch wenn beides dann scheiterte. Er schloss nicht nur das Studium ab, sondern bestand in Lippe-Detmold das juristische Examen, arbeitete als Advokat und Auditeur, bevor er 1834 nach Frankfurt/M. und Düsseldorf aufbrach, um am Theater oder wenigstens als Dramatiker für das Theater zu arbeiten. In diesen Jahren verstärkten sich freilich die bohemehaften Tendenzen, die stärker an die Lebens- und Arbeitsweise Hilles erinnern.

Sieht man von dem studentischen Leben in Leipzig und Berlin ab, lebte Grabbe nicht nur in Detmold (bis auf die wenigen Freunde), sondern selbst in Frankfurt/M. und Düsseldorf (Ausnahme: Norbert Burgmüller) isoliert. Seine sehr beschränkte intellektuelle und künstlerische Kommunikation ist mit Hilles dichter Vernetzung in den literarischen Zirkeln Berlins um 1900 nicht im Mindesten zu vergleichen. Auch die Anerkennung seines Talents in einem partiell kooperierenden schriftstellerischen Milieu – wie etwa dem Friedrichshagener Kreis des Naturalismus (Gebrüder Hart, Wilhelm Bölsche, Bruno Wille u.a.) oder durch Dichter wie Richard Dehmel, Else Lasker-Schüler, Detlev von Liliencron, Erich Mühsam, Johanns Schlaf u.a. – [49], blieb Grabbe völlig versagt.

Weder zu Ludwig Tieck noch zu Autoren des Jungen Deutschland oder zu Karl Immermann gelang es ihm, anhaltende persönliche Kontakte zu entwickeln, die ihn künstlerisch stimuliert hätten.[50]

Die Identifizierung Hilles mit Grabbes antibürgerlichem Künstlertum wurde auch durch ihre Unterschiede in weltanschaulichen, sozialen, politischen und literarischen Auffassungen nicht behindert, sie hatten offensichtlich keine Bedeutung. Die mystisch-religiöse Gläubigkeit und universelle Geistigkeit Hilles mit seinem gelegentlich utopischen sozialhumanistischen Impetus standen im deutlichen Widerspruch zu Grabbes antireligiösem, nichtideologischem und tendenziell materialistischem Verhältnis zur Welt. Insofern wäre es aufschlussreich gewesen, wenn Hille tatsächlich, wie gegenüber Ludwig Schneider angekündigt, einerseits über die katholische Droste und andererseits über den vermeintlich „lutherischen" Grabbe ein Buch geschrieben hätte.[51] Die wahrgenommene gemeinsame Opposition gegen das gehasste „Philisterium" überlagerte in Hilles Grabbe-Rezeption die rationalen und emotionalen Differenzen zwischen beiden Künstlern, deren Sozialisierung sich in verschiedenen historischen Epochen und gesellschaftlichen Systemen und Sphären vollzog. Opponierte Grabbe gegen die deprimierenden politischen und kulturellen Verhältnisse der Restaurationsepoche nach dem Wiener Kongress, so Hille gegen die Lebenswelt im konservativen, aber imperialen monarchistischen Deutschland des ausgehenden 19. Jahrhunderts.

„Des Platonikers Sohn" und Grabbes Werk

Hilles Beschäftigung mit Grabbes Werk vollzog sich zwar im Horizont des Naturalismus, setzte aber unabhängig von ihm bereits vor 1875 ein. Seine Dichtungen sind ideell und ästhetisch eigenständig, zeigen Distanz zu dieser literarischen Bewegung und besitzen eine durchaus solitäre Stellung in der Geschichte der deutschen Literatur um 1900. Sie tendieren zu einem neuromantischen, impressionistischen Stil, der eine phantastische, mystische Spiritualität poetisch entfaltet, dabei offen und variabel bleibt. In einem autobiographischen Text gestand Hille: „Programm habe ich nicht."[52] Seine spontane, antinaturalistische metaphorische Dichtkunst verwirklichte er vor allem in den Novellen und Aphorismen.

Aber auch die Dramen lassen eine ästhetische Neuorientierung erkennen, wenn man sie etwa mit Arno Holz' Postulat "Die Kunst hat die Tendenz, wieder die Natur zu sein"[53] oder dessen mit Johannes Schlaf verfassten geschlossenen, die drei Einheiten und andere Regeln respektierenden, illusionistischen Drama *Die Familie Selicke* (1890) vergleicht – ganz abgesehen von Gerhart

Hauptmanns – thematisch zwar modernen, dramaturgisch aber konventionellen – Dramen von *Vor Sonnenaufgang* (1889) bis zu *Die Weber* (1892).[54] Von den ästhetischen Positionen der traditionellen Dramaturgie des Naturalismus[55] rezensierte Johannes Schlaf Hilles 1896 veröffentlichtes Drama *Des Platonikers Sohn*: „Es ist ungefüge in seiner Form und zügellos, wie nur je ein Geniedrama Grabbescher Observanz es war [...].“ Zugleich hob er die Vorzüge des Stückes hervor, es sei durchaus

> voll genialen Geistes, unvergleichlich in Kolorit und Charakteristik, voll guter Gedanken und Gesichtspunkte, sprühend voll farbigen, blutwarmen Lebens, so fein wie herzhaft, eines kräftigen und gesunden männlichen Geistes voll, um den mancher sehr erfolgreiche neuere Dramatiker Hille beneiden könnte.

Trotzdem verurteilte er schließlich dieses „Geniedrama Grabbescher Observanz“, weil

> das deutsche Drama um eine Meisterleistung reicher wäre, wenn Hille wüßte, was künstlerische Selbstzucht ist; und wenn er nicht in seiner aphoristischen Manier, immerhin den Zusammenhang einer fortgehenden tragischen Entwicklung bewahrend, zwang- und regellos Bild neben Bild und Szene neben Szene gesetzt hätte, wie es gerade kam, die regelloseste Shakespearesche Szenenfolge überbietend.[56]

Johannes Schlafs Besprechung lässt sowohl den geschichtlichen Standort der Dramaturgie des Naturalismus und ihr Verhältnis zur Dramatik Hilles als auch ihre Beziehung zu Grabbe erkennen. Von einem normativ gesetzten klassischen Dogma werden undifferenziert Attribute wie „ungefüge“, „zügellos“, „regellos“ zur Disqualifizierung eines modernen offenen epischen Dramas „Grabbescher Observanz“ benutzt – unabhängig davon, ob Hilles Dramaturgie tatsächlich von der Grabbes beeinflusst ist oder nicht. Insofern ist Schlafs Bild von seiner Dramatik zu allgemein, denn Grabbe hat ästhetisch heterogene dramaturgische Modelle und Varianten angeboten, die bei einer solch pauschalisierenden Etikettierung verborgen bleiben. Schlaf geht es lediglich um abstrakte formale Erkennungszeichen, nicht um spezifische inhaltliche Momente oder gar thematische Wandlungen vom vormärzlichen Geschichtsdrama Grabbes zum impressionistischen Gegenwartsdramas Hilles.

Die „Erziehungstragödie“ *Des Platonikers Sohn*[57] erzählt in fünf „Vorgängen“ (statt Akten) einerseits die (scheiternde) Bildung von Francesco Petrarcas unehelichem Sohn Giovanni im Geiste eines Neuhumanismus und andererseits die freie, unabhängige Lebens- und Dichtungsweise der Vaganten, wobei sich vergangene und gegenwärtige Zeiten und Räume überlagern. Petrarca besingt zwar in seinen Liedern platonisch Laura, doch verhält er sich zugleich nichtplatonisch, wenn er in der Osteria eine erotische Beziehung eingeht, der zwei Kinder entspringen werden. So wird er selbst zu einer gebrochenen, tragikomischen Figur. Stücktitel und Genrebezeichnung sind daher satirisch zu verstehen.

Die Konflikte in und zwischen beiden dramaturgischen Strängen werden nicht in kausaler und finaler Abfolge einzelner dramatischer Handlungsstationen verkörpert, sondern – wie Schlaf zutreffend feststellte – in „aphoristischer Manier" lyrisch- impressionistisch ausgebreitet, wobei textlich und szenisch eine Asymmetrie zugunsten der ‚Vagantenhandlung' entsteht, die über weite Strecken, vor allem im dritten „Vorgang", dominiert. Über das dissonante ästhetische Gestaltungsprinzip des Stückes sagt der Magister sententiarum: „Sonderbar, wie in den Sprachen [der Figuren] alles ineinander überläuft: das Ehrwürdige ins Trivialniedrige. Gerade wie beim Leben auch."[58] Und über die komischen Brechungen: „Der Scherz ist auch Ernst, und zwar der höchste [...]."[59] Diese sich in verschiedenen Formen der Alltagssprache, von Dichtung und Lied artikulierende Melange steht freilich im Widerspruch zur angekündigten „Tragödie", die zu einer modernen „Tragikomödie" mutiert. Zwar werden die Bildungsprogrammatik Petrarcas und die Erziehung seines Sohnes in den ersten Passagen des Stückes deutlich exponiert, doch schon in der „Gruppe" (statt Szene) „Vorm Tor", in der Beatrice, Giovannis künftige Geliebte, „mit fahrenden Scholaren"[60] auftritt, und dann in der Osteria entfaltet Hille mit ausufernder phantastischer lyrischer Sprache einen sich steigernden „großen Feldzug gegen das Philisterium".[61] In der künstlerischen Reflexion sind dabei seine Erfahrungen von der Jugendzeit in Westfalen – der Vater, die Gymnasien als „Folteranstalten"[62] – bis zur Berliner Boheme präsent.

Schlafs Apostrophierung „Geniedrama Grabbescher Observanz" trifft, obwohl es keine konkreten intertextuellen Referenzen gibt, auf *Scherz, Satire, Ironie und tiefere Bedeutung* zu, trotz Hilles reservierter Behandlung des Lustspiels im Essay – „ein krauses Ding, voll springender Witzkraft, aber doch ohne rechten Inhalt. Wo grade die tiefere Bedeutung stecken soll, ist mir unerfindlich."[63] Grabbes Maxime „Was tragisch ist, ist auch lustig und umgekehrt" (III, 104) gilt jedoch nicht nur für seine Dichtungen, sondern sinngemäß für die Tragödie *Des Platonikers Sohn*, die durch starken Wechsel von „Scherz, Satire, Ironie" und tragischen Momenten geprägt ist. Auch in Grabbes Lustspiel gibt es eine um einen Schulmeister angesiedelte Erziehungshandlung, die sich freilich vorrangig nicht auf Antike und Renaissance, sondern auf die Aufklärung bezieht, und eine durchgehende Literaturhandlung, die kein ungezügeltes Vagantenleben propagiert, sondern die kulturellen Verhältnisse der Restaurationsepoche attackiert. Einzelne literaturkritische Momente finden sich bei Hille, etwa Petrarcas Invektive gegen Dante[64] oder in den Osteria-Szenen des 3. „Vorganges",

die an die Trinkgelage in *Scherz, Satire, Ironie und tiefere Bedeutung* (III, 1) erinnern, in der – wie bei Hille[65] – „Vivat, Bachus, Bachus lebe!" aus Mozarts *Die
Entführung aus dem Serail* gesungen wird.

Die Annahme Schlafs von der „Grabbeschen Observanz", die im Hinblick
auf *Scherz, Satire, Ironie und tiefere Bedeutung* bestätigt werden konnte, ist
indessen im Hinblick auf seine Geschichtsdramen unzutreffend. Während *Des
Platonikers Sohn* phantastische komische, lyrisch-epische Spielepisoden prägen,
die nicht von dramatischen Dialogen und Aktionen begleitet sind und durch
– zuweilen arabeske – aphoristische Figurensprache die Entstehung einer einigermaßen symmetrischen Form behindern, stehen Grabbes historische Dramen
– mit den zur Öffnung der Struktur führenden epischen Tendenzen – in der
Tradition der naturalistischen Theaterstücke Gerhart Hauptmanns.

Anmerkungen

*   Dr. Michael Kienecker, dem 1. Vorsitzenden der Peter-Hille-Gesellschaft und Mit-
herausgeber von Hilles *Gesammelten Werken*, gilt mein herzlicher Dank für die
Überlassung von Kopien zu Hilles Grabbe-Essay. Für Informationen zur lippischen
Geschichte bin ich Dr. Peter Schütze, dem Präsidenten der Grabbe-Gesellschaft,
dankbar.
1   Heinrich Hart, Julius Hart: Lebenserinnerungen. Rückblicke auf die Frühzeit der
literarischen Moderne (1880-1900). Hrsg. und kommentiert von Wolfgang Bunzel.
Bielefeld 2006, S. 94.
2   Ebd., S. 103.
3   Vgl. Detlev Kopp: Grabbe. Ein Dramatikerleben, S. 7-37 in diesem Band.
4   Hart: Lebenserinnerungen (Anm. 1), S. 103-104. Vgl. Julius Hart: „Byron, Shelley,
Grabbe waren damals unsere besonderen gemeinsamen Lieblingsgötter [...]." Peter
Hille: Gesammelte Werke. Hrsg. von seinen Freunden. Eingeleitet von Julius Hart.
Zweite veränderte Ausgabe. Berlin 1916, S. 15. Grabbe wird in diesem Sinne noch
öfter herangezogen (S. 7, 20, 27).
5   Wilhelm Scherer: Geschichte der deutschen Literatur. Berlin 1883, S. 776.
6   Georg Gottfried Gervinus: Geschichte der Deutschen Dichtung. 5. völlig umgearb.
Aufl. Leipzig 1871-1874, Bd. 2, S. 640-649 (Günther); Bd. 4, S. 656-659 (Lenz); Bd.
5, S. 773-774 (Grabbe). Während Gervinus über Günther und Lenz noch relativ
ausführlich schreibt, ist die Passagen zu Grabbe sehr knapp gehalten, und er fasst
verständnislos zusammen: „Der reine Kunstrieb ist in allen diesen poetischen Bestre-
bungen augenscheinlich ganz verloren." (S. 774)
7   Gustav Woldemar von Biedermann veröffentlichte seit 1857 über Goethe, z.B.
Anzeigen aus der Goethe-Litteratur. Berlin 1883; Goethe-Forschungen. Frankfurt
a. M., Leipzig1879-1889.

8   Peter Hille: Gesammelte Werke in sechs Bänden. Hrsg. von Friedrich Kienecker, Bd. 5 und 6 mit Michael Kienecker (künftig: GW). Essen 1984-1986, Bd. 5, S. 273.
9   Christ. Dietr. Grabbe's sämmtliche Werke. Erste Gesammtausgabe. Hrsg. und eingel. von Rudolf Gottschall. Leipzig 1870.
10 Christ. Dietr. Grabbe's sämmtliche Werke und handschriftlicher Nachlaß. Erste kritische Gesammtausgabe. Hrsg. und erl. von Oskar Blumenthal. Detmold 1874.
11 Vgl. Frank Höfer: „Ein Sohn des Winters". Die Rezeption Christian Dietrich Grabbes im Naturalismus 1880-1900. Witterschlick, Bonn 1994; ders.: Die Rezeption Christian Dietrich Grabbes im Naturalismus 1880-1900. In: Grabbe-Jahrbuch 15 (1996), S. 65-88.
12 Vgl. Peter Hille an Ludwig Jacobowski, Berlin, [November 1900]. In: Peter Hille: Sämtliche Briefe. Kommentierte Ausgabe. Hrsg. von Walter Gödden und Nils Rottschäfer (künftig: SB). Bielefeld 2010, S. 288.
13 GW, Bd. 1, S. 232.
14 GW, Bd. 5, S. 83-127.
15 Rüdiger Bernhardt: „Ich bestimme mich selbst." Das traurige Leben des glücklichen Peter Hille (1854 – 1904). Jena 2004 (Jenaer Studien. Bd. 6), S. 41.
16 GW, Bd. 1, S. 263-264.
17 GW, Bd. 1, S. 235.
18 In: Louvier: Der Faustdeuter (1893). GW, Bd. 5, S. 273. Vgl. Ferdinand August Louvier: Goethe's Faust und die Resultate einer rationellen Methode der Forschung. Hamburg 1883 u.ö.
19 Detlev von Liliencron als Dramatiker. In: Der Kunstwart 1 (1887/1888), S. 64. GW, Bd. 5, S. 55. Es handelt sich um die heute unbekannten dramatischen Dichtungen *Knut der Herr, Die Rantzow und die Pogwisch, Der Trifels und Palermo, Arbeit adelt* und *Die Merowinger*.
20 Otto Ludwig. Erstdruck in: GW, Bd. 5, S. 57-61, hier S. 59. Das Vorspiel ist so idyllisch, dass die Soldaten sogar den während der siegreichen Schlacht bei Torgau 1760 auftretenden preußischen König duzen. Das historische Schauspiel ging 1845 verloren, so dass in den Ausgaben lediglich das Vorspiel abgedruckt werden konnte. Vgl. Otto Ludwig. Das literarische und musikalische Werk. Hrsg. von Claudia Pilling in Zusammenarbeit mit Jens Dirksen. Mit einer vollständigen Otto-Ludwig-Bibliographie. Frankfurt a. M. 1999, S. 333-336.
21 Nils Rottschäfer: Peter Hille (1854-1904). Eine Chronik zu Leben und Werk. Bielefeld 2010, S. 325. Hier die ungenaue Angabe „Winter 1898/1899". Die Premiere fand am 20. März 1899 statt. Vgl. Erika Brokmann: Verzeichnis von Grabbe-Inszenierungen bis einschließlich 1985. In: Grabbe-Jahrbuch 5 (1986), S. 126.
22 SB, S. 288. *Herzog Theodor von Gothland* war Hilles „Lieblingsbuch" (GW, Bd. 4, S. 137). Vgl. dazu Bd. 5, S. 417f.
23 Vgl. Neue deutsche Biographie. Bd. 10. Berlin 1974, S. 240-241.
24 Peter Hille an Ludwig Schröder, Schlachtensee, 31. Mai 1903. SB, S. 456.
25 Ebd., S. 393.

26 Arthur Moeller-Bruck[!]: Grabbe und was von ihm bleibt. In: Die Rheinlande. Monatsschrift für deutsche Kunst 2 (1901), H. 2, S. 14-20.

27 GW, Bd. 5, S. 24-29.

28 Winfried Freund: „... der Poet seines Verfalls". Peter Hilles Essay „Grabbe" und sein Grabbe-Bild. In: Grabbe-Jahrbuch 5 (1986), S. 40-48. Im Grabbe-Jahrbuch erschien bereits früher ein Beitrag zu Hille. Vgl. Ursula Kirchhoff: „Der Dichter ist das Erzeugnis und der Gegner seiner Zeit im Sinn der Zukunft". Peter Hilles Leben und Werk unter besonderer Berücksichtigung der „Sozialisten" 3 (1984), S. 98-125.

29 Im Julius Hart-Nachlass der Stadt- und Landesbibliothek Dortmund befindet sich unter der Signatur Atg 10047 Hilles Handschrift des Grabbe-Essays und unter Atg 10142 ein auf deren Grundlage angefertigtes Typoskript mit handschriftlichen Korrekturen von zahlreichen Abschreibfehlern durch fremde Hand. Die Schreibmaschine ist nicht jene, die Peter Hille gelegentlich benutzte. Vgl. Welt und Ich. Neue Peter-Hille-Funde. Hrsg. von Walter Gödden, Michael Kienecker und Christoph Knüppel. Bielefeld 2015 (Aufgeblättert. Bd. 2. Entdeckungen im Westfälischen Literaturarchiv. Hrsg. von Jochen Grywatsch im Auftrag der LWL-Literaturkommission für Westfalen in Verbindung mit dem LWL-Archivamt für Westfalen), S. 60 und 86. Beide Textzeugen gelangten am 5. März 1941 durch den Erwerb des Julius Hart-Nachlasses von dessen Tochter Grete Hart in den Bestand der Bibliothek (Freundliche Auskunft des Leiters der Handschriftenabteilung Jens Andre Pfeiffer). Sie sind nicht identisch mit der Handschrift aus der Königsberger Sammlung (vgl. Anm. 31 und 34).

30 „Editorische Notiz". GW, Bd. 1, S. 287.

31 Walther Pfannmüller: Der Nachlaß Peter Hilles. Gotha 1940 (Diss. Bonn 1940), S. 76-77 (Sign. K 72). Pfannmüller hatte überdies „Drei Notizbücher": 1899-1900, 1903-1904, 1902-1903 eingesehen, die ebenso verschollen sind. In den Stichworten zum Inhalt ist Grabbe jedoch nicht angeführt (S. 64).

32 Das zehnte Blatt ist eigentümlich gegliedert – die Paginierung durch Hille steht in der Mitte – und wiederholt in der ersten Hälfte die veränderten Anfangszeilen des Essays, in der zweiten die abschließende Passage zur *Hermannsschlacht* (Vgl. das Faksimile).

33 Pfannmüller: Nachlaß, S. 92-97.

34 Lippische Landesbibliothek Detmold, Grabbe-Archiv Alfred Bergmann, Ms 440b. Wahrscheinlich ließ sich Bergmann diese Kopie der Königsberger Handschrift für seine Sammlung anfertigen, vielleicht nach Kenntnisnahme der Dissertation von Pfannmüller (Vgl. Anm. 31). Allein durch dieses Exemplar ist wohl die frühe Textstufe des Grabbe-Essays überliefert, die, wie andere Manuskripte, „Ende des Zweiten Weltkriegs bei der Vernichtung des Nachlasses verbrannte." Neue Peter-Hille-Funde (Anm. 29), S. 63. – Bergmanns Grabbe-Bibliographie (Amsterdam 1973) annotiert Pfannmüllers Dissertation unter Nr. 556.

35 Diese Auffassung vertritt auch Michael Kienecker in einem Schreiben an den Autor vom 1. Juni 2016.

36 GW, Bd. 6, S. 338.

37 Ebd., S. 339.
38 Freund: Hilles Essay „Grabbe" (Anm. 28), S. 40. Im Unterschied zu den *Gesammel-ten Werken* finden sich einige – hier nicht nachgewiesene – Auslassungen sowie frag-würdige Veränderungen in Orthographie und Interpunktion sowie Schreibfehler.
39 Vgl. Anm. 29. Die Transkription der von Peter Hille für den Druck vorgesehenen Handschrift (H$_1$) aus der Stadt- und Landesbibliothek Dortmund erfolgt nach einer von Michael Kienecker zur Verfügung gestellten Kopie. Dieser Text wurde mit der frühen („Königsberger") Fassung (H$_2$) aus der Lippischen Landesbiblio-thek Detmold kollationiert. In den Lesarten sind – neben den Korrekturen Hilles im Manuskript letzter Hand – die textlichen Vorstufen dokumentiert, soweit dies möglich war. Die Stadt- und Landesbibliothek Dortmund und die Lippische Lan-desbibliothek Detmold erteilten ihr Einverständnis für den Abdruck der Texte und Faksimiles.
40 GW, Bd. 2, S. 39.
41 Karl Ziegler: Grabbe's Leben und Charakter. Faksimiledruck der Erstausgabe von 1855 hrsg. von der Grabbe-Gesellschaft e. V. mit einem Nachwort von Detlev Kopp und Michael Vogt. Detmold 1990, Kap. 25, S. 169-179, auch Kap. 23 und 24.
42 GW, Bd. 5, S. 377.
43 Ebd., S. 451. Vgl. Hille: Gesammelte Werke (Anm. 4): „Grabbe: Verwitterungsselig-keit" (S. 437), diese Fassung bereits in der ersten Auflage von 1904, Bd. 2, S. 120.
44 Vgl. Maria Porrmann: Grabbe – Dichter für das Vaterland. Die Geschichtsdramen auf deutschen Bühnen im 19. und 20. Jahrhundert. Lemgo 1982 (Lippische Studien. Bd. 10), S. 79-88, hier S. 79.
45 GW, Bd. 3, S. 245.
46 Vgl. Lothar Ehrlich: Christian Dietrich Grabbe. Leben, Werk, Wirkung. Berlin 1983, S. 101-103. Hille fehlt hier, weil sein Essay erst 1986 publiziert wurde (siehe Anm. 27).
47 Siehe Anm. 10.
48 Vgl. Ehrlich: Grabbe (Anm. 46), S. 87-92, S. 104-110.
49 Vgl. Bernhardt: Hille (Anm. 15), passim, insbes. S. 79-86, S. 145-160, S. 253-266.
50 Vgl. Ehrlich: Grabbe (Anm. 46), passim, zu Immermann Peter Hasubek: Wechsel-seitige Anziehung und Abstoßung: Grabbe und Immermann. In: Grabbe-Jahrbuch 7 (1988), S. 11-34; Peter Schütze: Theaterträume aus Düsseldorf. In: Grabbe-Jahr-buch 28/29 (2009/2010), S. 94-125; zuletzt Lothar Ehrlich: Grabbes Auseinander-setzung mit dem Düsseldorfer Stadttheater unter Immermanns Leitung (1834/36). In: Immermanns *theatralische* Sendung. Karl Leberecht Immermanns Jahre als Dra-matiker und Theaterintendant in Düsseldorf (1827–1837). Zum 175. Todestag Immermanns am 25. August 2015. Hrsg. von Sabine Brenner-Wilczek, Peter Hasu-bek, Joseph Anton Kruse. Frankfurt a. M. 2016, S. 129-142.
51 Vgl. S. 162.
52 GW, Bd. 1, S. 229.

53 Arno Holz: Die Kunst, ihr Wesen und ihre Gesetze (1891/92). In: Literarische Manifeste des Naturalismus 1880–1892. Hrsg. von Erich Ruprecht. Stuttgart 1962, S. 211.

54 Vgl. Lothar Ehrlich: Gerhart Hauptmann und Grabbe. Mit dem unveröffentlichten Gedicht *Grabbe und Goethe* (1936), S. 149-151 in diesem Band.

55 Vgl. Lothar Ehrlich: Grabbe, Büchner und das deutschsprachige Drama seit dem Naturalismus. In: Innovation des Dramas: Grabbe und Büchner. Hrsg. von Lothar Ehrlich und Detlev Kopp. Bielefeld 2016 (Vormärz-Studien. Bd. XXXVIII), S. 157-196.

56 Johannes Schlaf: Ein deutscher Bohemien. In: Zeitgeist 1902, Nr. 16. Zit. nach: Peter Hille: Dokumente und Zeugnisse zu Leben, Werk und Wirkung des Dichters – zusammengestellt und hrsg. von Friedrich Kienecker. Paderborn u.a. 1986, S. 75-79, hier S. 77-78.

57 Vgl. Bernhardt: Hille (Anm. 15), S. 161-167.

58 GW, Bd. 2, S. 49.

59 Ebd., S. 53,

60 Ebd., S. 29.

61 Ebd., S. 39.

62 Ebd., Bd. 1, S. 264.

63 Vgl. S. 169.

64 GW, Bd. 2, S. 17.

65 Ebd., S. 15.

Joachim Eberhardt

Freiligrath und Brockhaus (2). Briefe 1865-1871

Einleitung

Dieser Aufsatz setzt die Edition der Korrespondenz zwischen Freiligrath und dem Brockhaus-Verlag fort, die im vorjährigen Grabbe-Jahrbuch zu lesen war[1]; die Zählung der Briefe beginnt daher mit Nr. 8.

In ihren letzten Jahren gilt diese Korrespondenz nur zwei Themen: den biographischen Einträgen in der jeweils neuen Auflage des Conversations-Lexikons und der möglichen Beteiligung Freiligraths an einer Shakespeare-Neuübersetzung. Die Briefe folgen chronologisch; die biographischen Briefe Nr. 8, 15 und 16 rahmen das Shakespeare-Thema ein.

Alle Briefe sind bisher unveröffentlicht und im Besitz der Lippischen Landesbibliothek. Ihre Texte werden diplomatisch getreu wiedergegeben; der Zeilenfall wurde aus Platzgründen nicht beibehalten; Freiligraths Verdopplungsstrich über dem Buchstaben „m" aufgelöst.

Dem edierten Text folgt jeweils ein Kommentar. Folgende Zeichen und Kennzeichnungen werden verwendet:

kursiv	Schriftwechsel in der Vorlage von Kurrentschrift zur lateinischen Schrift
[in eckigen Klammern]	Herausgeberzusätze
|	Seitenwechsel in der Vorlage
||	Blattwechsel in der Vorlage

Dokumente

8. Ferdinand Freiligrath an F. A. Brockhaus, 30. Juli 1865

> 11, Portland Place,
> Lower Clapton,
> London,
> 30. Juli 1865.

Hochgeehrter Herr [Heinrich Brockhaus],

Durch einen Zufall habe ich die Absendung der Zulage etwas über die von Ihnen mir bezeichnete Frist verzögert, was Sie freundlich entschuldigen wollen.

Jedenfalls hoffe ich, daß die wenigen factischen Ergänzungen, die ich dem Artikel hinzufügen konnte, Sie noch zur rechten Zeit erreichen | werden.

Recht sehr danke ich Ihnen, daß sie mir zu diesen Ergänzungen freundlich haben Gelegenheit geben wollen, und empfehle mich Ihnen, sehr geehrter Herr, mit bekannter ausgezeichneter Hochachtung

Ihr

ganz ergebener

F. Freiligrath

Herrn
F. A. Brockhaus
in Leipzig

Kommentar

Überlieferung: Eigenhändige Handschrift.
Bestand: Lippische Landesbibliothek, FrS 637,6.
Zeugenbeschreibung: 1 Doppelbl. (2 beschr. S.). – 18,3:11,3 cm.
Auf der 4. Seite des gefalteten Doppelblatts in lateinischer Schrift ein Vermerk des Verlages zur Ablage in seinen Akten: „1865. [Neue Zeile:] London, 30. Juli / 2. August. [Neue Zeile:] Freiligrath."

Adressat des Schreibens ist Heinrich Brockhaus als Geschäftsführer des Brockhaus-Verlages.[2] Schon für die zehnte Auflage des Conversations-Lexikons war Freiligrath zur Korrektur eingeladen worden und hatte in einem umfangreichen Brief biographische Angaben gemacht, die in den gedruckten Text eingeflossen waren.[3] Für die elfte Auflage notiert Freiligrath seine Änderungsvorschläge auf einer Beilage, die nicht erhalten ist. Die von ihm angesprochenen „wenigen factischen Ergänzungen" lassen sich allerdings aus einem Vergleich der Artikel der 10. und 11. Auflage erschließen. So teilt er Aktuelleres zu seinen Veröffentlichungen mit; sein Debütband „Gedichte", ursprünglich 1838 erschienen, liegt 1864 bereits in der 22. Auflage vor (gegenüber der 12. Auflage 1851). Außerdem gibt es die in New York 1858 erschienene „Gesamtausgabe". Vor allem aber hat Freiligrath korrigiert, wie sein Leben nach der Flucht nach England beschrieben sein soll: er ist kein „politischer Flüchtling" mehr, sondern lebt in „gesicherter bürgerlicher Stellung".[4]

9. FERDINAND FREILIGRATH AN RUDOLF BROCKHAUS, 9. FEBRUAR 1867

102, Marine Parades
Brighton,
Febr. 9. [von anderer Hand: /11.] 1867
[von anderer Hand: Freiligrath. b. 27.2.]

Sehr geehrter Herr [Rudolf Brockhaus],

für heute nur wenige Worte dankbarer Erwiderung auf Ihre gütige Zuschrift vom 25. v. M., die mich Ihres Andenkens in für mich so ehrenvoller u. erfreulicher Weise versicherte. Ausführlichere Briefe, an Sie wie an Prof. Bodenstedt, sollen Anfangs nächster Woche, gleich nach meiner Rückkehr nach London, bestimmt folgen.

Heute also nur die An-|zeige, daß ich unter Umständen bereit bin, eines oder einige Stücke der von Bodenstedt redigierten u. in Ihrem Verlag erscheinenden Shakespeare-Uebersetzung zu übernehmen, – <u>nur nicht solche, die bereits von A. W. Schlegel übersetzt worden sind</u>. Wollen Sie die Güte haben, mich wissen zu lassen, welche Stücke Bodenstedt noch zu vergeben hat? Oder vielleicht wird Bodenstedt, nachdem er meinen Brief empfangen hat, mich selbst von allen Details unter-| richten? Jedenfalls wird es mir zur größten Ehre gereichen, wenn Sie meinen Namen bereits im Prospekt mit aufführen wollen. Ich zweifle nicht im Geringsten, daß ich mich mit Ihnen und Bodenstedt leicht verständigen werde.

Mein scitheriges Schweigen gegen B. hatte seinen Grund in allerlei Zufälligkeiten. Ich werde mich deßwegen bei ihm entschuldigen, u. ich hoffe, daß er mir vergeben wird

Also in wenigen Tagen mehr. Ich lasse | diese wenigen Zeilen vorauslaufen, damit Sie über meinen Beitritt nicht länger im Zweifel sind.

Ihrem verehrten Herrn Vater, Ihrem Herrn Bruder & Prof. Bodenstedt meine freundlichsten & angelegentlichsten Empfehlungen!

Und seien Sie selbst auf's Herzlichste gegrüßt von

Ihrem
aufrichtig ergebenen
F. Freiligrath.

Herrn
Rud. Brockhaus

Kommentar

Überlieferung: Eigenhändige Handschrift.
Bestand: Lippische Landesbibliothek, FrS 637,8.
Zeugenbeschreibung: 1 Doppelbl. (4 beschriebene Seiten; die Seiten 3 und 4
sind quer beschrieben). – 17,6:11,4 cm.

Friedrich Martin von Bodenstedt (1819-1892) war ein Schriftsteller und Übersetzer, der mit seinem Erstlingswerk „Lieder des Mirza Schaffy" 1851 berühmt
geworden war; 1917 erschien bereits die 264. (!) Auflage. Er war nach Studium
in Göttingen und Reisen 1854 als Professor für Slawische Sprachen nach München berufen worden und ging 1867 als Hoftheaterintendant nach Meiningen.[5]
Bodenstedt hatte bereits am 27. April 1866 an Freiligrath geschrieben, um ihn
zur Mitarbeit an einer neuen deutschen Shakespeare-Ausgabe zu bewegen, „welche Brockhaus soeben mit mir vereinbart hat".[6] Bodenstedt kündigt Freiligrath
zugleich an, dass der Verleger die Arbeit ordentlich bezahlen würde – „[d]ie von
Brockhaus gebotenen Bedingungen sind die günstigsten, welche in Deutschland
wohl überhaupt je ein Verleger für solche Arbeiten geboten hat".[7] Da Freiligrath
zunächst nicht antwortet, hatte Bodenstedt am 30. Mai 1866 die briefliche Bitte
wiederholt.[8] Inzwischen hatten andere Schriftsteller einer Mitarbeit zugestimmt,
wie Bodenstedt meldet. Paul Heyse und Otto Gildemeister hatten sich bereits
auf Stücke festgelegt, die sie übersetzen wollten. Freiligrath reagiert auch darauf
nicht. Im vorliegenden Schreiben entschuldigt er sich, „allerlei Zufälligkeiten"
hätten ihn am Antworten gehindert. Da Freiligrath sich nach dem Ende seiner
Beschäftigung für die General Bank of Switzerland Ende 1865 wieder seinen
Lebensunterhalt mit schriftstellerischer Arbeit verdienen muss, erstaunt es allerdings, dass er diese Gelegenheit zur Einnahme bislang außer Acht gelassen hatte,
denn die Idee der Nationaldotation für seinen Lebensunterhalt kennt Freiligrath
nicht früher denn Januar 1867.[9]

Erst als Rudolf Brockhaus ihm am 25. Januar 1867 schreibt – der Brief war
Freiligrath von Nicolaus Trübner überbracht worden[10], ist aber nicht erhalten –
fühlt sich Freiligrath zur Antwort genötigt. Seiner Ankündigung, nächstens ausführlicher schreiben zu wollen, scheinen allerdings keine Briefe gefolgt zu sein.
Trotzdem hat der Brockhaus-Verlag Freiligraths Zusage als bindend angenommen: Seit dem ersten erschienenen Band der Bodenstedt'schen Ausgabe 1867
ist Freiligrath unter den beteiligten Übersetzern auf der Vortitelseite genannt.[11]

August Wilhelm Schlegels Shakespeare-Übersetzungen schätzte Freiligrath
sehr. Neben diese etwas Eigenes zu stellen, das sei so, „als wollte man Goethe und
Schiller umschreiben", schrieb Freiligrath am 2. Juli 1867 an Heinrich Koester.[12]
Entsprechend äußert er seinen Vorbehalt.

Auf die von Bodenstedt bzw. von Brockhaus angebotenen Vertragsbedingungen lässt sich nur indirekt schließen aus der späteren Korrespondenz. Am 3. Juli 1867 schrieb Freiligrath an den Dichter Longfellow und erwähnt, dass er mit einem Honorar von 500 fl. rechne, was 40 Pfund entspräche und in London für einen Monat reiche.[13]

10. FERDINAND FREILIGRATH AN F. A. BROCKHAUS, 16. MAI 1867

> Herrn F. A. Brockhaus
> in Leipzig.

Hochgeehrter Herr [Rudolf Brockhaus?],

Zulage zur gütigen Beförderung an Herrn Prof. Bodenstedt. Dieselbe ist auch für Sie geschrieben, u. ich bitte Sie, vom Inhalt gütigst Kenntnis nehmen zu wollen. Nach meiner Rückkehr aus der Schweiz schreibe ich auch Ihnen ausführlicheres.

> In aufrichtiger Hochachtung
> Ihr ergebener
> F. Freiligrath

16.5.[18]67

Kommentar

Überlieferung: Eigenhändige Handschrift.
Bestand: Lippische Landesbibliothek, FrS 637,7.
Zeugenbeschreibung: 1 Doppelbl. (1 beschr. S.). – 13,3:8,9 cm. Auf der 3. Seite von anderer Hand in lateinischer Schrift der Ordnungsvermerk des Verlages: „1867 [Neue Zeile:] London, 16./19. Mai [Neue Zeile:] Freiligrath [Neue Zeile, von anderer Hand:] b. 25. Mai".

Rudolf Brockhaus könnte der Adressat auch dieses Briefes sein, da er in der Angelegenheit der Shakespeare-Ausgabe bereits früher den Verlag gegenüber Freiligrath vertreten hatte (siehe oben Nr. 9). Die „Zulage" an Bodenstedt ist nicht bekannt, aber Bodenstedts Antwortschreiben vom 24. Mai 1867 ist in Freiligraths Nachlass erhalten geblieben.[14] Daraus geht hervor, dass sich Freiligrath, wie erbeten, auf bestimmte Stücke festgelegt hatte: Bodenstedt bestätigt ihm zur Übersetzung die Dramen „Cymbeline", „Das Wintermärchen" und „König Lear", mit dem Hinweis, die ersten beiden seien „schon vergeben" gewesen, aber „frei gemacht" worden, „da ich auf Ihre Betheiligung an unserem Unternehmen besonderes Gewicht lege". Bereits vorher, am 17. Februar, hatte Bodenstedt mitgeteilt, dass „König Lear" schon von Hermann Kurz übernommen worden sei, was sich aber „vielleicht noch rückgängig machen" lasse; ihm selbst sei es lieber, wenn Freiligrath den „Lear" übersetze.[15] Also scheint Bodenstedt auch dort den Platz eines andern für Freiligrath geräumt zu haben.

11. FERDINAND FREILIGRATH AN F. A. BROCKHAUS, 12. APRIL 1870

Stuttgart, 12. April 1870
Herrn Fr. Arn. Brockhaus
in Leipzig

Hochgeehrter Herr [Rudolf Brockhaus],

Ihre verschiedenen gefälligen Zuschriften, die letzte vom 2. d. M., sind bestens in meine Hände gelangt, u. ich danke Ihnen aufrichtig für die Nachsicht, mit der Sie meiner Saumseligkeit in Betreff unserer Shakespeare-Angelegenheit zu begegnen die Güte hatten. Auch Herrn Dr. Bodenstedt danke ich in demselben Sinne auf's Herzlichste.

Jene Saumseligkeit hat nicht sowohl ihren Grund in der mancherlei Unruhe u. Aufregung, welche die letzten Jahre mir brachten, als vielmehr in einem gewissen Mißbehagen, womit diese | Aufgabe, die zu lösen ich Ihnen versprochen, (mit dem stillschweigend & sich von selbst verstehenden Vorbehalt natürlich, daß wir uns über die Bedingungen meiner Ihnen zu widmenden Thätigkeit einigen würden), je länger je mehr mich erfüllt.

Wie ich Ihnen oder Herrn Dr. Bodenstedt gleich anfangs bemerkte, u. wie ich Ihrem verehrten Herrn Heinrich Brockhaus, bei dessen kurzem Besuche im vorigen Spätjahr, wiederholt mündlich aeußerte: – Ich ackere nicht gern noch einmal ein Feld, das Andere, vor mir, bereits mit Erfolg geackert haben, u. ich bedaure wirklich fast, daß ich mich damals durch Ihr u. Herrn Dr. Bodenstedts freundschaftliches Drängen gegen meine Ueberzeugung bestimmen ließ, | Ihnen meine Mitwirkung an Ihrer neuen Shakespeare-Ausgabe zuzusagen.

Indeß davon kann jetzt keine Rede mehr sein. Ich habe Ihnen wenigstens den <u>Cymbeline</u> versprochen, und bin bereit, mein Versprechen zu halten, vorausgesetzt daß wir uns über die Bedingungen meines Beitritts verständigen. Bis jetzt ist darüber zwischen Ihnen & mir noch nichts festgesetzt worden.

Herr Dr. Bodenstedt hat mir allerdings einmal über den Gegenstand geschrieben, (noch eh' ich London verließ), – sein Brief ist mir aber im Augenblick nicht zur Hand, u. ich erinnere mich nicht genau mehr der mir von ihm genannten Honorarsumme. Nichtsdestoweniger erkläre ich mich mit derselben einverstanden, u. bitte Sie nur, | mir den Betrag, im Einverständniss mit Herrn Dr. Bodenstedt, bestätigend zu nennen.

Uebrigens nehme ich an, daß dieses Honorar nur ein erstmaliges ist, und daß, wenn Ihr Shakespeare neue Auflagen erleben sollte, der Uebersetzer, oder dessen Erben, bei jeder neuen Auflage zum abermaligen Bezuge des Honorars berechtigt ist. Auch müßte ich mir die Verfügung über meine Uebersetzung in der Weise vorbehalten, daß dieselbe durch mich, oder meine Erben, in eine später vielleicht einmal zu veranstaltende Gesamtausgabe meiner Dichtungen und Uebersetzungen aufgenommen werden dürfte.

Sind Sie hiermit einverstanden, so soll das Manuscript meiner Cymbeline-Uebersetzung || allerspätestens bis zum 1. October (nicht bis zum 1. Aug.) d. J. in Ihren Händen sein, u. wollen Sie die Güte haben, mir Contract *in duplos* baldigst zukommen zu lassen. Ich werde Ihnen alsdann das von mir zu unterschreibende Exemplar sofort unterschrieben remittiren.

Mit den freundlichsten Grüßen u. bekannter ausgezeichneter Hochachtung

Ihr
ganz ergebener
F. Freiligrath

Kommentar

Überlieferung: Eigenhändige Handschrift.
Bestand: Lippische Landesbibliothek, FrS 637,9.
Zeugenbeschreibung: 2 Doppelbl (5 beschr. S.). – 21,7:13,8 cm. Auf der 3. Seite des zweiten Doppelblatts Vermerk des Verlags: „1870. [Neue Zeile:] Stuttgart, 12./13. April. [Neue Zeile:] Freiligrath. [Neue Zeile] b. 16. Apr.

Als Adressat erschließt sich Rudolf Brockhaus durch den Rekurs auf frühere Äußerungen und den Hinweis auf einen Londoner Besuch von Heinrich Brockhaus (der also vom intendierten Empfänger des Briefes verschieden ist). – Freiligraths „Saumseligkeit" überspannt, nach dem Zeugnis der erhaltenen Briefe, immerhin fast drei Jahre: Seit dem vorherigen Brief von Mai 1867 ist kein weiteres Schreiben an Brockhaus bekannt. Offenbar bedurfte es auch mehrerer „gefälliger Zuschriften", bevor Freiligrath nun antwortete. „[M]ancherlei Unruhe und Aufregung" der letzten Jahre brachten Freiligrath die Nationaldotation und die Rückkehr aus dem Exil nach Deutschland mit dem Umzug nach Stuttgart.

Seit 1867 scheint sich Freiligraths Interesse an einer Mitwirkung bei der Shakespeare-Ausgabe deutlich abgeschwächt zu haben. Ging es früher darum, kein Schlegel'sches Übersetzungswerk zu wiederholen, so äußert er nun sein „Mißbehagen" an einer Doppelarbeit, ohne irgendeinen bestimmten Autornamen zu nennen. Von „Lear" und „Wintermärchen" ist nicht mehr die Rede. Dass er bereits 1867 „gegen [s]eine Überzeugung" zugesagt habe, zeigen die erhaltenen Briefe nicht an; an Heinrich Koester hatte Freiligrath allerdings deutlicher geschrieben: „Zur Theilnahme [...] habe ich mich nur mit Mühe entschlossen. Aber Bodenstedt und Brockhaus ließen nicht ab, mich zu bestürmen."[16]

Über die Bezahlung hatte Bodenstedt sich mehrfach gegenüber Freiligrath geäußert, jeweils mit dem Hinweis, es handele sich um „die günstigsten [Bedingungen], welche in Deutschland wohl überhaupt je ein Verleger für solche Arbeiten geboten hat", so am 27. April.[17] Im Brief vom 4. Mai 1867 wurde Bodenstedt konkret: Brockhaus habe 500 F. pro Stück als Honorar festgesetzt, davon gingen 50 F. an Delius für die Revision[18], wobei im Falle Freiligraths eine solche nicht erforderlich sei, so dass dieser die gesamte Summe erhalten könne.

12. *Ferdinand Freiligrath an F. A. Brockhaus, 5. Mai 1870*

Stuttgart, 5. Mai 1870

Hochgeehrter Herr [Heinrich Brockhaus],

Ich bin Ihnen, in ergebener Beantwortung Ihrer gefälligen Zuschriften vom 16. April u. 3. Mai, vor allen Dingen aufrichtig dankbar für die Freundlichkeit, mit der Sie meinen verschiedenen Wünschen rücksichtlich des „Cymbeline" wenigstens theilweise entgegenzukommen die Güte haben.

Im Ganzen erkläre ich mich mit den Verlagsbedingungen, wie solche in dem mir zugesandten Entwurfe enthalten sind, gern einverstanden. Dagegen finde ich, was Einzelnes betrifft, noch einige Ausstellungen zu machen.

Vornämlich zur zweiten Hälfte der § 2., wonach die Verlagshandlung befugt sein soll, die Uebersetzung des „Cymbeline" nicht nur in neuere | Auflagen der ganzen Sammlung, sondern auch einzeln „mit oder ohne Einleitung u. Anmerkungen, in beliebiger Stärke, Zahl u. Ausstattung zu veranstalten, ohne daß dem Uebersetzer ein weiterer Anspruch auf eine fernere Honorarvergütung dafür zusteht".

Es ist dies eine so unbillige, rein den Vortheil der Verlagshandlung so einseitig in's Auge fassende Bedingung, daß ich derselben unmöglich beizupflichten im Stande bin.

Auch die in § 3. ausgespochenen Bestimmungen über das Honorar für eventuelle Neudrucke der Uebersetzung u. der Gesammtausgabe scheinen mir auf einem unrichtigen Princip zu fußen. Wäre Ihr Princip das richtige, so würde ich für die später unveränderten neuen Auflagen meiner Gedichte | u. Uebersetzungen schon seit Jahren mehr kein Honorar von der Cotta'schen Buchhandlung bezogen haben. Und nun gar eine Honorirung 2ter u. weiterer Auflagen <u>mit nur einem Theile</u> des für die erste Auflage stipulirten Honorars! Davon sollte doch überall nicht mehr die Rede sein! Ist ein Buch gut und lebensfähig, u. zeigt es seine Lebensfähigkeit durch neue Auflagen, (unveränderte oder veränderte), so begreife ich nicht, warum der Autor nicht denselben Vortheil von der neuen Auflage haben sollte, wie von der ersten. Warum soll er weniger, u. der Verleger mehr Nutzen haben, als das erstemal?!

Mit der in § 2. genannten Honorarsumme, wie mit den §§ 4 u. 5 erkläre ich mich einverstanden, wie niedrig gegriffen | auch in letzterem die Anzahl der Freiexemplare scheinen dürfte. 12 u. 6 statt 6 u. 3 wäre wohl kein unbescheidendes Verlangen.

Daß, wie ich aus Ihrem ersten Briefe sehe, sämmtliche Uebersetzungen vor dem Drucke noch durch Herrn Prof. Delius einer Revision unterworfen werden, ist gewiß eine durchaus zu rechtfertigende Maßregel, u. keiner der Mitarbeiter wird Anstoß daran nehmen. Auffallend ist dabei nur: daß nicht die Verlagshandlung Herrn Prof. Delius für seine Mühe honorirt, sondern daß die Uebersetzer selbst, aus ihren Honoraren, die Ehre bezahlen müssen, sich ihre Prosa von einer Autorität, wie Herrn Prof. Delius, corrigiren zu lassen.

Sie sehen, hochgeehrter Herr, wo, u. wo nicht, wir miteinander || übereinstimmen. Glauben Sie zu einer weiteren Vereinbarung die Hand bieten zu können, so bitte ich, mir einen, auf der Grundlage des inliegend zurückerfolgenden Entwurfs beruhenden, aber nach meinen obigen Andeutungen modifizirten Vertrag *in duplo* einsenden zu wollen.

Dabei, und das ist die Hauptsache, müßte ich jedoch eine längere Ablieferungsfrist – etwa bis Ende März k.J. – zur Bedingung machen. Ich finde nämlich, daß die jüngst von mir gewünschte Frist für 1. Octbr. d.J. noch immer zu kurz für mich ist. Ich nehme es ernst mit der Arbeit, und – ich arbeite langsam. Ich wünsche Ihnen etwas Gutes, etwas in keiner Weise Uebereiltes vorlegen zu können. Dazu kommt, daß ich für den kommenden Sommer | vielfache Störung u. Unterbrechung voraussehe. Ich würde natürlich schon jetzt die Arbeit nach Möglichkeit fördern, aber die stillere Zeit des Herbstes u. Winters zur Feile u. zur Vollendung benutzen. Können Sie mir also jene verlängerte Frist einräumen, so bin ich sicher, Ihnen im nächsten Frühjahr mein Wort lösen zu können. Im anderen Falle würde ich es Ihnen gewiß nicht verdenken, wenn Sie vorzögen, auf meine Mitwirkung zu verzichten u. sich nach einer rascheren Kraft für den „Cymbeline"umzusehen.

Herrn Prof. Bodenstedt meine freundlichste Empfehlung!

Hochachtungsvoll
Ihr ergebener
F. Freiligrath

Kommentar

Überlieferung: Eigenhändige Handschrift.
Bestand: Lippische Landesbibliothek, FrS 637,10.
Zeugenbeschreibung: 2 Doppelbl. (6 beschr. S.). – 21,7:13,8 cm. Auf der Seite 4 des zweiten Doppelblattes der Vermerk des Verlags: „1870. [Neue Zeile:] Stuttgart, 5./7. Mai. [Neue Zeile:] Freiligrath. [Neue Zeile:] b. 11. Mai".

Der Vertragsentwurf scheint nicht erhalten zu sein. Doch gibt Freiligraths Bemängelung einiger vorgeschlagener Regelungen eine recht genaue Einschätzung, wie der Vertrag aussehen sollte.[19] Dass Freiligrath als Autor daran gewöhnt war, jede Auflage wie die erste bezahlt zu bekommen, war bereits beim Thema des möglichen Verlagswechsels zu sehen.[20]

Als Korrektor ist Nikolaus Delius (1813-1888) vorgesehen, der sich als Herausgeber einer kritischen englischen Shakespeare-Ausgabe mit deutschen Kommentaren (1854-1861) einen Namen gemacht hatte[21] und Präsident der deutschen Shakespeare-Gesellschaft war. Freiligrath hat Delius' Ausgabe besessen[22]; aus seinem grundsätzlichen Einverständnis mit der Korrekturregelung spricht sicher auch seine Achtung vor dem Gelehrten. Dass Bodenstedt ihm 1867 zugesagt hatte, seine Übersetzung bedürfe keiner Korrektur, ist hier vergessen.

Freiligrath stellt im Mai 1870 eine Erledigung erst bis „Ende März" des nächsten Jahres in Aussicht, nachdem er Anfang April noch mit rund 6 Monaten, also bis Oktober, auskommen zu können meinte und gegenüber Longfellow 1867 gar nur von nötigen vier Monaten schrieb. Das ist vielleicht eher ein Hinweis auf seine geringe Motivation, das Projekt anzugehen, denn auf die „für den kommenden Sommer [vorausgesehene] vielfache Störung u. Unterbrechung".

13. FERDINAND FREILIGRATH AN F. A. BROCKHAUS, 18. MAI 1870

Stuttgart, 18. Mai 1870

Sehr geehrter Herr [Heinrich Brockhaus],

Ihre gefällige Zuschrift vom 11. d. M. unterrichtet mich von den Gründen, die es Ihnen unmöglich machen, meinen Wünschen rücksichtlich der Bestimmungen zu § 3. Ihres Contractentwurfs über „Cymbeline" zu entsprechen. Ich füge mich diesen Gründen, & will also gegen die Fassung des § 3. weiter nichts erinnern.

Dagegen muß ich auf meinen Ausstellungen wider § 2., (die Sie ganz u. gar nicht berücksichtigen u. sogar unerwähnt lassen) fest bestehen. Ich kann diesen Paragraphen nur acceptiren, nachdem Sie sich mit der Abänderung | eines Theils desselben, wie ich solches mit rother Tinte in den beiliegend zurück erfolgenden Entwurf hinein corrigirt habe, einverstanden erklärt haben werden. Ich wiederhole den betreffenden Passus hier noch einmal in der Form, die ihm zu geben sein wird:

„Gegen dieses Honorar geht das übersetzte Drama nebst Einleitung u. Anmerkungen in das [unleserlich gestrichen] Eigenthum der Verlagshandlung über, doch nur in der Weise, daß diese befugt ist, von der ganzen Sammlung, deren Bestandtheil dasselbe bildet, nicht aber von dem einzelnen Drama, mit oder ohne Einleitung u. Anmerkungen, unveränderte Auflagen oder Ausgaben in beliebiger Stärke, Zahl und Ausstattung zu veranstalten etc. etc."

und füge als Schluß des Paragraphen noch folgenden Satz bei: |

„Sollte die Verlagshandlung, früher oder später, eine Einzelausgabe des Drama „Cymbeline" zu veranstalten wünschen, so hat sie dafür ein besonderes Honorar zu zahlen, u. sich dieserhalb mit Herrn Freiligrath oder dessen Erben seiner Zeit zu verständigen."

In anderer Fassung, als vorstehend, kann u. werde ich mir den § 2. unter keinen Umständen gefallen lassen, u. wird es, falls Sie mir dieselbe nicht einräumen können, zwecklos sein, unsere Unterhandlungen fortzusetzen.

Möchten wir uns noch einigen, so hoffe ich, u. würde Alles aufbieten, Ihnen das vollständige Manuscript noch bis Ende des Jahres liefern zu können: eine contractliche Verpflichtung dieserhalb muß ich jedoch ablehnen. |

Genehmigen Sie die Versicherung meiner Hochachtung und Ergebenheit

F. Freiligrath

Herrn F. A. Brockhaus
in Leipzig

Kommentar

Überlieferung: Eigenhändige Handschrift.
Bestand: Lippische Landesbibliothek, FrS 637,11.
Zeugenbeschreibung: 1 Doppelbl. (3 1/2 beschr. S.). – 21,7:13,8 cm. Auf der
Seite 4 quer zum Brieftext der Vermerk des Verlags: „1870. [Neue Zeile:]
Stuttgart, 18./19. Mai. [Neue Zeile:] Freiligrath. [Neue Zeile] b. 24. Mai".

Die Briefe wechseln nun zwischen Leipzig und Stuttgart mit geringem Verzug.
Auf Freiligraths Brief vom 5. Mai folgt die Antwort des Verlages vom 11. Mai;
Freiligrath reagiert am 18. Mai; der Verlag antwortet am 24. Mai. Auch wenn
Freiligrath Zugeständnisse zu machen scheint – so stellt er eine frühere Lieferung der Übersetzung zum Jahresende in Aussicht, ohne sich darauf festlegen
zu wollen –, bleibt zunächst ein Dissens, das Verlagsrecht an der Übersetzung
betreffend. Freiligrath wünscht nicht nur jeden weiteren Druck seiner Übersetzung im Rahmen von Nachauflagen der Gesamtausgabe honoriert zu sehen, sondern auch jeden möglichen Einzeldruck; und da dieser in anderer Ausstattung
erscheinen würde, wäre dort „ein besonderes Honorar" zu zahlen. Freiligrath
markiert diesen Punkt als conditio sine qua non und erklärt, komme es nicht zu
einer Einigung in seinem Sinne, eine weitere Verhandlung für „zwecklos". Sein
Beharren wirkt wie eine Sollbruchstelle.

14. FERDINAND FREILIGRATH AN F. A. BROCKHAUS, 16. JULI 1870

Stuttgart, 16/7.70

Hochgeehrter Herr [Heinrich Brockhaus],

Ich war längere Zeit verreist. Dazu kam dann neuerlich noch die politische Aufregung. Beides ist Ursache, daß ich Ihre gefälligen Zuschriften erst heute beant-
worte. Ich bitte deßwegen sehr um Ihre gütige Entschuldigung.
   In dem mir eingesandten, theilweise nach meinen Andeutungen abgeänder-
ten, Vertragsentwurfe ist der §. 2. jetzt allerdings mehr oder weniger meinen
Wünschen entsprechend abgefaßt. Nur gibt die Art u. Weise, in der Sie den
Schlußsatz dieses Paragraphen, (eine Einzelausgabe der Uebersetzung betreffend), in Ihrem Briefe vom 24. Mai commentiren, mir die Ueberzeugung, daß,
wie Sie die | Sache auffassen, niemals eine Einzelausgabe, von der ich auf ein
Honorar rechnen könnte, erscheinen wird, daß der fragliche Schlußsatz also rein
illusorisch ist.

Da nun Sie, verehrter Herr, so fest auf Ihre Auffassung unsres eventuellen Ver-
hältnisses, in Bezug auf diesen Punkt, bestehen, ich aber ebensowenig von der
meinigen abzuweichen vermag: so glaube ich, daß es nutzlos sein wird, diesen
Gegenstand noch weiter zu erörtern, u. bitte Sie darum aufs Ergebenste, unter
Rücksendung beider Exemplare des nicht von mir vollzogenen Vertrags, unsre
Verhandlungen als abgebrochen betrachten zu wollen.

Ich bedaure aufrichtig, daß wir zu keinem andern Resultate gelangt sind, muß
aber | um so mehr an meinem Entschlusse festhalten, als es mir, unter den augen-
blicklichen politischen Verhältnissen u. bei der mehr oder weniger ausgesetzten
Lage Stuttgarts, absolut unmöglich ist, mich einer Arbeit, wie die Uebersetzung
eines Shakespeare'schen Stückes, mit Ruhe u. Hingebung zu widmen.

In ausgezeichneter Hochachtung

ganz ergebenst
F. Freiligrath

Herrn
F. A. Brockhaus
in Leipzig

Kommentar

Überlieferung: Eigenhändige Handschrift.
Bestand: Lippische Landesbibliothek, FrS 637,12.
Zeugenbeschreibung: 1 Doppelbl. (2 3/4 beschr. S.). – 21,9:14 cm. Auf Seite 4
  des Doppelblattes der Verlagsvermerk: „1870. [Neue Zeile:] Stuttgart,
  16./18. Juli. [Neue Zeile:] Freiligrath".

Freiligrath war im Juni am Bodensee gewesen; in einem Brief vom 28.6. an seine
Schwester Gisbertine meldet er seine Rückkehr nach Stuttgart.

Drei Tage nach der Emser Depesche, drei Tage vor dem Beginn des Deutsch-
Französischen Kriegs, bringt Freiligrath das Shakespeare-Thema zum Abschluss:
Er wird keine Übersetzung des „Cymbeline" zu der von Friedrich Bodenstedt
herausgegebenen Gesamtausgabe beisteuern. Dabei spricht sich in diesem Brief
Freiligraths am deutlichsten aus, dass ihm an einer Mitwirkung bei der Übersetzung schlicht nicht gelegen ist. Brockhaus war ihm in allen seinen Forderungen
entgegengekommen, und Freiligrath räumt dies auch ein: der §2 sei „mehr oder
weniger [s]einen Wünschen entsprechend angepasst". Als Grund für das Ende
der Verhandlungen führt er nunmehr an, dass im Verlag Brockhaus „niemals
eine Einzelausgabe [...] erscheinen wird, von der [er] auf ein Honorar rechnen
könnte". Das Argument wirkt fadenscheinig, denn die Verhandlungen wurden
ja unter ganz anderen Vorzeichen begonnen und Brockhaus hatte Freiligrath nie

mit der Aussicht auf Sonderhonorare gelockt. Da der „Cymbeline" nicht zu den berühmten Dramen Shakespeares gehört, die sich im Standardrepertoire der Theater finden, konnte Freiligrath auch nicht selbstverständlich davon ausgehen, dass der Verlag je Interesse an einer Einzelveröffentlichung haben würde.

In diesem Licht wirken auch die Formulierungen in den früheren Briefen stärker. Gegen seine Überzeugungen habe er sich zur Teilnahme bewegen lassen, heißt es ja am 12. April 1870. Auch der Hinweis auf das eigene Versprechen im gleichen Brief spricht überdeutlich aus, dass nur das Gefühl der Verpflichtung Freiligrath zur Zusage bewegt, keineswegs aber eine intrinsische Motivation für diese Übersetzungsarbeit. Andere Briefe aus der gleichen Zeit belegen, dass Freiligrath an anderen Übersetzungen arbeitet. An Berthold Auerbach schreibt Freiligrath am 24. Februar 1870 mit offensichtlichem Mißvergnügen, dass er seine Arbeit an der Übersetzung von Texten Willam Cullen Bryants zugunsten des „Cymbeline" unterbrechen müsse.[23]

Der „Cymbeline" erschien übrigens im Jahr darauf als „31. Bändchen" der von Bodenstedt herausgegebenen Gesamtausgabe, und zwar in der Übersetzung von Otto Gildemeister. Auf dem Vortitelblatt war Freiligrath immer noch als Beteiligter an der Ausgabe angegeben, und das blieb so bis zum letzten Band der Bodenstedt'schen Ausgabe, Band 38 (1871).

15. *Ferdinand Freiligrath an F. A. Brockhaus, 2. August 1871*

Herrenalb, 2. Aug. 1871

Hochgeehrter Herr,

Ihr gefälliges Schreiben vom 27. v. M. ist mir von Stuttgart hierher nachgeschickt worden, u. ich danke Ihnen auf's Verbindlichste dafür. Ich werde in wenigen Tagen nach Stuttgart zurückkehren, und Ihnen alsdann von dort aus die freundlich gewünschten Notizen alsbald zusenden.

Bis dahin empfehle ich mich Ihnen mit bekannter ausgezeichneter Hochachtung.

Ihr
ergebener
F. Freiligrath

Herrn
F. A. Brockhaus
in Leipzig

Kommentar

Überlieferung: Eigenhändige Handschrift.
Bestand: Lippische Landesbibliothek, FrS 637,13.
Zeugenbeschreibung: 1 Doppelbl. (1 beschr. S.). – 20,6:13,2 cm. Auf Seite 3
des Doppelblattes der Verlagsvermerk: „1871. [Neue Zeile] Herrenalb,
2./4. August. [Neue Zeile] Freiligrath."

Zum Text siehe Kommentar zu Nr. 16.

16. FERDINAND FREILIGRATH AN F. A. BROCKHAUS, 20. SEPTEMBER 1871

Stuttgart, 20/9. 71

Hochgeehrter Herr,

Vergeben Sie, daß ich meinem Schreiben vom 2. Aug. aus Herrenalb erst heute
das Vorliegende folgen lasse. Ich hatte den mir zur Ergänzung freundlich gesand-
ten Artikel des Conv. Lexikon bei'm Verlassen des Schwarzwaldes verlegt, u. habe
ihn nach langem Suchen erst heute wieder unter meinen Papieren entdeckt.
  Sie erhalten den Ausschnitt, mit den nöthig scheinenden Zusätzen versehen,
nunmehr inliegend zurück, u. ich statte Ihnen meinen aufrichtigen Dank ab, daß
sie mir Gelegenheit haben geben wollen, den Artikel selbst zu vervollständigen.
  In bekannter ausgezeichneter Hochachtung ergebenst
F. Freiligrath

Kommentar

Überlieferung: Eigenhändige Handschrift.
Bestand: Lippische Landesbibliothek, FrS 637,14.
Zeugenbeschreibung: 1 Doppelbl. (1 beschr. S.). – 21,5:14 cm.
Beilage: 1 Bl. – 44,5:17 cm: Aufgeklebter „Ausschnitt" des Freiligrath-Artikels
  aus der elften Auflage des Conversations-Lexikons mit Freiligraths eigenhän-
  digen Streichungen und Ergänzungen.

Brief Nr. 16 nimmt eingangs auf Nr. 15 („Schreiben vom 2. Aug.") Bezug. Offenbar hat der Brockhaus-Verlag Freiligrath eine Kopie des biographischen Artikels
aus der elften Auflage geschickt, um ihm Gelegenheit zur Korrektur zu geben.

Ferdinand Freiligrath an F. A. Brockhaus, 20. September 1871
Lippische Landesbibliothek Detmold, Sign. FrS 637, 14

„Ausschnitt" des Freiligrath-Artikels aus der clften Auflage des Conversations-Lexikons mit Freiligraths eigenhändigen Streichungen und Ergänzungen
Lippische Landesbibliothek Detmold,
Sign. FrS 637, 005 A

Freiligrath hatte diese Gelegenheit ja auch schon für die Artikel der zehnten und elften Auflage erhalten und genutzt (siehe Briefe Nr. 2 und Nr. 8). Während wieder Auflagen und Daten korrigiert werden müssen – die „Gedichte" waren 1871 bereits in der „27. Aufl. (39stes Tausend)" erschienen; es gibt mittlerweile auch eine in Stuttgart erschienene Gesamtausgabe etc. –, gilt die umfangreichste Ergänzung der Biographie und setzt genau dort ein, wo auch für die Vorauflage Korrektur nötig war. Den gedruckten Satz „Erneuerte polit. Anklagen trieben ihn 1851 wieder nach London, wo er seitdem in gesicherter bürgerlicher Stellung lebte", korrigiert Freiligrath zu: „– nach London, wo er, nach mancherlei Kämpfen und Sorgen des Exils, zuletzt in gesicherter bürgerlicher Stellung lebte, bis er dieselbe (1866) durch das Eingehen der von ihm verwalteten Bankagentur plötzlich wieder in Frage gestellt sah, dann aber von der Heimath mit einer, ihm ein sorgenfreies Alter gewährleistenden Nationaldotation bedacht wurde, und darauf (1868) nach Deutschland zurückkehrte. Er lebt seitdem in Stuttgart, und hat sich von dort aus, zu Anfang des vorjährigen Kriegs, in manchen sehr populär gewordenen patriotischen Liedern zuletzt vernehmen lassen."

Da der sechste Band der zwölften Auflage erst 1877 erscheint, werden Freiligraths Anmerkungen inhaltlich vollständig, aber mit weiteren Ergänzungen und syntaktischen Anpassungen übernommen. So berichtet der Artikel auch von Freiligraths Umzug nach Cannstadt 1875 und seinem Tod: „[g]länzend war seine Leichenfeier."[24] Freiligraths Bemerkung zur Popularität seiner patriotischen Lieder ist ebenfalls übernommen und zudem, im resümierenden und wertenden Teil des Artikels am Ende, um eine deutliche positive Wertung ergänzt: „Während [Freiligrath] längere Zeit hindurch als Dichter einer polit. Partei den Antipathien der anders Gesinnten ausgesetzt war, hat er sich durch seine patriotischen Kriegslieder im J. 1870 zur Höhe eines allgemein anerkannten nationalen Sängers emporgeschwungen".[25]

Anmerkungen

1   Joachim Eberhardt: Freiligrath und Brockhaus (1). Briefe 1829-1864. In: Grabbe-Jahrbuch 34 (2015), S. 187-211. – Verweise auf das Freiligrath-Briefrepertorium beziehen sich auf das von Volker Giel 1998 bis 2000 erarbeitete Repertorium sämtlicher Briefe Freiligraths <www.ferdinandfreiligrath.de>; die Nachweise dort enthalten Regesten. – Dank an Claudia Dahl für die Unterstützung bei den Transkriptionen der Briefe.
2   Siehe dazu die Verlagsgeschichte von Heinrich Eduard Brockhaus: Die Firma F. A. Brockhaus von der Begründung bis zum hundertjährigen Jubiläum 1805-1905. Leipzig 1905, S. 47ff. Diese Verlagsgeschichte wurde als Reprint im ersten Band der

zweibändigen Festschrift zum 200jährigen Bestehen des Verlages (Mannheim 2005) neu aufgelegt.

3   Siehe Brief Nr. 2 und Kommentar dazu in Eberhardt: Freiligrath und Brockhaus (Anm. 1), S. 191-197.

4   Allgemeine deutsche Real-Encyklopädie für die gebildeten Stände. Conversations-Lexikon. 10. Aufl. 15 Bde. Leipzig 1851-1855, Bd. 6, S. 343; Allgemeine deutsche Real-Encyklopädie für die gebildeten Stände. Conversations-Lexikon. 11. Aufl. 15 Bde. Leipzig 1864-1868, Bd. 6, S. 575. Vgl. zu den Unterschieden der Auflagen im Allgemeinen: Anja zum Hingst: Die Geschichte des Großen Brockhaus. Vom Conversationslexikon zur Enzyklopädie. Wiesbaden 1995, S. 136-143.

5   Eduard Stemplinger: Bodenstedt, Friedrich Martin von. In: Neue Deutsche Biographie. Bd. 2. Berlin 1955, S. 355-356. Onlinefassung: <urn:nbn:de:bvb:12-bsb00016318-3>.

6   Brief von Friedrich Bodenstedt an Ferdinand Freiligrath am 27. April 1866, zit. nach: Wilhelm Schoof: Zur Geschichte der Shakespeare-Übersetzungen vor hundert Jahren. Nach unveröffentlichten Briefen im Goethe-Schiller-Archiv in Weimar. In: Schweizer Rundschau 63 (1964), H. 11, S. 662-666, hier S. 663.

7   Ebd.

8   Brief von Friedrich Bodenstedt an Ferdinand Freiligrath am 30. Mai 1866, zit. nach: ebd.

9   Zur Nationaldotation siehe Rainer Noltenius: Die Freiligrath-Dotation 1867 und die „Gartenlaube". Deutschlands größte Geldsammlung für einen lebenden Dichter. In: Grabbe-Jahrbuch 2 (1983), S. 57-74; allgemeiner zur Londoner Zeit: Christine Lattek: Ferdinand Freiligrath in London. In: Grabbe-Jahrbuch 8 (1989), S. 101-130. Vgl. auch Freiligraths Brief an Ludwig Elbers vom 24. Januar 1867 (Brief Nr. 491 im Freiligrath Briefrepertorium).

10 Dafür dankt Freiligrath Trübner am 4. Februar 1867 (Brief Nr. 3044 im Freiligrath-Briefrepertorium).

11 William Shakespeare: Dramatische Werke. Bd. 1: Othello, der Mohr von Venedig. Übers. von Friedrich Bodenstedt. Leipzig 1867. Die Ausgabe erschien in 38 Bändchen, mehrere Bände pro Jahr. Alle Bände zeigen Freiligrath auf dem Vortitel als Mitübersetzer der Ausgabe an.

12 Zit. nach: Wilhelm Buchner: Ferdinand Freiligrath. Ein Dichterleben in Briefen. Lahr 1882, Bd. 2, S. 372-374, hier S. 374 (Datierung nach den Angaben im Freiligrath-Briefrepertorium, Brief Nr. 496).

13 Brief an Henry Wadsworth Longfellow vom 3. Juli 1867, unveröffentlicht. Zit. nach dem Regest des Briefes (Freiligrath-Briefrepertorium, Brief Nr. 1651).

14 Brief vom 24. Mai 1867, veröffentlicht bei Schoof: Zur Geschichte der Shakespeare-Übersetzungen (Anm. 6), S. 665.

15 Brief vom 17. Februar 1867, ebd.

16 Freiligrath an Koester (Anm. 12).

17 Zit. nach: Schoof: Zur Geschichte der Shakespeare-Übersetzungen (Anm. 6), S. 663, vgl. auch seinen Brief vom 30. Mai, ebd.

18 Ebd., S. 664. Zu Delius siehe unten.

19 Hinweise darauf, welche Regelungen ein Verlagsvertrag zu Freiligraths Zeiten ent-halten konnte, gibt Harald Steiner: Das Autorenhonorar – seine Entwicklungs-geschichte vom 17. bis 19. Jahrhundert. Wiesbaden 1998. (Buchwissenschaftliche Beiträge aus dem deutschen Bucharchiv München, 59), insbes. S. 76ff. Dort auch Informationen zur gewöhnlichen Honorarhöhe für Übersetzungen (S. 248-257).

20 Vgl. Eberhardt: Freiligrath und Brockhaus (Anm. 1), Briefe Nr. 4 bis 6 und Kom-mentare.

21 Wolfgang Clemen: Delius, Nicolaus. In: Neue Deutsche Biographie. Bd. 3. Berlin 1957, S. 585f. Onlinefassung: <http://www.deutsche-biographie.de/pnd118983814.html>.

22 Die Bibliothek Ferdinand Freiligraths. Ferdinand Freiligrath zur Wiederkehr sei-nes 100. Todesjahres. Hrsg. von Karl Alexander Hellfaier. Detmold 1976 (Nach-richten aus der Lippischen Landesbibliothek, 8). Siehe dort Nr. 1838. Online: <urn:nbn:de:hbz:51:1-8888>.

23 Freiligrath-Briefrepertorium, Brief Nr. 611. – Vgl. zu Freiligraths Übersetzungstätig-keit Nils Tatter: „Lieblingsbeschäftigung" und „fluchwürdiges Helotenwerk". Ferdi-nand Freiligrath als Übersetzer. In: Karriere(n) eines Lyrikers: Ferdinand Freiligrath. Hrsg. von Michael Vogt. Bielefeld 2012 (Vormärz-Studien, XXV), S. 163-180, zu Übersetzungen nach 1868 insbesondere S. 178.

24 Conversations-Lexikon. Allgemeine deutsche Real-Encyclopädie. Zwölfte umgear-beitete, verbesserte und vermehrte Auflage. In fünfzehn Bänden. Leipzig 1875-1879, Bd. 6, S. 851-853, hier S. 852.

25 Ebd.

PETER SCHÜTZE

Jahresbericht 2015/16

Ein spannendes Jahr, ein weitgespanntes Jahr mit vielen Aspekten, neuen Perspektiven, ein Jahr, das zahlreiche Schauplätze und Ereignisse umspannte: Davon habe ich zu berichten, und ich beginne damit im Herbst des vergangenen Jahres. Am 10. September 2015 fand die Mitgliederversammlung im Grabbe-Haus statt. Da der gesamte Vorstand sowie auch die Kassenprüfer erneut einstimmig gewählt wurden, ist hierzu kein weiterer Kommentar vonnöten. Dem Beirat gehören weiterhin an Detlev Hellfaier M. A., Prof. Dr. Detlev Kopp (Aisthesis Verlag Bielefeld und Forum Vormärz Forschung), Dr. Joachim Eberhardt (Direktor der Landesbibliothek), Georg Weis (Heimatbund), Jürgen Popig (Theater Heidelberg) und Prof. Dr. Kurt Roessler, zu dessen rheinischem Freiligrath-Kreis wir jedoch seit längerer Zeit kaum Kontakt haben. Wir bedauern das sehr. Zum Beirat hinzu kamen in der Zwischenzeit Bürgermeisterin Christ-Dore Richter, die VHS-Direktorin Dr. Birgit Meyer-Ehlert und der neue Schauspieldirektor des Landestheaters, Martin Pfaff. Ein paar der in der Versammlung behandelten Themen müssen hier aufgegriffen werden:

Eine vom Finanzamt geforderte Präzisierung bzw. Umformulierung der Vereinssatzung bezog sich auf den § 3 (*Gemeinnützigkeit*); dort fehlte nach Ansicht des Amtes der Satz *„Die Gesellschaft ist selbstlos tätig; sie verfolgt nicht in erster Linie eigenwirtschaftliche Zwecke."* Bei der Lektüre des Satzungstextes fiel auf, dass unter § 2 als eine der Aufgaben des Vereins die *„Mitwirkung bei der Vergabe des Grabbe-Preises durch die Stadt Detmold"* gefordert wurde. Der Hinweis auf die Stadt sei zu tilgen, war die einhellige Ansicht auf der Vorstands- und Beiratssitzung vom 14. Februar 2015, weil sie bereits vor Jahren ihre Beteiligung am Preis aufgekündigt habe. Außerdem sollten zwei nicht mehr zeitgemäße Sätze in § 10 (*Mitgliederversammlung*) herausgenommen werden. Diesen Satzungsänderungen, die der Mitgliederversammlung zur Abstimmung vorgelegt wurden, ist einstimmig zugestimmt worden. Ausgesetzt wurde der Vorschlag Christian Weyerts, auch eine genaue Unterscheidung der Aufgaben von Vorstand und Beirat in der Satzung zu verankern. Das Thema wurde auf der überaus gut besuchten Vorstands- und Beiratssitzung am 15. Januar 2016 diskutiert. Wie lange schon praktiziert, halten die einzelnen Beiratsmitglieder den Kontakt zu verschiedenen Kulturbereichen und Institutionen bzw. vertreten diese in der Gesellschaft. Die Bildung von Arbeitsausschüssen, soweit sie gebraucht werden, ist in der Satzung bereits vorgesehen, so dass eine Fixierung darüber hinaus nicht notwendig erschien; auf der anderen Seite ist klar, dass grundsätzliche, den Verein betreffende Entscheidungen, z. B. in finanzieller Hinsicht, allein dem Vorstand oder der Mitgliederversammlung vorbehalten sein müssen; letzteres ist ebenfalls in der Satzung festgehalten. Dem Schatzmeister war auch deshalb daran gelegen, die exklusiven Befugnisse und Ausgaben des Vorstands in Erinnerung zu rufen, weil sich durch die zurückgehende Mitgliederzahl und die daraus resultierenden Beitragsrückgänge sowie auch die zunehmende Zurückhaltung möglicher Sponsoren eine dauerhafte finanzielle Schieflage ergeben hat, die Qualität des kostenintensiven Jahrbuchs darunter jedoch nicht leiden solle. Hans Hermann Jansen bedauerte in diesem Zusammenhang, dass vor dem Hintergrund knapper werdender Haushaltsmittel sich auch Städte, Bibliotheken und Universitäten zurückzögen. Dem Vorschlag, auch von Mitgliedern einen Kaufpreis für das Jahrbuch zu erheben, um die Kosten auszugleichen, wurde mit dem Argument widersprochen, das Jahrbuch stelle eine essentielle Grundlage unserer Arbeit dar, die kostenlose Ausgabe an die Mitglieder sei „Zentrum und Aushängeschild der Gesellschaft". Der Antrag konnte daran nicht rütteln und wurde abgewiesen.

Die Mitgliederversammlung war der Auftakt eines reich bestückten Wochenendes. Ein Schwerpunkt unserer Programmgestaltung liegt in jedem Jahr auf dem zweiten Septemberwochenende, auf oder nahe dem Todestag Grabbes (am 12. September 1836). Seit geraumer Zeit pflegt die Grabbe-Gesellschaft mit der Peter-Hille-Gesellschaft zusammenzuarbeiten. Für diese gab Hilles Geburtstag am 11. September (1854) den Anlass für ihre Planung. Von den gemeinsamen Begängnissen profitieren seither die Mitglieder beider Vereine, die die angebotenen Termine wechselseitig nutzen können. Dabei lassen sich freilich Überschneidungen und parallel angesetzte Termine nicht ganz vermeiden.

Die zentrale Veranstaltung für die Grabbe-Gesellschaft war eine in der Lippischen Landesbibliothek durchgeführte Tagung zum Thema *Innovation des Dramas im Vormärz: Grabbe und Büchner*. Das Symposium wurde zusammen mit dem Forum Vormärz Forschung vorbereitet, stand unter der Leitung von Prof. Dr. Lothar Ehrlich und Prof. Dr. Detlev Kopp und beabsichtigte, „den inhaltlichen und strukturellen Gemeinsamkeiten und Unterschieden in Grabbes und Büchners Dramen nachzugehen und deren literatur- und theatergeschichtliche Bedeutung zu bestimmen." Zu vergleichenden Analysen fanden sich am 11. und 12. September 2015 außer den Genannten Prof. Dr. Norbert Otto Eke (Paderborn), Dr. Stephan Baumgartner (Zürich), Dr. Antonio Roselli (Paderborn) und Prof. Dr. Ariane Martin (Mainz) als Referenten ein, erfreulicherweise auch um die zwanzig Besucher über diese Runde hinaus; der Präsident der Grabbe-Gesellschaft begrüßte und leitete den ersten Teil der Vortragsrunde.

Die Vorträge sind, erweitert durch Aufsätze von Prof. Dr. Harro Müller (New York) und Prof. Dr. Georg-Michael Schulz (Kassel), in einem Sammelband von Lothar Ehrlich und Detlev Kopp herausgegeben worden; er erschien unter dem

Titel des Symposiums im Aisthesis Verlag, der mit diesem Forschungswochen-
ende zugleich sein 30jähriges Bestehen feiern konnte. Wir gratulieren an dieser
Stelle noch einmal herzlich zu diesem Geburtstag! – Das Podiumsgespräch zum
Thema *Grabbe und Büchner auf dem Theater der Gegenwart*, mit dem die Tagung
am 12. September ihren Abschluss fand, ist in diesem Jahrbuch nachzulesen. Die
Diskussion zwischen dem Detmolder Chefdramaturgen Dr. Christian Katzsch-
mann und den Regisseuren Martin Pfaff (Detmold) und Philip Tiedemann
(Berlin), an der auch die Besucher mit großem Interesse teilnahmen, wurde von
Jürgen Popig (Theater Heidelberg) geleitet. Finanzielle Unterstützung für diese
Tagung fand die Grabbe-Gesellschaft beim Forum Vormärz Forschung, der
Sparkasse Paderborn-Detmold, der Arbeitsgemeinschaft literarischer Gesell-
schaften Westfalens und der Stadt Detmold. Von der Arbeitsgemeinschaft Literarischer Gesellschaften und Gedenkstätten kam keinerlei Zuschuss, weil sie
wissenschaftliche Tagungen nicht mehr fördert wollte.

Die traditionelle Ehrung Grabbes fand an seinem 179. Todestag, am Sams-
tag, dem 12. September, zum ersten Mal als Morgenwanderung zum Grab des
Dichters statt; am Abend zuvor hatten gut fünfzig Zuhörer den „tollen Auftritt"
(Lippische Landeszeitung) von Henriette Dushe erleben können. Die Autorin
las gemeinsam mit den Detmolder Schauspielerinnen Karoline Stegemann und
Natascha Manier aus ihrem Stück *lupus in fabula*: ein Vortrag, der darstellerisch
so überzeugte, dass man zu sehen glaubte, was man hörte, und erneut die große
literarische Begabung der Grabbe-Preisträgerin unter Beweis stellte. Zu dieser
Veranstaltung trafen auch die Mitglieder der Hille Gesellschaft ein. Denn sie
war ebenfalls als Bestandteil des Hille-Wochenendes annonciert worden, das
sonst weitgehend im Hille-Haus Erwitzen abgehalten wurde. Tagungsthema war
dort die Berliner und Friedrichshagener Künstler-Bohème rund ums „Schwarze
Ferkel". Aus der Grabbe-Gesellschaft waren Dr. Peter Schütze und Hans Hermann Jansen zu Vorträgen über August Strindberg und Otto Julius Bierbaum
eingeladen; die Hauptreferate hielt Prof. Dr. Rüdiger Bernhardt (Halle/Saale).
Schluss- und Höhepunkt des Tages war eine historisch-kabarettistische Berlin-
Revue im Konzertsaal des Klosters Marienmünster; hierzu wiederum konnten
die Mitglieder der Grabbe-Gesellschaft begrüßt werden. Die Soiree stand unter
dem Motto *Mensch, sei Mensch und unterscheide Dir von's Tier!* Ich zitiere aus
der regionalen Presse: „Unterstützt wurden Peter Schütze als Moderator und
Hans Hermann Jansen bei der Gestaltung des Streifzugs ‚vom Schwarzen Ferkel zu anderem Pläsier' von Sevasti Symonidou (Klavier), den Voice-Pearls aus
Lage und jungen Künstlern der Johannes-Brahms-Schule Detmold. Mit Rezita-
tionen und Gesangsdarbietungen bereitete das Berlin-Kaleidoskop aus der Zeit
um 1900 großes Vergnügen" – so groß, dass es bald danach in der Detmolder
Ressource wiederholt werden konnte.

Zum 12. September 2015 lag auch eine Einladung zur Versammlung der mit uns befreundeten Ernst Ortlepp-Gesellschaft in Detmolds Partnerstadt Zeitz vor, der wegen der Überfülle eigener Veranstaltungen dieses Mal leider nicht gefolgt werden konnte. Im November erschien in der Schriftenreihe dieser Gesellschaft der von Anne Usadel, Kai Agthe und Roland Rittig herausgegebene Band zum Kolloquium „zur Erinnerung an den 150. Todestag des Dichters Ernst Ortlepp aus Droyßig" im Juni 2014, an dem der Präsident mit einem Grußwort und dem Vortrag *Vom eingedeutschten Shakespeare – Ernst Ortlepps Zwischenposition* mitgewirkt hatte.

Beim traditionellen Punsch, der erstmals wieder im Grabbehaus eingegossen wurde, bereitete der Chefdramaturg des Landestheaters die Gäste auf die mit Spannung erwartete Uraufführung des mit dem Grabbe-Preis ausgezeichneten Stücks vor. Schauspieler dieser Produktion mussten leider absagen, weil sie zu tief in der Probenarbeit und in anderen Aufgaben steckten, doch erwies sich Christian Katzschmann, der nun selbst Auszüge des Textes vortrug, als ein glänzender Vertreter der Mimen. Lothar Ehrlich stellte das pünktlich erschienene Jahrbuch vor, und der Präsident schenkte den alkoholvollen Glühwein und den alkoholfreien Apfelpunsch ein, die großen Anklang und reißenden Absatz fanden und das launige Beisammensein wohlig durchtränkten.

Über die erneute Einrichtung und Vergabe des Grabbe-Preises ist im vorigen Jahrbuch ausführlich berichtet worden; fast auf den Tag genau ein Jahr nach der Verleihung fand am 15. Januar 2016 im Detmolder Sommertheater die Uraufführung von Henriette Dushes ‚Bühnenelegie' *In einem dichten Birkenwald, Nebel* statt. Das Stück und die eindrucksvolle Inszenierung Malte Kreutzfelds, die im Juni 2016 zu den Autorentheatertagen ins Deutsche Theater Berlin eingeladen wurde, werden in diesem Band eingehend gewürdigt. Am Abend der Premiere wurde die Aufführung vom Publikum gefeiert: das glückliche Ergebnis eines erfolgreichen Hand-in-Hand-Gehens aller Initiatoren und aller Beteiligten. Auf dem anschließenden Sektempfang im Foyer des Sommertheaters wurde nochmals verbal bestätigt, wie fruchtbar und wünschenswert auch in Zukunft ein solches Miteinander sei. Und per Handschlag coram publico besiegelten der Theaterintendant Kay Metzger und der Präsident der Grabbe-Gesellschaft die gemeinsame Fortführung des Grabbe-Preises. Die Ausschreibung ist bereits Ende 2016 fällig; die ersten Gespräche dazu sind angelaufen und wurden nach den Sommerferien 2016 fortgeführt.

Am Nachmittag vor der Premiere fand im Grabbe-Haus eine überraschend gut besuchte Vorstands- und Beiratssitzung statt. Ein Schwerpunkt der Diskussion lag auf der Frage, in welcher Weise bei der Bemühung, Grabbe und sein Werk stärker ins allgemeine Bewusstsein zu rücken, auf die heutigen Lebensgewohnheiten und kulturellen Angebote eingegangen werden könne. Martin

Pfaff meinte, man müsse Grabbe als einen ,verführenden' Autor präsentieren, „der überraschend unterhaltsam und entdeckungswürdig" sei. Es gehe darum, Neugier zu wecken. Das trifft sich mit Vorschlägen in einem Papier von Christopher Preuß. Der junge Mann, der uns 2015 eine Zeitlang als Praktikant zur Verfügung stand, unter anderem die Transkription der Podiumsdiskussion über Grabbe und Büchner anfertigte und inzwischen eine Examensarbeit über Grabbes *Cid* vorgelegt hat, stellte sich Grabbe-Comics vor, reißerische Plakate und Filmtrailer, die heutige Monumentalmovies mit Grabbes Dramen verwandt erscheinen lassen. Eine solche Popularisierung und Trivialisierung mag manchen vielleicht auf die Spur bringen – bleibt die Frage nach denen, die nicht nur den Puls der Zeit in sich pochen hören, sondern auch die künstlerischen und technischen Fähigkeiten für eine Umsetzung haben. Dass die Einbindung von Jüngeren – Studierenden, Schülern, Lehramtsanwärtern – ein gutes Potenzial böte, ist unbestritten; aber genau da liegt bislang noch unser Problem. Dass es möglich ist, junge Leute, die ein kreatives Ziel vor Augen haben, auch inhaltlich für Grabbe, Freiligrath und Weerth zu begeistern, hat das leider von der Stadt unterbundene Projekt eines Museums, sprich einer Literatur-Begegnungsstätte, unzweifelhaft bewiesen. Was der Grabbe-Gesellschaft wie den meisten literarischen Gesellschaften und vielen anderen Vereinen fehlt, ihr Schrumpfen und ihre Überalterung, ist eine Generation dazwischen und damit eine kontinuierliche Entwicklung der Themen und ein stetiges Nachwachsen der Mitgliedschaften. Deren literarisches Interesse und ihre Bereitschaft zu ehrenamtlichen Tätigkeiten fehlen uns. Mit der Überalterung türmt sich zudem die Schwierigkeit, Schüler/innen und Studierende direkt zu motivieren, von Ausnahmen einmal abgesehen.

Dass wir versuchen, Wege zu finden, um auch Jugendlichen den Zugang ,schmackhaft' zu machen, und dass die Internet-Präsenz der Grabbe-Gesellschaft dabei eine herausfordernde und bisher noch unterbelichtete Rolle spielt, liegt auf der Hand. Für die künftige Betreuung konnten Martin Pfeiffer, der in einer Medienagentur arbeitet, und unser Mitglied Robert Weber (Celle) gewonnen werden.

Nur Positives ist von einer Reise nach Berlin und Erkner vom 5. bis 8. Mai 2016 zu vermelden, an der Mitglieder der Grabbe-Gesellschaft teilnahmen; da diese Fahrt von Nieheim aus geplant und veranstaltet wurde, ist der von einigen Seiten erhobene Vorwurf, die Fahrt kollidierte mit Veranstaltungen zur 40jährigen Partnerschaft Detmold-Hasselt, zurückzuweisen. Die ausgesprochen harmonisch verlaufene Reise war reich an unterschiedlichsten Eindrücken. Stationen der Tour, die im Wesentlichen zwar Themen des Hille-Wochenendes aufnahm und ihre Aufarbeitung an den authentischen Orten des Geschehens bot, waren darüber hinaus Wolfenbüttel, wo die Schlossbibliothek und das Lessinghaus besichtigt werden konnten, und auf der Rückfahrt Potsdam mit Sanssouci. In Erkner, wo die Exkursionsteilnehmer vorzüglich untergebracht waren, wurden das Gerhart Hauptmann-Museum und seine dortige Prachtvilla besucht; Rüdiger Bernhardt zog die Fahrgemeinschaft mit einem ungemein vitalen Vortrag über Hille und Hauptmann in seinen Bann, eine detailliert ausufernde Führung rundete den Besuch ab. Höchst lebendig gestaltete anderntags Ronald Vierock seine Führung durch Friedrichshagen und an den Müggelsee, wo sich um 1900 zahlreiche Poeten und Politiker aufgehalten und zeitweise einen ,Dichterkreis‘ gebildet hatten. In Berlin selbst wurde das Grab Peter Hilles auf dem St. Matthias Friedhof in Mariendorf angesteuert. Daran schloss sich ein Rundgang über den Dorotheenstädtischen Friedhof an. Die Abende wurden in den historischen Gaststätten „Zur letzten Instanz" und „Zum schwarzen Ferkel" genussreich ausgekostet; im Hotel fand zur letzten Nacht hin noch ein literarisch-musikalischer Ausklang statt, bei dem unser Freund Kurt Müller eine seiner Grabbe-Erzählungen zu Gehör brachte.

Von der *lila we:* (Literaturland Westfalen)-Tagung, die der Verf. am 20. Mai 2016 auf Schloss Hülshoff bei Münster besuchte, ist nichts für unsere Gesellschaft Ersprießliches zu berichten. Die spärlicher fließenden Gelder für dieses in Unna verwaltete Netzwerk werden in erster Linie von ihm selbst und für Werbezwecke, Internetpräsenz, Ankündigungen und üppige Halbjahres-Programme abgeschöpft und gelangen kaum noch zu den eigentlichen kulturellen Werkstätten und den Autoren. So kann auch für 2017 nur eine zentrale Großveranstaltung („*HIER*") auf Hülshoff eingeplant werden, nicht aber eine landesweite finanzielle Streuung.

Zwei neue bzw. erneut aufgenommene Kontakte sind noch zu erwähnen: Im Landesverband Lippe ist seit Herbst 2015 Frau Dr. Doreen Götzky als Leiterin der Kulturabteilung tätig. Im Rahmen eines Kulturentwicklungsplanes für Lippe ist sie – ich benutze ihre eigenen Worte, „für die strategische Entwicklung der gesamten Kulturarbeit des Landesverbandes Lippe, d. h. in enger Zusammenarbeit mit den zuständigen Direktoren, auch für die Lippische Landesbibliothek, das Weserrenaissance-Museum Schloss Brake, das Lippische Landesmuseum und die Lippische Kulturagentur verantwortlich." Wir – Hans Hermann Jansen, Bibliotheksdirektor Dr. Joachim Eberhardt und der Verf. – haben uns am 20. Juni 2016 mit Frau Götzky zu einem Informationsgespräch getroffen, um auch die Grabbe-Gesellschaft in diesen lokalen und regionalen Prozess kooperierender Kräfte einzubinden. Wie Frau Götzky, die dafür ein offenes Ohr hat, andeutete, dürfte endlich auch das Detmolder Literaturbüro mit kräftig gesetzten regionalen Akzenten mitwirken. Zum anderen fand ein längeres Gespräch mit dem Vorstand des Ortsvereins Detmold im Lippischen Heimatbund statt. Wir versprechen uns auch hier wieder engeren Kontakt mit gemeinsamen oder wechselseitig für beide Mitglieder angekündigten Veranstaltungen, eventuell auch Reisen.

Auf zwei Grabbe-Inszenierungen in diesem Jahre ist noch hinzuweisen: In Reutlingen lief im Juli en suite als Sommertheater eine Openair-Aufführung von Grabbes Lustspiel *Scherz, Satire, Ironie und tiefere Bedeutung*; am 7. September 2016 hatte Bernard Sobels Inszenierung des *Herzog Theodor von Gothland* als französische Erstaufführung Premiere. Sie wurde bis zum 9. Oktober im Théâtre de l'Epée de Bois in Paris-Vincennes zwanzigmal (!) gezeigt.

Still ist es in letzter Zeit um Georg Weerth geworden; in einem von der VHS mit dem Theater und der Grabbe-Gesellschaft geplanten Abend in der Reihe Leselust, *„Revolution in Detmold". Spurensuche: Grabbe und Konsorten,* wird er am 8. November 2016 auf der Studiobühne im Grabbehaus jedoch wieder laut-stark zu Wort kommen, ebenso wie Ferdinand Freiligrath. Was ihn betrifft, kann ich immerhin verweisen auf zwei neue Drucksachen von Manfred Walz (*Ein bisher unveröffentlichtes Porträt Ferdinand Freiligraths* von Wilhelm Ganzhorn und *Ferdinand Freiligrath und Laurian Moris – ein schwieriges Verhältnis,* beide Stuttgart 2015) und eine neue Publikation im Aisthesis Verlag. Unter dem Titel *Das Büchlein ist nun einmal, wie es ist!* hat Bernd Füllner den Briefwechsel Frei-ligraths mit August Schnezler herausgegeben und mit Erläuterungen versehen (Bielefeld 2016).

BURKHARD STENZEL

„Soll auch die Weltliteratur in Zonen aufgeteilt sein?"
Rowohlts Rotations-Romane im Urteil Alfred Bergmanns.
Mit einem unveröffentlichten Briefwechsel

Wenige Tage vor dem Weihnachtsfest im Jahr 1946 bekam Alfred Bergmann (1887-1975) ein ungewöhnliches Paket aus Hamburg. Es enthielt nicht – wie üblich – Handschriften eines Antiquariats für den Nestor der Grabbeforschung, sondern mehrere Romane des 20. Jahrhunderts, im Einzelnen: *Sieben auf der Flucht* von Frederic Prokosch, einem US-amerikanischen Bestseller-Autor, und drei Exemplare der vom Rowohlt Verlag als Rotations-Romane (RO-RO-RO) veröffentlichten Werke im Format 28 x 28 cm – ungekürzt auf Zeitungspapier – von Ernest Hemingway *In einem anderen Land*, Henri Alain-Fournier *Der große Kamerad* und Kurt Tucholsky *Schloß Gripsholm*. Der Detmolder Grabbeforscher begrüßte diese Zustellung aufs „herzlichste", wie er im Januar 1947 an Ernst Rowohlt (1887-1960) schrieb. Angesichts des starken Interesses beim Lesepublikums, allein 100.000 Exemplare der 50-Pfennig-Ausgabe von Hemingways RO-RO-RO-Heft *In einem anderen Land* waren unmittelbar nach der Veröffentlichung im Dezember 1946 vergriffen, überraschte es, dass Bergmann meinte, von diesem Amerikaner „vorerst noch nicht allzu sehr in den Bann gezogen" zu sein – es sei eher die „Pflicht", diesen Autor kennenzulernen. Doch Bergmanns Urteil über Rowohlts Rotations-Romane fiel insgesamt positiv aus, ein „ungeheures Verdienst" sah er darin. Er hoffte, dass die RO-RO-Drucke damit den Lesern in den vier alliierten Besatzungszonen zugänglich gemacht werden. Für ihn war die Vorstellung, „Weltliteratur in Zonen" aufzuteilen, nicht hinnehmbar.

Zu welchen weiteren Bewertungen von Rowohlts Rotations-Romanen der Germanist in der Nachkriegszeit kam, dokumentieren acht bisher unveröffentlichte Briefe zwischen ihm und dem Hamburger Verleger. Sie sind Teil des Nachlasses von Alfred Bergmann, den die Lippische Landesbibliothek Detmold aufbewahrt.[1] Diese Schriftstücke entstanden im Zeitraum von Dezember 1946 bis April 1948. Sie gehören zu jener Phase des Wiederaufbaus in Deutschland, in der Rowohlt die erneute Etablierung seines Verlages gelang und Bergmann als kommissarischer Leiter für die Re-Organisation der Lippischen Landesbibliothek verantwortlich war. Rowohlt und Bergmann trugen auf ihre Weise für einen geistig-kulturellen Neuanfang nach dem Ende der NS-Diktatur bei. Schließlich galten beide aus Sicht der Alliierten nach der erfolgten Entnazifizierung als unbelastet. Trotz NSDAP-Mitgliedschaft waren Rowohlt und Bergmann nachweislich weder Antisemiten noch Hitler-Anhänger. Dennoch

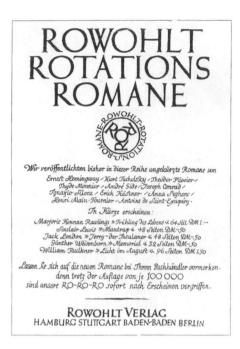

Prospekt Rowohlt Rotations Romane (Rowohlt-Archiv)

verdrängten sie partiell nach 1945 die terroristische NS-Herrschaft. Rowohlt sprach nach 1945 öffentlich ungern über seine Tätigkeit als Leiter einer NS-Propagandastelle mit Zuständigkeit für arabische Völker im Nahen und Mittleren Osten, bei der gezielt eine antienglische Hetze erzeugt wurde.[2] Bergmann vermied es in Briefen an Rowohlt, sich darüber zu äußern, dass der Erfolg der 32 publizierten RO-RO-Hefte mit insgesamt drei Millionen Exemplaren auch damit zusammen hing, da nach 1945 wieder eine Reihe jener literarischen Werke zugänglich waren, die von den Nationalsozialisten verfemt, verboten und verbrannt wurden.[3] Dabei hatte Rowohlt als Programmatik für die RO-RO-RO-Drucke formuliert, die „Scheiterhaufen-Literatur" wie die „Emigrantenliteratur" den „jungen deutschen Menschen" zugänglich zu machen.[4] Zu einer Duz-Freundschaft entwickelte sich der Kontakt zwischen Rowohlt und Bergmann nicht. Als sie sich im Herbst 1946 in Hamburg begegneten, geschah dies zwar im Wissen um einen gemeinsamen Weggefährten: Der Leipziger Verleger und Goethe-Verehrer Anton Kippenberg hatte ihnen zur Seite gestanden – am Beginn ihrer beruflichen Laufbahn.[5] Doch aus dieser Gemeinsamkeit erwuchs keine Vertrautheit. Ihre Briefe belegen dies.

Ernst Rowohlt bei der RO-RO-RO-
Lektüre 1948 (Rowohlt-Archiv)

Prospekt Anna Seghers
Das Siebte Kreuz (1948) (Rowohlt-Archiv)

Der Einblick in diese Korrespondenz verdeutlicht, welche Wirkung Rowohlts RO-RO-RO-Zeitungsdrucke, die in hohen Auflagen erschienen und in allen vier Besatzungszonen angeboten wurden, auch auf den Detmolder Grabbeforscher hatten. Bergmann nahm regen Anteil an diesem erfolgreichen verlegerischen Wirken. Er äußerte sich positiv über die literarischen Werke, die als RO-RO-RO erschienen. Seine Urteile lassen auch den Willen erkennen, am geistig-kulturellen Wiederaufbau des demokratischen Deutschlands aktiv mitzutun und dabei die sowjetische Besatzungszone im Blick zu behalten. Bemerkenswert erscheint dabei Bergmanns Begehren nach dem von Rowohlt verlegten, umstrittenen Erlebnisbericht *Die letzten Tage der Reichskanzlei* (1947). Ein Werk, das aus der Sicht des Wehrmachtoffiziers Gerhard Boldt die letzten Wochen in Hitlers Berliner „Führerbunker" schildert. Nicht überliefert hingegen ist sein Urteil zur ebenfalls von Rowohlt verlegten und kontrovers diskutierten Rechtfertigungsschrift *Abrechnung mit Hitler* (1948) von Hjalmar Schacht – Minister in Hitlers Kabinett, der vom Nürnberger Gericht freigesprochen wurde.

Der Briefwechsel zeigt mithin die unüberbrückbare Differenz zwischen dem geschickt agierenden Verleger, der Weltliteratur und streitbare Schriften in Massenauflagen herausgibt, aber beim Betrachten eines Antiquariatskatalogs „Presskohlen staunt" und sich wenig für Grabbes Werk erwärmt, und dem bibliophilen Germanisten – welcher sich über das „Schlangestehen" ärgert, doch sein Lektüreverständnis für moderne deutsche und internationale Literatur in der Nachkriegszeit erweitert und bekennt: „Ich möchte Ro-Ro-Ro gern lückenlos haben."

Die Briefe werden ungekürzt publiziert. Die Textwiedergabe erfolgt getreu der maschinenschriftlichen Vorlage, entweder des Originals oder des Durchschlags. Handschriftliche Einfügungen der Korrespondenzpartner stehen in eckigen Klammern. Senkrechte Striche markieren den Seitenwechsel.

1. Ernst Rowohlt an Alfred Bergmann, Hamburg, 17. Dezember 1946

Rowohlt Verlag GmbH, Hamburg, Stuttgart, (24) Hamburg 1, Rathausstrasse 27 II, Fernruf: 32 05 84

Dr. Alfred Bergmann
(21) Detmold
Alter Postweg 19

                                           17.12.1946

Lieber Herr Dr. Bergmann!

Vielen Dank für Ihre freundlichen Zeilen vom 4. Dezember und für die Uebersendung Ihres Buches „Meine Grabbe-Sammlung".[6] Ich werde dieses Buch mit auf meinen Weihnachtsurlaub, den ich am 22. Dezember antrete, nehmen und freue mich jetzt schon auf die Lektüre. Ich lasse Ihnen mit gleicher Post ein Exemplar „Prokosch, Sieben auf der Flucht" zugehen. Ausserdem schicke ich Ihnen als Drucksache die drei ersten Rotations-Romane[7]

         Ernest Hemingway, In einem anderen Land,[8]

         Alain-Fournier, Der große Kamerad,[9]

         Kurt Tucholsky, Schloss Gripsholm.[10]

Der vierte, „Joseph Conrad, Taifun"[11], folgt in einigen Tagen. Die ersten drei werden heute durch den Buchhandel ausgeliefert. Ich glaube, dass die Idee wirklich zeitgemäß[12] ist, und dass ich damit der Jugend, die ja ein Riesenvakuum in der Literatur auszufüllen hat, helfen kann.

In dem Katalog von Hauswedell[13] habe ich bisher nur herumgeblättert und Presskohlen gestaunt. Ich werde ihn noch ein paar Tage behalten und schicke ihn dann eingeschrieben zurück.

Auch mir war es ein grosses Vergnügen, Sie wieder einmal bei mir zu sehen und ich hoffe, dass wir weiterhin in Verbindung bleiben werden. Ihnen fröhliche Weihnachten wünschend und alles Gute für das neue Jahr bin ich

                          mit herzlichsten Grüssen

                          Ihr [Ernst Rowohlt]

2. Alfred Bergmann an Ernst Rowohlt, Detmold, 13. Januar 1947

Detmold, den 13. Januar 1947.

Lieber Herr Rowohlt!

Aufs herzlichste habe ich Ihnen zu danken für Ihren freundlichen Brief vom 17. Dezember, für den Roman Frederic Prokosch's sowie die drei Werke von Hemingway, Tucholsky und Alain-Fournier. Ich würde diesen Dank schon eher abgestattet haben, wenn ich nicht einmal auf die Rücksendung des Katalogs gewartet hätte, um diese Bestätigung einschließen zu können – übrigens ist es damit gar nicht eilig – und wenn ich nicht ferner durch die ungünstigen Heiz- und Lichtverhältnisse im Gebrauche der unentbehrlichen Schreibmaschine arg behindert wäre.

Ich habe mittlerweile den Roman Prokoschs gelesen und zu meinem sehr großen Genusse. Welche Veredelung und Kultivierung des Abenteuer-Romans, welche Beseelung der Natur durch die Hand eines Dichters, welche Weite und welcher Reichtum der inneren und äußeren Welt!

Unter den Ro-Ro-Ro's habe ich zuerst zu Hemingway gegriffen, stehe aber noch mitten in der Lektüre. Ich muß gestehen, daß mich das Milieu des ersten Weltkrieges vorerst noch nicht allzu sehr in den Bann gezogen hat. Aber auch Hemingway kennen zu lernen halte ich für meine Pflicht.

Sie bitten um Urteile der Leser, um Anregungen.

Darf ich dazu einige Worte sagen. Was zunächst den äußeren Charakter Ihrer 50 Pf.-Ausgaben angeht, so mag es sein, daß man vom Standpunkte des Sortimenters[14] bestimmte Einwendungen machen kann. In Hamburg ist Ihnen das wohl gesagt worden. Das geht mich nichts weiter an, denn ich habe es nur mit dem Leser zu tun. Da hat nun das Format gewiß seine Unbequemlichkeiten. Das Reclam-Bändchen kann man in der Brusttasche mit sich führen und damit eine sonst tote Stunde ausnutzen. Steht man, wie ich, auf der Heimfahrt von Hamburg eingepfercht im Abteil, steht man vor einem Geschäft Schlange, so ist einem mit einer Lektüre des Ro-Ro-Ro-Formates nicht gedient. Aber das ist nicht das Entscheidende. Das Entscheidende ist vielmehr, daß mit Ihrer Neuerung das so lange gesperrte Tor zur Welt gesprengt ist, daß wir mit Ihrer Hilfe endlich wieder Zugang finden zu dem Schrifttum der Ausländer, daß uns damit die Möglichkeit gegeben ist, uns wieder umzusehen und zu unterrichten über das, was in diesen Jahren andere geschaffen haben. Gewiß – auch andere Verleger sind nun resolut an die Meisterwerke des Auslandes herangegangen. Was aber nützt es einem, daß der Verlag Kurt Desch[15] in München verlegt, Pearl Buck[16], daß im Aufbau-Verlag[17] nicht minder lockende Erzeugnisse herauskommen, wenn in jenem Falle die Auflagen so gering sind, daß diese Erzeugnisse die gleiche Rolle spielen, wie vordem die Hundertdrucke oder andere bibliophile Kostbarkeiten, dem gewöhnlichen

Sterblichen unerreichbar, wenn jenem die Zonengrenze [die] der Beschaffung unüberwindliche Hindernisse entgegenstellt. Dadurch, daß Sie eine Auflage von 100.000 haben, ist eine ungle[i]ch größere Zahl von Freunden der Literatur in den Stand gesetzt, diese Werke zu erwerben, und darin erblicke ich ein ungeheures Verdienst, das wir Ihnen nicht genug danken können. Damit wird dieses literarische Gut der Gruppe der Mangelware entrückt, damit hört | es auf, zu denjenigen Dingen zu gehören, deren Erwerb an das Schlangestehen, d.h. an einen ungeheuren Zeitverlust geknüpft zu sein. Zudem macht der niedrige Preis selbst dem Ärmeren die Anschaffung möglich.

Was die Auswahl der Autoren betrifft, so möchten wir erfahren, was das Ausland in den vergangenen 12 bis 15 Jahren an Bedeutsamem auf dem Gebiet der Prosa hervorgebracht hat. Hinsichtlich der USA würden mich insbesondere Darstellungen interessieren, die uns die schwer durchschaubare Struktur des Landes deutlicher zu machen vermögen. Etwa Werke, die uns zeigen können, wie dort die öffentliche Meinung zu Stande kommt, welches der Anteil der Wirtschaft an den großen politischen Entscheidungen ist und welches der der geistigen, der religiösen Strömungen; oder ein Werk, das die beiden Strömungen im Kampfe miteinander und um die Geltung zeigt. Vielleicht auch ein Werk, das in die Welt des nordamerikanischen Theaters führt, in die Kreise der Universitäten, in den Betrieb eines Verlages, einer Zeitung.

Um den einen oder anderen Autor zu nennen: Upton Sinclair[18], Sinclair Lewis[19], Theodor Dreiser[20], John Steinbeck[21] würden mich interessieren Von älteren angelsächsischen Autoren wäre etwa Hawthorne[22] zu nennen („Das Haus mit den sieben Giebeln", „Der scharlachrote Buchstabe" – daß Franz Blei[23] eine vierbändige Ausgabe veranstaltet hat, scheint fast vergessen zu sein. Der Text müßte freilich stark revidiert werden –), ferner wäre an Stevenson[24] zu denken, und zwar nicht an den vielleicht schon etwas zu oft gedruckten Roman „Die Schatzinsel". Sie wissen, daß Erich Reiss[25] vor Jahren den ausgezeichneten „Junker von Ballentra" herausgebracht hat, aber in der deutschen Gesamtausgabe des Ehepaars Thesinf dürfte noch manche andere Entdeckung zu machen sein. („The black arrow"?|)] Diese Gesamtausgabe ist ja bereits völlig verschollen.

Sie werden gewi[ß] Ihren Blick nicht nur nach dem Westen richten wollen. Soll auch die Weltliteratur[26] in Zonen aufgeteilt und der Neudruck aus dem russischen Bereiche das ausschließliche Vorrecht der russischen Zone sein? Ich glaube nicht. Es gibt da allerhand Autoren, von denen ich mir gern eine deutlichere Vorstellung machen möchte: Gontscharow[27] und Ljesskow[28]. Von den modernen russischen Autoren aus der Zeit der Sowjets gar nicht zu reden. Ich weiß nicht, wie es mit denen steht.

Endlich noch dies: viele von uns verlangt dringend nach der Kenntnis bestimmter Emigranten-Literatur.[29] Wie gern möchte ich die Lebenserinnerungen Stefan

Zweigs[30], Georg Bernhards[31], Theodor Wolffs[32] kennen lernen. Aber ein Jahr nach dem andern vergeht, man liest darüber in den Zeitungen, aber die Werke selbst bleiben einem unzugänglich. Die Frage ist natürlich, ob Sie überhaupt das Gebiet des Romans durch das der Lebenserinnerungen oder Memoiren erweitern wollen. Wäre dem so, dann wäre sofort auch an Werke ausländischer Autoren zu denken. Wie schön wäre es z. B., wenn wir Ihnen die Kenntnis der Erinnerungen Winston Churchills[33], die als ungemein bedeutsam geschildert werden, zu verdanken hätten! Was mag es sonst in dieser Gattung noch alles geben, von dem unsereiner nichts ahnt.

Nachträglich bestätige ich auch noch Joseph Conrads „Taifun"[34]. Nehmen Sie mit diesen eiligen Andeutungen vorlieb, glauben Sie meiner Versicherung, daß auch ich mich freuen würde, wenn wir in Verbindung bleiben, wollen Sie die Freundlichkeit haben, mich zu benachrichtigen, wenn Sie in Bielefeld die dort geplante Buch-Ausstellung eröffnen, da ich an diesem Tage hinüberzukommen gedenke, und empfangen Sie zum Schlusse meine herzlichsten Grüße.

Ihr

3. ALFRED BERGMANN AN ERNST ROWOHLT, DETMOLD, 11. MÄRZ 1947

Detmold, den 11. März 1947.

Lieber Herr Rowohlt!

Aus unserem Bielefelder Treffen[35] ist leider nichts geworden: für die Eröffnungsfeier haben wir keine Karten bekommen, und die Fahrt von Sonnabend zu Sonntag mußten wir abblasen, da wir für die Rückfahrt kein Auto bekamen. So muß ich Ihnen auf diesem Wege sagen, daß mich der Hemingway[36] bei fortgehender Lektüre ungemein befriedigt hat und daß ich mittlerweile mit Genugtuung in der Zeitung ganz ähnliche Argumente für Ihre Schöpfung gelesen habe, wie sie in meinem Briefe angedeutet waren. Es freut mich sehr, daß Sie auf dem eingeschlagenen Wege fortschreiten und wir neue Werke zu erwarten haben.

Was ich Ihnen sonst an Anregungen zu schreiben habe, muß mir freilich nach dem, was ich in Bielefeld vor allem in der Schweizer Abteilung gesehen, recht kümmerlich erscheinen.

Darf ich Sie bei dieser Gelegenheit noch an die Rücksendung des Ihnen geliehenen Katalogs erinnern! Er ist uns wegen der eingetragenen Preise auf die Dauer recht nötig.

Herzlich grüßt Sie

Ihr

Kurt Wolffs Adresse in New York[37] wissen Sie doch nicht??

4. ALFRED BERGMANN AN ERNST ROWOHLT, DETMOLD, 30. APRIL 1947

Rowohlt Verlag
(24) Hamburg, Brit. Zone – German
Schauenburger Straße 34, II

Lieber Herr Rowohlt!
Da ich demnächst hier eine Bibliothek abschätzen muß, so muß ich Sie leider nochmals dringend um die Rücksendung des Katalogs bitten, der mir dazu unentbehrlich ist. Ich habe ihn bis jetzt nicht erhalten. Seien Sie mir nicht böse, es ist aber unser einziges Exemplar. – Da ich so viel Rühmliches von dem Roman lese, den Sie mir damals gezeigt haben (Kreuder[38] war wohl der Autor, und es handelte sich um einen Titel, in dem so etwas wie ein Dachboden vorkam), so wollte ich Fragen, ob [S]ie davon noch ein Exemplar haben, das ich aber <u>kaufen</u> möchte. Ich wäre darüber sehr erfreut.
Mit guten Wünschen für Ro Ro Ro und herzlichen Grüßen
Ihr

Detmold, 30.04.47.

5. ALFRED BERGMANN AN ERNST ROWOHLT, DETMOLD, 26. SEPTEMBER 1947

Ernst Rowohlt
(24) Hamburg, Brit. Zone
Schauenburger Straße 34

Lieber Herr Rowohlt!
Als ich von Ihnen wieder nach Hause fuhr, nahm ich die Nr. 211 der „Leipziger Volkszeitung" zur Hand und fand darin die Besprechung der von Ihnen verlegten Schrift Gerhard Boldts: „Die letzten Tage der Reichskanzlei"[39]. Mein Freund Warnecke[40], bei dem ich wohnte, sagte mir gleich, daß sie sehr lesenswert sei, und so bitte ich Sie, mir doch wenn möglich ein Exemplar zu überlassen. <u>Jedoch auf keinen Fall unberechnet, vielmehr mit einer Rechnung</u>. Sie haben mich reich genug beschenkt, u. es wird Freundlichkeit genug sein, wenn ich überhaupt ein Exemplar erhalten kann.
Herzliche Grüße Ihres

26.9.47.

6. Ernst Rowohlt an Alfred Bergmann, Hamburg, 12. März 1948

Rowohlt Verlag GmbH, Hamburg, Stuttgart, (24) Hamburg 1, Rathausstrasse 27 II

Dr. Alfred Bergmann
(21) Detmold
Alter Postweg 19

Hamburg, 12. März 1948

Lieber Herr Dr. Bergmann!

Vielen herzlichen Dank für Ihren freundlichen Brief vom 31. Januar ds. Js., dessen Beantwortung sich leider etwas verzögert hat. Ich will nun aber heute Ihre Bitte erfüllen und sende Ihnen beiliegend eines der letzten Exemplare von

Hans Reisiger „Ein Kind befreit die Königin"[41]

zu, da Sie dieses besonders interessiert. Das Buch war inzwischen erschienen, ist ausgeliefert worden und – wie üblich – bereits wieder restlos vergriffen. Entschuldigen Sie bitte die Kürze meiner Zeilen, da ich gerade von einer Reise aus Berlin zurückkomme und wie immer irrsinnig viel zu tun habe.

Mit besten Grüssen und Wünschen
bin ich
Ihr [Ernst Rowohlt]
N. B. 1 Kreuder „Schwebender Weg"[42] füge ich ebenfalls bei

7. Ernst Rowohlt an Alfred Bergmann, Hamburg, 20. März 1948

Rowohlt Verlag GmbH, Hamburg, Stuttgart, (24) Hamburg 1, Rathausstrasse 27 II

Dr. Alfred Bergmann
(21) Detmold
Alter Postweg 19

Hamburg, 20. März 1948

Lieber Herr Dr. Bergmann!

Vielen Dank für Ihre Zeilen vom 15. März ds. Js. – Ich freue mich, daß ich Ihnen einen Wunsch erfüllen konnte.

Ende ds. Mts. erscheint mit russischer Lizenz in einer Auflage von 150.000 Exemplaren Anna Seghers[43] „Das siebte Kreuz", 64 Seiten, Ladenpreis 1,-RM. Daran anschliessen wird sich Jaroslav Haseks[44] „Die Abenteuer des braven Soldaten Schwejk". Von diesen Auflagen gehen 50.000 in die russische, 50.000 in die englische und 50.000 in die amerikanische und französische Zone.

In der französischen Zone werden – ebenfalls in den Ro-Ro-Ro – Camus' „Die Pest"[45] und Saint-Exupéry's „Wind, Sand und Sterne"[46] erscheinen. Auch in der englischen Zone wird in einigen Wochen wieder Papier für weitere Rotationsromane zur Verfügung gestellt werden.

Inzwischen bin ich mit den besten Grüssen und Empfehlungen

Ihr [Ernst Rowohlt]

8. Alfred Bergmann an Ernst Rowohlt, Detmold, 18. April 1948

Detmold, 18. April 1948

Lieber Herr Rowohlt!

Haben Sie herzlichen Dank für Ihre beiden Briefe vom 12. u. 20. März und die beiden mir so freundlich dezidierten Bücher. Kreuders beide Erzählungen habe ich am Ostersonntag Abend auf dem Königsberge in der ersehnten Sonne sitzend gelesen und mich an der prachtvollen Einheit von Dichterischem, Gedanklichem und Zeichnerischem sehr erfreut. Die erste Erzählung habe ich dann auch meiner Frau vorgelesen, die einen starken Eindruck empfing. Wenn das erzieherische Moment so organisch aus einem Kunstwerk herauswächst, laß ich es mir gefallen. Auf Hans Reisigers Buch freue ich mich sehr.

Ihre Mitteilungen über den Fortgang von Ro-Ro-Ro waren mir umso wertvoller, als im hiesigen Buchhandel die pessimistischen Gerüchte nicht zur Ruhe kommen wollten. Nun kann ich dagegen auftreten. Einige der geplanten Sachen kenne ich schon: Anna Seghers und Saint-Exupéry. Ob man dies hier bekommen wird? Ich möchte Ro-Ro-Ro gern lückenlos haben.

Herzlich dankbar für Ihre große Freundlichkeit und alles Gute Ihrer weiteren Arbeit wünschend bin ich mit den besten Grüßen

Ihr

Anmerkungen

1   Für die Genehmigung zum Abdruck der Briefe von Ernst Rowohlt und Alfred Bergmann aus dem Bestand der Lippischen Landesbibliothek Detmold (LLBD) danke ich dessen Direktor, Dr. Joachim Eberhardt, und Bibliothekarin Claudia Dahl. Die Briefe werden zitiert nach: LLBD, Slg 12, Nr 321.

2   David Oels: Rowohlts Rotationsroutine. Markterfolge und Modernisierung eines Buchverlags vom Ende der Weimarer Republik bis in die fünfziger Jahre. Essen 2013, S. 9.

3   Michael Töteberg: Zwischen vier Stühlen. Papiermangel und Politik: Verlagsgründung in der Nachkriegszeit. In: 100 Jahre rowohlt. Eine illustrierte Chronik, bearbeitet von Hermann Gieselbusch, Dirk Moldenhauer, Uwe Neumann, Michael Töteberg. Reinbek bei Hamburg 2008, S. 144.

4　Erfahrungsbericht über RO-RO-RO verbunden mit einer Analyse von 1000 Leserbriefen. Als Manuskript gedruckt im Herbst 1947. In: „Macht unsre Bücher billiger!" Die Anfänge des deutschen Taschenbuchs 1946 bis 1963. Begleitband zur Ausstellung in der Kreisbibliothek Eutin vom 19. Oktober 1994 bis 27. Januar 1995, S. 34.

5　Vgl. Dirk Moldenhauer: Hinaus in die Bücherwelt. In: 100 Jahre rowohlt (Anm. 3), S. 15f. sowie: Burkhard Stenzel: „...natürlich mit grundsätzlicher Zustimmung." Anton Kippenberg und die in Weimar geplante Grabbe-Gesamtausgabe für den Insel-Verlag. In: Grabbe-Jahrbuch 34 (2015), S. 174-186.

6　Alfred Bergmann: Meine Grabbe-Sammlung. Erinnerungen und Bekenntnisse. Detmold 1942. Hierin schilderte Bergmann als damaliger Leiter des Grabbe-Archivs an der Lippischen Landesbibliothek die Hintergründe zum Aufbau seiner literarischen Sammlung. Bemerkenswerterweise berichtete er über seine guten Kontakte zu jüdischen Auktions- und Antiquariatshäusern sowie zum österreichischen Erfolgsautor Stefan Zweig, dessen Autografen-Sammlung er 1926 in Salzburg ordnete. Aufschlussreich sind diese Memoiren, weil Bergmann hierin über prägende Erfahrungen u. a. mit dem Germanisten Heinrich Hubert Houben (1875-1935) und mit dem Verleger Anton Kippenberg (1874-1950) informiert. Auch Rowohlt kannte Kippenberg. Ihm verdankte er im Jahr 1907 die Vermittlung eines Volontariats als Schriftsetzer und Buchdrucker in der renommierten Leipziger Druckerei Breitkopf & Härtel.

7　In einer Auflage von 100.000 Exemplaren erschienen von Dezember 1946 bis Oktober 1949 mehr als 30 Romane auf Zeitungspapier im Format von 28 x 28 cm für 50 Pfennige pro Stück. Diese Romane stammten von AutorInnen, die von den Nationalsozialisten verboten, am 10. Mai 1933 verbrannt und aus deutschen Büchereien und Buchläden entfernt wurden. Dazu gehörten Werke von Kurt Tucholsky, Erich Kästner, Anna Seghers, Ernest Hemingway, Jack London. Als RO-RO-RO-Druck erschienen aber auch Romane von John Steinbeck, Sinclair Lewis, Joseph Conrad, Antoine de Saint-Exupery, Andre Gidé, Graham Greene, Gilbert K. Chesterton und Viktor Nekrassow.

8　Ernest Hemingway: In einem anderen Land. Mit einem Nachwort von Kurt W. Marek, Titelillustration Werner Rebhuhn, erschienen im Dezember 1946.

9　Henri Alain-Furnier: Der große Kamerad. Roman. Mit einem Nachwort von Jürgen Schüddekopf, Titelillustration Wilhelm M. Busch, erschienen im Dezember 1946.

10　Kurt Tucholsky: Schloß Gripsholm. Eine Sommergeschichte. Mit einem Nachwort von Walther Kiaulehn, Titelseite und 21 Textillustrationen von Wilhelm M. Busch, erschienen im Dezember 1946.

11　Joseph Conrad: Taifun. Mit einem Nachwort von Adolf Frisé, Titelseite und 20 Textillustrationen von Günther T. Schulz, erschienen im Dezember 1946.

12　Rowohlts Rotations-Romane waren unmittelbar nach dem Erscheinen vergriffen. Bis zu 1.000.000 Bestellungen lagen bei einzelnen Romanen vor. Zeitungen in Deutschland, England, Frankreich, den USA und Südamerika berichteten über dieses „bahnbrechende Unternehmen", vgl. David Oels: Rowohlts Rotationsroutine (Anm. 2), S. 187f.

13　Dr. Ernst Ludwig E. Hauswedell (1901-1983), Verleger, Antiquar und Kunsthändler, gab seit den 1930er Jahren Antiquariatskataloge heraus. Welchen Hauswedell-Katalog Rowohlt von Bergmann erhielt, konnte nicht ermittelt werden.

14 Sortimenter ist ein Buchhändler im Sortimentsbuchhandel.
15 Kurt Desch (1903-1984) gründete im Jahr 1946 den nach ihm benannten Verlag, der zu einem der wichtigsten deutschen Verlagsunternehmen der Nachkriegszeit gehörte, hier wurden vor allem belletristische Werke aus dem In- und Ausland herausgegeben, u. a. von Erich Kästner, Ernst Wiechert, Pearl S. Buck, Alberto Moravia.
16 Pearl S. Buck (1892-1973), US-amerikanische Schriftstellerin und Literaturnobelpreisträgerin (1938), zu ihren ins Deutsche übersetzten Romanen zählen *Die gute Erde*, *Söhne* und *Das geteilte Haus*.
17 Aufbau-Verlag wurde 1945 in der Sowjetischen Besatzungszone (SBZ) gegründet. Der Verlag war der größte Verlag in der SBZ und später in der DDR. Der Verlag berief sich auf das humanistische Erbe der Weimarer Klassik und gab u. a. Werke von Autoren der Exilliteratur und antifaschistischen Literatur heraus, z. B. von Anna Seghers, Johannes R. Becher, Willi Bredel, Bruno Apitz, Theodor Plievier.
18 Upton Sinclair (1878-1968), US-amerikanischer Schriftsteller, Verfasser sozialkritischer Romane, u. a. *Lanny Budd* (11 Bde., 1940-1953).
19 Sinclair Lewis (1885-1951) US-amerikanischer Schriftsteller, trat als Erzähler insbesondere durch Sittengemälde der amerikanischen Mittelklasse hervor, u. a. mit den Romanen *Die Hauptstraße* und *Babbitt*; erhielt 1930 den Literaturnobelpreis.
20 Theodor Dreiser (1871-1945), US-amerikanischer Schriftsteller, gilt als Hauptvertreter des amerikanischen Naturalismus, bekanntester Roman *Eine amerikanische Komödie* (1925).
21 John Steinbeck (1902-1968), US-amerikanischer Schriftsteller, Verfasser von sozialkritischen Romanen, u. a. *Früchte des Zorns*; erhielt 1962 den Literaturnobelpreis.
22 Nathaniel Hawthorne (1804-1864), US-amerikanischer Schriftsteller, kam mit allegorischen Romanen zu Weltgeltung, er gehört neben Herman Melville und Edgar Allan Poe zu den Hauptvertretern der *dunklen* amerikanischen Romantik, Hauptwerke *Der scharlachrote Buchstabe* (1850) und *Das Haus mit den sieben Giebeln* (1851).
23 Franz Blei (1871-1942) österreichischer Autor und Übersetzer, wurde vor allem bekannt durch *Das große Bestiarium der modernen Literatur*, das seit 1922 im Rowohlt Verlag erschien.
24 Robert Louis Stevenson (1850-1894), britischer Schriftsteller, Verfasser von Abenteuerromanen, u. a. *Die Schatzinsel* (1883).
25 Erich Reiss (1887-1951), deutscher Verleger, in seinem Verlag erschien ab 1918 *Die Weltbühne*, wurde von den Nationalsozialisten im KZ Sachsenhausen inhaftiert, emigrierte später in die USA.
26 Bergmanns Auffassung von Weltliteratur war geprägt von Goethes Vorstellung im Sinne der Gesamtheit der Nationalliteraturen von Völkern und Epochen, die über ihre Entstehungszeit hinaus eine herausragende Geltung haben. Praktisch lässt sich Bergmanns Auffassung von Weltliteratur an seiner mehrere tausend Bände umfassenden Privatbibliothek, einer Sammlung von Büchern des Insel-Verlages, ermessen. Vgl. Insel-Verlag. Sammlung Bergmann. Hauswedell & Nolte, Auktion 245, Versteigerung am 23. November 1982 [Katalog]. Hamburg 1982.

27 Iwan Alexandrowitsch Gontscharow (1812-1891), russischer Erzähler, bekanntester Roman *Oblomow* (1859).

28 Nikolai Semjonowitsch Leskow (1831-1895), russischer Schriftsteller, gehört neben Dostojewski und Tolstoi zu den bedeutendsten Prosaautoren seines Landes, verfasste u. a. die Werke *Liebe in Bastschuhen* (1862) und *Am Ende der Welt* (1875).

29 Der Begriff „Emigrantenliteratur" wird heute vor allem als Exilliteratur verwendet. Dieser subsumiert die literarischen Werke von AutorInnen, welche in der NS-Zeit aus Deutschland fliehen mussten, weil ihre Existenz und ihr künstlerisches Wirken bedroht waren.

30 Stefan Zweig (1881-1942), österreichischer Bestseller-Autor, der als Verfasser historischer Romane, u. a. *Joseph Fouché, Maria Stuart* und psychoanalytisch geprägter Erzählungen bekannt wurde, u. a. *Schachnovelle*, die Erinnerungen *Die Welt von gestern*.

31 Georg Bernhard (1875-1944), deutscher Publizist, Redakteur der *Vossischen Zeitung*, wurde von den Nationalsozialisten vertrieben, gründete das *Pariser Tageblatt* als Zeitung der deutschen Opposition, flüchtete in die USA, verfasste u. a. das Werk *Die deutsche Tragödie. Der Selbstmord einer Republik* (Prag 1933).

32 Theodor Wolff (1868-1943), deutscher Publizist und Schriftsteller, Redakteur des *Berliner Tageblatts*, flüchtete nach dem Reichstagsbrand im Februar 1933 in die Schweiz, wurde 1943 in das KZ Sachsenhausen deportiert, dort starb er; verfasste u. a. die Werke *Der Krieg des Pontius Pilatus* (Zürich 1934), *Die Schwimmerin. Ein Roman aus der Gegenwart* (Zürich 1937).

33 Winston Churchill (1874-1965), britischer Premierminister 1940 bis 1945 sowie 1951 bis 1955, die Erstauflage seiner Erinnerungen erschienen 1931 im List-Verlag (Leipzig, München), im Rowohlt Verlag erschienen 1951 die Memoiren unter dem Titel *Weltabenteuer im Dienst* (1.-50. Tsd. Aufl.), erhielt den Literaturnobelpreis im Jahr 1953, der Ullstein-Verlag publizierte 1955 Churchills *Reden 1938-1945. Ein Staatsmann steht Rede und Antwort*.

34 Joseph Conrad (1857-1924), englischer Erzähler polnischer Herkunft, gehört zu den wichtigsten britischen Autoren des 20. Jahrhunderts, der Erzählband *Taifun* erschien 1903, weitere Werke *Herz der Finsternis* (1902), *Mit den Augen des Westens* (1919).

35 Wann und wo die Verlags-Ausstellung in Bielefeld gezeigt wurde, konnte nicht recherchiert werden.

36 Ernest Hemingway (1899-1961), US-amerikanischer Schriftsteller, gilt als Hauptvertreter der verlorenen Generation zwischen beiden Weltkriegen, zu seinen bekanntesten epischen Werken gehören der Roman *Wem die Stunde schlägt* (1940) und die Erzählung *Der alte Mann und das Meer* (1952), 1954 erhielt er den Literaturnobelpreis. Als RO-RO-RO-Heft erschien *In einem anderen Land* im Dezember 1946 mit einem Nachwort von Kurt W. Marek und einer Titelillustration von Werner Rebhuhn.

37 Kurt Wolff (1887-1963), deutscher Verleger, Gründer des seiner Zeit wichtigsten Verlags für expressionistische Literatur in Deutschland. Wolff lernte Ernst Rowohlt in Leipzig kennen und wurde 1908 stiller Teilhaber in Rowohlts Verlag, 1912 verließ er das Unternehmen und gründete den Kurt Wolff Verlag Leipzig, hier wurden u. a.

die Werke von Walter Hasenclever, Franz Kafka und Georg Trakl publiziert. Bergmann legte 1915 die früheste Fassung der Grabbe-Handschrift von *Scherz, Satire, Ironie und tiefere Bedeutung* einer limitierten Ausgabe (500 Expl.) zugrunde, die bei K. Wolff erschien, mit Holzschnitten versehen von Karl Thylmann (1888-1916) – deutscher Buchkünstler und Grafiker. Weitere Auflagen erschienen 1919 und 1923.

38 Ernst Kreuder (1903-1972), deutscher Autor romantisch-mystischer Werke, erhielt 1953 den Georg-Büchner-Preis, die Erstausgabe von *Die Gesellschaft vom Dachboden* erschien 1946 im Rowohlt Verlag, es folgte u. a. der Roman *Herein ohne anzuklopfen* (1954).

39 Gerhard Boldts (1918-1981) *Die letzten Tage der Reichskanzlei* erschien 1947 mit einem Vorwort von Ernst A. Hepp. Der Rowohlt-Autor war als Ordonanzoffizier bis zum 29. April 1945 im Berliner „Führerbunker" Zeuge von Lagebesprechungen mit Hitler. Sein „Tatsachenbericht" vom Ende des NS-Terrorregimes wurde bereits im März 1948 in vierter Auflage gedruckt. In der sowjetischen Besetzungszone wurde das Werk kritisiert, da „geronnenes Blut" zu „klingender Münze" durch Rowohlt gemacht werde, vgl. Jürgen Lenz: Sehr geehrter Herr Rowohlt. In: *Start. Blatt der jungen Generation*, Berlin, 22. August 1947.

40 Robert Warnecke war ein „lieber Freund" Bergmanns. In den Erinnerungen *Meine Grabbe-Sammlung* (Anm. 6) dankt Bergmann ihm für das „Lesen der Korrekturen" (S. 8).

41 Hans Reisiger (1884-1968), deutscher Schriftsteller, Übersetzer, Lektor für den Rowohlt Verlag.

42 Kreuders Roman *Schwebender Weg. Die Geschichte durchs Fenster* erschien 1947 im Rowohlt Verlag.

43 Anna Seghers (1900-1983), ihr Roman *Das siebte Kreuz* erschien 1942 in den USA (englischsprachig) und in Mexiko (deutschsprachig). Mit diesem Werk erlangte Seghers weltweit Ansehen, in der DDR gehörte der Roman zur Pflichtlektüre im Deutschunterricht. Sie wurde 1952 Präsidentin des DDR-Schriftstellerverbandes, weitere Werke u. a. *Der Aufstand der Fischer von St. Barbara* (1928), *Der Kopflohn* (1933), *Die Toten bleiben jung* (1949). Als RO-RO-RO-Heft erschien *Das siebte Kreuz* im März 1948 mit einem Nachwort von Max Schroeder und einer Titelillustration von Werner Rebhuhn.

44 Jaroslav Hašek (1883-1923), tschechischer Schriftsteller, bekannt geworden mit seinem antimilitaristischen satirischen Schelmenroman *Die Abenteuer des braven Soldaten Schwejk* (deutschsprachige Erstausgabe 1926), das Werk erfuhr als Theaterstück eine weitere Verbreitung, uraufgeführt von Erwin Piscator im Theater am Nollendorfplatz in Berlin (1928).

45 Albert Camus (1913-1960) gehört zu den bedeutendsten französischen Autoren des 20. Jahrhunderts, erhielt 1957 den Literaturnobelpreis.

46 Antoine de Saint Exupéry (1900-1944) wurde international vor allem bekannt durch die märchenhafte Erzählung *Der kleine Prinz* (1943, frz.); *Wind, Sand und Sterne* erschien 1939 (frz.), hierfür erhielt der Verfasser den Grand Prix du Roman de l'Académie française. Als RO-RO-RO-Heft erschien das Werk im Juli 1948 mit einem Nachwort von Walther Bauer und einer Titelillustration von Werner Rebhuhn.

Stephan Baumgartner: *Weltbezwinger. Der ‚große Mann' im Drama 1820-1850.*
Bielefeld: Aisthesis, 2015.

Die Figur des „großen Mannes" erweist sich als prägend für geschichtsphilosophische, mediengeschichtliche und ästhetische Diskurse der ersten Hälfte des
19. Jahrhunderts. In ihr verdichten sich Neubestimmungen jener Rollenbilder
von charismatischen politischen Führern, die die eigene Wirkung auf mächtige
Kollektive medial zu steuern suchen und das „Phantasma" des geschichtsmächtigen Einzelnen nähren, durch den sich ‚der Geschichte' (als „Kollektivsingular"
nach Koselleck) Sinn mitteilt. Es handelt sich also bei dem „exzellerierenden
Einzelnen" (S. 17) um eine Zentralfigur der Moderne, die in den „Köpfen der
Masse" (ebd.) als Mittel der Komplexitätsreduktion geschichtlicher Prozesse
und als Werkzeug der Selbstüberhöhung fungiert.

Die Arbeit Baumgartners nimmt die Erscheinungsweisen dieser Zentralfigur, deren Rhetorik, Auf- und Abtritte im Drama der nachnapoleonischen
Ära diskursanalytisch in den Blick, indem literarische Texte neben kunst- und
kulturhistorische sowie geschichtsphilosophische Gegenstände rücken. Einen
Ausgangspunkt der Überlegungen bildet im diskursanalytischen Kontext die
im Umfeld der Revolutionen des ausgehenden 18. und beginnenden 19. Jahrhunderts besonders verbreitete Engführung von Schauspiel bzw. Theatermetaphorik und Politik. Diese verbindet sich mit der für die literarische Produktion
dieser Zeit virulente Frage nach dem Beitrag ästhetischer, kultureller Praxen zu
historischer Erkenntnis. Das Drama gewinnt in dem Untersuchungszeitraum in
ähnlichem Maße an Beliebtheit und Bedeutung im historischen Diskurs, in dem
geschichtliche Ereignisse als theatralisch erfahren werden. Eine „personalistische Geschichtskonzeption" (S. 11) äußert sich dabei in Darstellungsmustern,
die auf Machtstreben, Aufstieg, Pose des Heilsbringers stets den ausweichlichen
Fall und das „Verglühen strahlender und orientierungsstiftender Führer" (ebd.)
folgen lassen. Paradigmatisch erfüllt sich dieses „historische Sinnmuster" (ebd.)
in der politischen Karriere Napoleons. Zentraler impliziter Bezugspunkt der
im Mittelpunkt dieser Studie stehenden Dramen von Grabbe, Hebbel, Büchner, Nestroy und Grillparzer ist dann auch Napoleon, der – über das singulär
bleibende Auftreten der Figur des französischen Kaisers bei Grabbe hinaus –
zu vielfältigen historischen „Projektionen und Vergleiche[n]" (S. 13) unter den
Bedingungen restaurativer Repression Anlass gibt.

Mit der Einführung eines sich von zeitgeschichtlichen Kontexten lösenden
Figurentypus' des „großen Mannes" verbinden sich geschichtsphilosophische
Reflexionen über die Möglichkeiten autonomer Gestaltung von ‚Geschichte'
im Zuge revolutionärer Massenbewegungen. Darüber hinaus ist das Verhältnis
des herausragenden Einzelnen zur ‚Masse', die der Adressat von Agitation, aber

in ihren Verhaltensmustern auch Indikator kontingenter historischer Prozesse ist, gekennzeichnet von theatralischen Inszenierungspraxen und spiegelt sich somit im Bereich des Ästhetischen. Die Dramenautoren sehen sich mit einem die aristotelischen Einheiten sprengenden epischen Charakter des Geschehens konfrontiert, woraus sich eine Koinzidenz widersprüchlicher Konstellationen auf historischem und ästhetischem Gebiet ergibt. Auf ersterem erweisen sich die infolge der Revolutionen zu Macht gelangten Massenagitatoren als Getriebene im unbeherrschbaren politischen Prozess; auf letzterem stellt das Drama entscheidende Fragen der Epoche und gerät zugleich im Blick auf seine Darstellungsmittel in eine Krise der Repräsentation.

Die Studie Baumgartners bezieht angesichts der vielfältigen wechselseitigen Bezüge zwischen historischem, geschichtsphilosophischem Denken und Debatten um Theaterkonzepte wissenshistorische Überlegungen mit ein. Die produktive Auseinandersetzung mit Gattungskonventionen im Drama der 1820er bis 1850er Jahre deutet Baumgartner vor diesem Hintergrund als Ansatz zur Reflektion über spezifisches „Wissen und Erkenntnismöglichkeiten" (S. 16) durch Literatur, die sich gerade durch die „Unabgestimmtheit der Gestaltungsabsichten" (S. 17) von homogenisierender und systematisierender Wissensproduktion absetze. Jene Form des Wissens, der in den einzelnen Lektüren das Hauptaugenmerk gilt, besteht in der Verfügbarkeit des Figurentypus' im Bewusstsein „der Vielen" (ebd.) und berücksichtigt dabei veränderte mediale Nutzungs-, Inszenierungs- und Mobilisierungspraktiken, die charismatische Wirkungen des exzeptionellen Einzelnen bedingen. In den medienhistorisch perspektivierten Lektüren von Grabbes *Napoleon* und *Hannibal* (Kapitel 5) gerät dabei vor allem das ambivalente Verhältnis der Helden zu medialen Techniken der Herrschaft und Selbstüberhöhung sowie die Eigendynamik und Abhängigkeit medialer Prozesse in den Blick.

Ein Schwerpunkt der Studie liegt auf der Konturierung des Figurentypus' des Ausnahmeindividuums in Grabbes Werk (vgl. Kapitel 3), wobei zunächst Einflüsse von Schillers *Wallensteins Lager* auf Darstellungsverfahren und Deutung des „großen Mannes" herausgearbeitet werden. Stärken der Grabbe-Lektüren zeigen sich vor allem in dem ertragreichen Aufzeigen historiographischer und geschichtsphilosophischer Bezüge. Darüber hinaus entwickelt Baumgartner ein vielschichtiges Bild des Figurentypus', indem er zum einen dessen Verhältnis zu Figuren des ‚Gefolges' als Vertreter anonymer Kollektive und zum anderen rhetorische Strategien der Inszenierung von Macht besonders beleuchtet. Zudem werden verschiedene Formen von Naturmetaphorik zur Charakterisierung der Beziehungen zwischen Menschenmassen und herausragenden Einzelnen in Grabbes Stücken herausgestellt. *Napoleon oder die hundert Tage* bildet für Baumgartner den „reflexiven Kulminationspunkt" (vgl. S. 184ff.) der Entwicklung des Figurentypus' in den Geschichtsdramen des Detmolder Dramatikers. Der „phantasmatische[...] Gehalt" (S. 191) der Figur des „großen Mannes" verdichtet sich in der Szene, die den träumenden Napoleon auf der Lafette einer Kanone zeigt und sowohl die mythische Willenseinheit des Einzelnen mit den Vielen und den Naturgewalten als auch die unmittelbare „realitätserzeugende Kraft" (S. 192) des singulären Tatmenschen in problematischen Befehlsketten bzw. medialen Vermittlungsprozessen auflöst.

Auch mit den Analysen von Friedrich Hebbels *Judith* (1840), Johann Nepomuk Nestroys *Judith und Holofernes* (1849) als Parodie des Hebbel-Stückes und Franz Grillparzers *König Ottokars Glück und Ende* (1825) als Dramatisierung des Napoleon-Stoffes verfolgt Baumgartner diskursanalytisch die produktiven, kritisch rezeptiven und satirischen Re-Lektüren des Napoleon-Stoffes (vgl. Kapitel 4). Debatten über die Figur des „großen Mannes" situiert die Studie im Kontext poetologischer Auseinandersetzungen um dramatische Handlungskonzentration und Figurenkonzeption, die von der kontroversen zeitgenössischen Rezeption geschichtsphilosophischer Theoreme vor allem Hegels zeugen.

Besonders interessant erscheint mir auch ein Deutungsaspekt der Figur des „großen Mannes", der in Baumgartners Arbeit erneut den Zusammenhang zwischen Ästhetik und Politik, Theater und Wirklichkeit akzentuiert: die Perspektive des Komischen, welche Spannung dadurch erzeugt, dass sie das Aufeinanderprallen von theatralischem rhetorischem Effekt und Behauptungen von personifizierter geschichtlicher Handlungsmacht in den Blick rückt (siehe hierzu insbesondere die Kapitel 4.4. und 4.5.). *Danton's Tod* als Drama der vielfältigen Spiegelungen und Echos stellt jede Geste des Pathos unter den Vorbehalt des rhetorischen Effekts und verweist zugleich auf die Verschmelzung von Wort und Tat auf der politischen Bühne der Revolutionsheroen. In der Gestalt des Souffleurs Simon als einer Figur, die die beiden Ebenen von Wirklichkeit und Theater auf komische, parodistische Weise ‚kurzschließt', zeigt sich die „Kippbewegung vom Tragischen ins Komische" (S. 240), die die Arbeit an anderer Stelle auch in Bezug auf Nestroys Parodie auf Hebbels Holofernes herausarbeitet.

Von der literatur- und diskursgeschichtlichen Wirksamkeit des Konzepts des „großen Mannes" zeugt die unüberschaubare Vielzahl von Gegen- und Nebenfiguren (siehe Kapitel 6), die sich – wie Baumgartner betont – als Gegenstände von Einzelstudien anbieten und zu denen solche auch vorliegen (vgl. S. 280). Bei Baumgartner bildet wiederum Napoleon als (implizite) Referenz- und Kontrastfigur für die Charakterisierung „großer Frauen" wie u. a. Jeanne d'Arc, Judith, Charlotte Corday und Königin Luise von Preußen oder andere Konzepte von Herrschaft und ‚Größe' den roten Faden der Einzelstudien. Das Verfahren versteht sich hier als ein typologisches und orientiert sich an konkurrierenden (männlichen) Weiblichkeitsbildern (u. a. bei Schiller und Hebbel in ihren Jeanne d'Arc-Figuren) und dem Mythos des Widerstandskämpfers in literarischen und künstlerischen Gestaltungen von Andreas Hofer-Figuren (u. a. in Dramen von Karl Immermann und Berthold Auerbach). Darüber hinaus werden heroische Gegenfiguren zu Napoleon im Kontext deutscher nationaler Gründungsmythen, mythische männliche Heroen als Reflexionsfiguren des Historischen im Werk Grabbes (*Don Juan und Faust*) und schließlich Zuschreibungen künstlerischer ‚Größe‘ beleuchtet. Diese heterogene Zusammenführung von Figurentypen, deren Genese sich – wie hier geschehen – diskursgeschichtlich sehr material- und kenntnisreich in Bezug zum Konzept des „großen Mannes" setzen lässt, erhebt keinen Anspruch auf Vollständigkeit und entwirft eher einen diskursgeschichtlichen Horizont möglicher anschlussfähiger Untersuchungsfelder und -gegenstände (dies gilt sicherlich insbesondere für die Künstlerfiguren). Der historische Referenzrahmen, in den sich die dramatischen Gestaltungen des männlichen Ausnahmeindividuums und weiblicher „Gegenfiguren" einfügen, reicht von George Bernard Shaws Drama *Saint Joan* bis zu Schillers *Jungfrau von Orleans* und im Ausblick auf Künstlerfiguren von Thomas Manns *Lotte in Weimar* bis Johann Wolfgang Goethes *Werther*.

Baumgartners Studie führt Erkenntnisse aus unterschiedlichen Forschungsfeldern zu Charisma und dessen medienhistorischer Relevanz sowie zur Thematik des Heroismus zusammen, um auf dieser Grundlage den Textkorpus diskursanalytisch neu zu perspektivieren. Sie nutzt diese zu vertieften Einsichten in die Bedeutung eines wirkungsmächtigen Phantasmas für politische Rhetorik, Dramenästhetik und Geschichtsphilosophie in der nachnapoleonischen Ära und im Vormärz. Die Grabbe-Forschung erhält durch die Studie Anregungen, indem werkgeschichtliche Perspektivverschiebungen auf die Figur des „großen Mannes" im Zusammenhang mit der „Abbaubewegung" eines „Phantasmas" (S. 359) kontextualisiert werden.

Julian Kanning

Maurice Edwards: Christian Dietrich Grabbe. His Life and his Works. New York: QCC Art Gallery / The City University of New York, 2014.

Seit Jahrzehnten ist keine englischsprachige Monographie zu Christian Dietrich Grabbe mehr erschienen (die letzte, aus dem Jahr 1972, stammt vom Grabbe-Spezialisten und -herausgeber Roy C. Cowen: *Christian Dietrich Grabbe*. New York: Twayne, 1972). Umso erfreulicher, dass nach so langer Zeit endlich wieder eine engagierte Gesamtdarstellung von Leben und Werk Grabbes in englischer Sprache vorliegt.

Das allein ist schon erstaunlich, ist Grabbe doch im angloamerikanischen Bereich bislang nach wie vor so gut wie unbekannt geblieben. Noch erstaunlicher aber ist es, dass ein nunmehr 94-jähriger Grabbe-Kenner und Theaterpraktiker, Maurice Edwards aus New York City, sich dieser Aufgabe angenommen hat. Als Übersetzer von *Scherz, Satire, Ironie und tiefere Bedeutung* ins Englische (*Jest, Satire, Irony and Deeper Significance*, zuerst Indiana University Press, 1952) ist er schon in Alfred Bergmanns Grabbe-Bibliographie von 1973 verzeichnet. Dieser Maurice Edwards also, der nach dem Zweiten Weltkrieg als GI in Deutschland stationiert war und hier (obwohl Jude) die deutsche Sprache und Kultur schätzen lernte (wie der Klappentext des hier vorzustellenden Buchs informiert), hat seine jahrzehntelange Beschäftigung mit und Begeisterung für Grabbe in diesem Buch gebündelt. Ziel seiner Bemühungen ist es, die Stille um Grabbe in der angloamerikanischen Welt zu durchbrechen, zur Übersetzung und Lektüre seiner Texte und vielleicht sogar zu Aufführungen von Grabbe-Stücken anzuregen. ["It is [...] the purpose of this work to break through the comparative silence that has enveloped Grabbe and his *œuvre* and to encourage further reading, study and translation of this most unusual and often most rewarding playwright; better yet, to hopefully also stimulate English language translations and performances of more of his plays." (S. 23)]

Das überaus informative Vorwort zu dieser Monographie stammt von Ladislaus Löb. Dieser ausgewiesene Grabbe-Experte aus Brighton/GB gibt auf nur wenigen Seiten einen zwar extrem komprimierten, aber doch äußerst lesenswerten Überblick über Grabbes Leben und Werk, in dem er die Qualitäten und Besonderheiten Grabbes und seiner Werke konzis und kompetent auf den Punkt bringt, ohne dessen persönlichen und künstlerischen Defizite auszublenden. Für Löb bestehen keine Zweifel an Grabbes Originalität und seinem Talent als Dramatiker (S. 13). Ihm gilt Grabbes maßgeblicher Beitrag zur Innovation des Dramas im 19. Jahrhundert (thematisch, sprachlich und dramentechnisch) als unabweisbar. Umso mehr bedauert er es, dass dieser Dramatiker außerhalb des deutschen Sprachraums praktisch unbekannt ist [„beyond the German-speaking world he is almost totally unknown" (S. 17)]. Nach Löb ist Maurice Edwards ein Grabbe-Kenner und -Enthusiast [„He is enthusiastic about Grabbe" (S. 17)], der dafür prädestiniert ist, die Leser in den U.S.A. (und anderswo) in Leben und Werk Grabbes einzuführen und vielleicht sogar dazu anzuregen, Inszenierungen zu wagen.

Das vermag ich aber so nicht zu unterschreiben. Denn bei allem ausgebreiteten Detailwissen über Grabbe und seine Stücke erfährt der Leser in diesem Buch von Edwards kaum etwas, was nicht schon an anderer Stelle (und oft auch sachkundiger) zu lesen gewesen wäre. Zudem enthält das Buch erstaunliche biographische Fehlinformationen, die bei genauerer Recherche oder kompetentem

Gegenlesen durch einen Experten hätten vermieden werden können. Um nur ein Beispiel zu nennen: Dass Grabbe sich vergebens um ein Engagement am Bielefelder Theater beworben hat (S. 24), kann schon deshalb nicht zutreffen, weil es in Bielefeld zu Grabbes Zeit gar kein Theater gab.

Ein Blick in das Literaturverzeichnis macht deutlich, dass Edwards die Grabbe-Forschung der letzten 30 Jahre kaum noch wahrgenommen hat. So fehlen etwa alle seit 1986 erschienenen Sammelwerke, darunter auch die beiden aus den internationalen Grabbe-Symposien 1986 und 1989 hervorgegangenen, und selbst die von Lothar Ehrlich 1986 im Leipziger Reclam-Verlag veröffentlichte Grabbe-Biographie ist nicht verzeichnet.

Lobend hervorzuheben ist, dass Edwards im Anhang des Bandes Übersetzungen des Librettos *Der Cid* und des Essays *Über die Shakspearomanie* ins Englische vorlegt, die es bislang nicht gab.

Der Band ist alles in allem ein höchst anerkennenswerter Versuch, Grabbe im angloamerikanischen Raum bekannter zu machen. Dass er aber tatsächlich wirksam dazu wird beitragen können, muss wohl leider bezweifelt werden. Dennoch gebührt dem weit über 90-jährigen Maurice Edwards für seinen langen Atem und seine Leistung großer Respekt.

Detlev Kopp

CLAUDIA DAHL

Grabbe-Bibliographie 2015
mit Nachträgen

Alle Links wurden geprüft am 28.6.2016.

Textausgaben

1. **Grabbe, Christian Dietrich:** Christ. Dietr. Grabbe's sämmtliche Werke und handschriftlicher Nachlaß [Elektronische Ressource] / hrsg. u. erl. von Oskar Blumenthal. – 1. kritische Gesammtausg. – Detmold : Meyer. – Bd. 1-4. 1874. – Digitalisierung: Münster : Univ.- und Landesbibliothek, 2015. – URL: http://sammlungen.ulb.uni-muenster.de/urn/urn:nbn:de:hbz:6:1-182451

2. **Ders.:** Scherz, Satire, Ironie und tiefere Bedeutung : Zweite Szene. Rattengifts Zimmer / Christian Dietrich Grabbe (1801-1836). – In: Tentakel. – Bielefeld. – 2015,2, S. 35-39. – Kurzbiografie S. 42.

Zur Bibliographie

3. **Grabbe-Bibliographie 2013** : mit Nachträgen / Claudia Dahl. – In: Grabbe-Jahrbuch. – Bielefeld. – 33.2014 (2015), S. [225]-232. – URL: http://www.llb-detmold.de/sammlungen/literaturarchiv/grabbe-archiv/grabbe-bibliographie/2013.html

Zu Leben und Werk

4. **Baumgartner, Stephan:** Bilder des mächtigen Subjekts : die Entwicklung des ‚großen Mannes' bei Christian Dietrich Grabbe. – In: Grabbe-Jahrbuch. – Bielefeld. – 33.2014 (2015), S. [47]-62.

5. **Ders.:** Weltbezwinger : der ‚große Mann' im Drama 1820-1850 / Stephan Baumgartner. – Bielefeld : Aisthesis-Verl., 2015. – 390 S. – ISBN 978-3-8498-1050-4. – Zugl.: Zürich, Univ., Diss., 2013. – U.a. zu Grabbes Geschichtsdramen.

6. **Edwards, Maurice:** Christian Dietrich Grabbe : his life and his works / Maurice Edwards. – New York : QCC Art Gallery, [2015]. – 343 S. : Ill. – ISBN 978-1-936658-28-2. – Mit Übersetzungen ins Englische von Grabbes „Der Cid" und Grabbes „Über die Shakspearo-Manie".

7. **Eke, Norbert Otto:** Das deutsche Drama im Überblick / Norbert Otto Eke. – Darmstadt : WBG, Wiss. Buchges., 2015. – 236 S. – ISBN 978-3-534-24773-8. – Darin zu Grabbe: S. 134, 147-152, 187.

8.   **Kopp, Detlev:** Bildung von, bei und durch Grabbe. – In: Grabbe-Jahr-buch. – Bielefeld. – 33.2014 (2015), S. [32]-46.

9.   **Maes, Sientje:** Souveränität – Feindschaft – Masse : Theatralik und Rheto-rik des Politischen in den Dramen Christian Dietrich Grabbes. – Bielefeld : Aisthesis-Verl., 2014. – (Moderne-Studien ; 15).
-*Rez.*: Roselli, Antonio. – In: Religion – Religionskritik – Religiöse Trans-formation im Vormärz / hrsg. von Olaf Briese ... . – Bielefeld : Aisthesis-Verl., 2015. – (Jahrbuch ... / FVF, Forum Vormärz-Forschung ; 20.2014), S. 320-323.

10.   **Sobel, Bernard:** Wir, in der Geschichte. – In: Grabbe-Jahrbuch. – Biele-feld. – 33.2014 (2015), S. [7]-10.

11.   **Weber, Robert:** „Bei aller seiner Tollheit weiß er recht gut was er tut!" : Die Suche nach der positiven Kehre im Werk Christian Dietrich Grabbes. – In: Grabbe-Jahrbuch. – Bielefeld. – 33.2014 (2015), S. [63]-91.

Zu einzelnen Werken

Don Juan und Faust

12.   **Krause, Fritz Udo:** Dichter vor Ort in Lippe / Fritz U. Krause. – In: Ten-takel. – Bielefeld. – 2015,2, S. 28-32. – Auch zu Grabbes „Don Juan und Faust" und zur Weiterverarbeitung des Textes durch Fritz Udo Krause. – Kurzbiografien S. 42-43.

Hannibal

13.   **Haferkamp, Dirk:** Das nachklassische Drama im Lichte Schopenhauers : eine Interpretationsreihe ; Schiller: *Die Jungfrau von Orléans*, Hebbel: *Judith*, Grabbe: *Hannibal*, Büchner: *Dantons Tod* / Dirk Haferkamp. – Frankfurt am Main : Lang-Ed., 2014. – 260 S. – ISBN 978-3-631-64677-9. – Zugl.: Duisburg Essen, Univ., Diss., 2013. – Grabbe: „Hannibal": S. 150-211.

14.   **„Der vermaledeite Grabbe"** : vier Reflexionen über Grabbes Dramen. – In: Grabbe-Jahrbuch. – Bielefeld. – 33.2014 (2015), S. [131]-139. – Ent-hält: Regener, Désirée: Was ist komisch an *Scherz, Satire, Ironie und tiefere Bedeutung?*. – Borchers, Jan-Niklas: Grabbe und die vergebliche Hoff-nung auf Revolution – Über die 1. Szene des 2. Aufzuges von *Napoleon oder die hundert Tage*. – Mürner, Hannes: Das erstaunte „Theateropfer" Maximus im *Hannibal*. – Wagner, Wolfgang: Das antikisierende Finale der *Hermannsschlacht*.

Die Hermannsschlacht
s. o. Nr. 14

Herzog Theodor von Gothland

15. **Ehrlich, Lothar:** Interview mit Prof. Lothar Ehrlich : „Grabbes ‚Gothland' vermag zu vergegenwärtigen, dass die Emanzipation des Menschen durch die Kriege unserer Zeit zurückgeworfen wird." / [von Pressedramaturgin Carolina Gleichauf]. – Ill. – In: Spiel-Zeit : das Magazin des Landestheaters. – Detmold. – Ausg. 25 (2014/15), S. 4-5.

16. **Maes, Sientje; Philipsen, Bart:** „Gleich dem Medusenhaupte ein Komet" : Grabbes Frühwerk *Herzog Theodor von Gothland* als ‚modernes' Trauerspiel / Sientje Maes ; Bart Philipsen. – In: Benjamins Trauerspiel : Theorie – Lektüren – Nachleben / Claude Haas ... (Hg.). – Berlin : Kulturverl. Kadmos, 2014. – (LiteraturForschung ; 21). – ISBN 978-3-86599-237-6. – S. [199]-217.

Napoleon oder die hundert Tage

17. **Novotný, Pavel:** Die Vorformen der literarischen Montage / Pavel Novotný. – Wuppertal : Arco-Verl., 2012. – 323 S. – (Arco Wissenschaft). – ISBN 978-3-938375-47-1. – Zugl.: Olomouc, Univ., Diss., 2010. – S. [201]-249: VI. Grabbes „Napoleon oder die hundert Tage".

18. **Greiner, Bernhard:** Wiederholung und gedrängte Zeit: Depotenzierung des geschichtsmächtigen Subjekts und Refigurierung zum Mythos in Grabbes Napoleon oder die hundert Tage. – In: Frankreich – Deutschland: Transkulturelle Perspektiven : Literatur, Kunst und Gesellschaft ; Festschrift für Karl Heinz Götze = France – Allemagne: perspectives transculturelles / Wolfgang Fink, Ingrid Haag und Katja Wimmer (Hrsg.). – Frankfurt am Main : Lang Ed., 2013. – ISBN 978-3-631-63299-4. – S. 139-153.

19. **Kanning, Julian:** Konstruktionen der „hundert Tage" : Tropen der Vorstrukturierung in Grabbes *Napoleon oder die hundert Tage* und Adolph Henkes *Darstellung des Feldzuges der Verbündeten gegen Napoleon im Jahre 1815*. – In: Grabbe-Jahrbuch. – Bielefeld. – 33.2014 (2015), S. [111]-130.

20. **Novotný, Pavel:** *Napoleon oder die hundert Tage* als Vorform der literarischen Montage. – In: Grabbe-Jahrbuch. – Bielefeld. – 33.2014 (2015), S. [92]-110. s. o. Nr. 14

Scherz, Satire, Ironie und tiefere Bedeutung
s. o. Nr. 14

Über die Shakspearomanie

21. **Eberhardt, Joachim:** Grabbes Abhandlung *Über die Shakspearo-Manie* als literarisches Traditionsverhalten. – In: Grabbe-Jahrbuch. – Bielefeld. – 33.2014 (2015), S. [196]-200.

22. **Schütze, Peter:** Brush up your Shakespeare : die Deutschen und ‚ihr' Shakespeare. – In: Grabbe-Jahrbuch. – Bielefeld. – 33.2014 (2015), S. [201]-214. – Grabbe erwähnt.

Zur Wirkungsgeschichte
23. **Komödie** : Etappen ihrer Geschichte von der Antike bis heute / Volker Klotz (Konzeption, Grundriss, Zweckbestimmung) ... . – Frankfurt am Main : Fischer, 2013.
-Rez.: Ehrlich, Lothar. – In: Grabbe-Jahrbuch. – Bielefeld. – 33.2014 (2015), S. 217-218.
24. **Agenten der Öffentlichkeit** : Theater und Medien im frühen 19. Jahrhundert / Meike Wagner (Hg.). – Bielefeld : Aisthesis-Verl., 2014. – (Vormärz-Studien ; 29).
-Rez.: Ehrlich, Lothar. – In: Grabbe-Jahrbuch. – Bielefeld. – 33.2014 (2015), S. 219-224.
25. **Ehrlich, Lothar:** Grabbe-Preis für zeitgenössische Dramatik verliehen. – In: ALG-Umschau / Arbeitsgemeinschaft Literarischer Gesellschaften und Gedenkstätten e. V. – Berlin. – Nr. 52 (2015), S. 54.
26. **Luetgebrune, Barbara:** Grabbe-Preis geht an Henriette Dushe : pramiertes Werk „In einem dichten Birkenwald, Nebel" wird in Detmold uraufgeführt. – Ill. – In: Lippische Landes-Zeitung. – Detmold. – 17./18.01.2015.
27. **Schütze, Peter:** In memoriam Dr. Werner Broer. – In: Grabbe-Jahrbuch. – Bielefeld. – 33.2014 (2015), S. [190] 191.
28. **Ders.:** Jahresbericht 2013/14. – In: Grabbe-Jahrbuch. – Bielefeld. – 33.2014 (2015), S. [192]-195.

Zu Bühnenaufführungen

Don Juan und Faust / Berlin / Acker Stadt Palast (2013)
29. **Krauß, Dennis:** Kapitulation : über die Arbeit an *Don Juan und Faust* im Acker Stadt Palast Berlin. – Ill. – In: Grabbe-Jahrbuch. – Bielefeld. – 33.2014 (2015), S. [30]-31.

Hannibal / Gennevilliers / Théâtre de Gennevilliers *(2013)*
30. **Servin, Micheline B.:** Grabbe exhumé, Brecht enterré, reponsabilité du choix. – In: Les temps modernes. – Paris. – 69 (2014),677, S. [217]-252. – S. 217-221 zu Grabbes „Hannibal" in der Inszenierung von Bernard Sobel.
31. **Dokumentation:** Hannibal im Théâtre de Gennevilliers/Paris / Übersetzung der Texte: Michael Halfbrodt. – Ill. – In: Grabbe-Jahrbuch. – Bielefeld. – 33.2014 (2015), S. [18]-29. – Enthält: Joubert, Sophie: Sobel,

Hannibal und die Geschichte. – Quirot, Odli : Bonnaffé meistert Hannibal mit Sobel. – Sadowska Guillon, Irène: *Hannibal* von Christian Dietrich Grabbe – inszeniert von Bernard Sobel am Théâtre de Gennevilliers. – Bourcier, Jean-Pierre: *Hannibal*. Chronik eines angekündigten Selbstmords. – Macé, Savannah: *Hannibal*, von Grabbe über Sobel „Das Scheitern diskreditiert nicht das Streben". – Geschichte als Rohstoff, Interview von Savannah Macé mit Bernard Sobel.

32. **Ehrlich, Lothar:** Bernard Sobel und Grabbe. – In: Grabbe-Jahrbuch. – Bielefeld. – 33.2014 (2015), S. [11]-17.
   s. o. Nr. 10

Herzog Theodor von Gothland / Detmold / Landestheater (2015)

33. **Programmheft.** – Herzog Theodor von Gothland : eine Tragödie in fünf Akten von Christian Dietrich Grabbe / [Hrsg. Landestheater Detmold. Red. Christian Katzschmann. Probenfotos: Jochen Quast]. – Detmold, [2015]. – 44 S., [10] Bl. : zahlr. Ill. – (Spielzeit 2014/2015). – Premiere: 16. Januar 2015.

34. **Fischer, Jens:** Warum nur morden, wenn wir schlachten können? [Elektronische Ressource] : Christian Dietrich Grabbe: Herzog Theodor von Gothland. – In: Die-deutsche-Bühne.de. – Berlin. – 18.01.2015. – URL: http://www.die-deutsche-buehne.de/Kritiken/Schauspiel/Christian+Dietrich+Grabbe+Herzog+Theodor+von+Gothland/Warum+nur+morden

35. **Franz-Nevermann, Ilse:** Herzog Theodor von Gothland als brutales Epos : Grabbe-Premiere sorgt für nachhaltige Verstörung im Publikum. – Ill. – In: Lippische Landes-Zeitung. – Detmold. – 19.01.2015.

36. **Frederiksen, Jens:** Einkehr im „Gothland". – Ill. – In: Wiesbadener Kurier. – Mainz. – 2.03.2015. – URL: http://www.allgemeine-zeitung.de/lokales/blogs/vorhang-auf/einkehr-im-gothland_14989991.htm. – URL: http://www.wiesbadener-kurier.de/lokales/blogs/vorhang-auf/einkehr-im-gothland_14989991.htm

37. **Grass, Helene:** Den Lippern liebevoll auf den Pelz rücken : Helene Grass über Grabbbe, Krieg, Flüchtlingsnot, Detmolder Wohlstand und filmische Zeitreisen / das Interview führte Barbara Luetgebrune. – Ill. – In: Lippische Landes-Zeitung. – Detmold. – 7./8.02.2015.

38. **Keim, Stefan:** Morden als natürlicher Zustand [Elektronische Ressource] : Theodor Herzog von Gothland – Tatjana Rese kombiniert in Detmold Grabbes blutige Tragödie mit Texten von Heiner Müller. – Ill. – In: Nachtkritik.de. – Berlin. – 17.01.2015.

39. **Luetgebrune, Barbara:** Rache am „zivilisierten Europa" : Landestheater zeigt Grabbe-Tragödie. – Ill. – In: Lippische Landes-Zeitung. – Detmold. – 7.01.2015.
40. **Tornau, Joachim F.:** Ohne Wendemöglichkeit : Landestheater Detmold: „Herzog Theodor von Gothland" von Christian Dietrich Grabbe. – Ill. – In: Theater der Zeit. – Berlin. – 70 (2015),3, S. 47-48.

Napoleon oder die hundert Tage / Gennevilliers u. a. / Théâtre de Gennevilliers *(1996)*
s. o. Nr. 32

Scherz, Satire, Ironie und tiefere Bedeutung / Merzhausen / Theater 79 Merzhausen (2015)
41. **Freyer, Anne:** Teuflische Seitenhiebe bringen Spaß : das „theater 79 merzhausen" spielt im Forum ein Stück von Christian Dietrich Grabbe. – Ill. – In: Badische Zeitung. – Freiburg, Br. – 21.10.2015. – Premiere: 17. Oktober 2015. – URL: http://www.badische-zeitung.de/merzhausen/teuflische-seitenhiebe-bringen-spass--112795393.html

Scherz, Satire, Ironie und tiefere Bedeutung / Warburg / Hüffertgymnasium (2015)
42. **König, Karin:** Wenn der Teufel auf der Bühne steht : Aufführung: Der Literaturkurs des Hüffertgymnasium spielt im Pädagogischen Zentrum Theater. – Ill. – In: Neue Westfälische / Kreiszeitung für Warburg. – Bielefeld. – 16.06.2015. – Premiere: 11. Juni 2015.

Freiligrath-Bibliographie 2015
mit Nachträgen

Alle Links wurden geprüft am 28.6.2016.

Textausgaben, Handschriften
1. **Freiligrath, Ferdinand:** Anthologie aus den Gedichten von Ferdinand Freiligrath [Elektronische Ressource] : mit einer Biographie des Verfassers. – Hildburghausen [u. a.] : Bibliogr. Inst., [1850]. – 158 S. – Digitalisierung: München : Bayerische Staatsbibliothek, [o. J.]. – URL: http://www.mdz-nbn-resolving.de/urn/resolver.pl?urn=urn:nbn:de:bvb:12-bsb11300263-6

2. **Ders.**: Anthologie aus den Gedichten von F. Freiligrath [Elektronische Ressource] : mit Biographie und Porträt. – Hildburghausen [u. a.] : Bibliogr. Inst., [ca. 1870]. – 111 S. – (Meyer's Groschen-Bibliothek der deutschen Classiker für alle Stände ; 206). – Digitalisierung: München : Bayerische Staatsbibliothek, [o. J.]. – URL: http://www.mdz-nbn-resolving.de/urn/resolver.pl?urn=urn:nbn:de:bvb:12-bsb11014322-5

3. **Ders.**: Ferdinand Freiligrath's gesammelte Dichtungen [Elektronische Ressource]. – Stuttgart : Göschen. – Bd. 1-6. 1870. – Digitalisierung: Paderborn : Universitätsbibliothek Paderborn, 2015. – URL: http://digital.ub.uni-paderborn.de/retro/urn/urn:nbn:de:hbz:466:1-31702

4. **Schlomm, Anna**: Der Briefwechsel zwischen Ferdinand Freiligrath und Levin Schücking von 1844-49, im Kontext seiner Zeit : Edition und Kommentar / Anna Schlomm. – 291 S. – Wuppertal, Univ., Master Thesis, 2014.

5. **Walter, Sarah**: Ferdinand Freiligrath und Karl Simrock : Briefwechsel (1837-1873) ; kritische Edition und Kommentar / Sarah Walter. – 464 S. – Wuppertal, Univ., Master Thesis, 2014.

6. **Freiligrath, Ferdinand**: Guten Morgen!. – Tentakel. – Bielefeld. – 2015,2, S. 40-41. – Kurzbiografie S. 42.

Zur Bibliographie

7. **Freiligrath-Bibliographie 2013** : mit Nachträgen / Claudia Dahl. – In: Grabbe-Jahrbuch. – Bielefeld. – 33.2014 (2015), S. 233-236. – URL: http://www.llb-detmold.de/sammlungen/literaturarchiv/freiligrath-sammlung/bibliographie/2013.html

Zu Leben und Werk

8. **Poettgens, Erika**: Hoffmann von Fallersleben und die Lande niederländischer Zunge : Briefwechsel, Beziehungsgeflechte, Bildlichkeit / Erika Poettgens. – Münster [u. a.] : Waxmann. – (Studien zur Geschichte und Kultur Nordwesteuropas ; 25). – ISBN 978-3-8309-3095-2. – Bd. 1-2. 2014. – Zugl.: Nijmegen, Univ., Diss., 2013. – Zu Freiligrath: Band 1: S. 38-41, 77 (lt. Personenregister zu Band 1), Band 2: S. 260-265.

9. **Fischer, Dietrich H.**: Wordsworth in Cotta's Literary Journal [Elektronische Ressource] : *Blätter zur Kunde der Literatur des Auslands*, 1836-1840 / Dietrich H. Fischer. – 31.01.2015. – 33 S. – In engl. Sprache, Zsfassung in deutscher Sprache. – Freiligrath mehrfach erwähnt. – Ausdruck im Lippischen Literaturarchiv. – URL: http://www.william-wordsworth.de/hintergrund.html (PDF, last update 11.10.2015).

10. **Füllner, Bernd:** Ein unveröffentlichtes Empfehlungsschreiben Ferdinand Freiligraths für Georg Weerth an Gottfried Kinkel. – In: Grabbe-Jahrbuch. – Bielefeld. – 33.2014 (2015), S. [177]-189. – Mit Faksimile und Text des Briefes.

11. **Hellfaier, Detlev:** Freiligrath, Barmen und das Hermannsdenkmal. – Ill. – In: Grabbe-Jahrbuch. – Bielefeld. – 33.2014 (2015), S. [154]-176. – Mit Briefanhang.

12. **Hoffmann von Fallersleben** : Dichter, Germanist und singender Freiheitskämpfer ; Begleitbuch zur Dauerausstellung des Hoffmann-von-Fallersleben-Museums / im Auftr. der Stadt Wolfsburg hrsg. von Bettina Greffrath ... . – Hildesheim [u. a.] : Olms, 2015. – 240 S. : zahlr. Ill., Notenbeisp. – ISBN 978-3-487-15220-2. – Freiligrath: mehrere Erwähnungen, s. Reg.

13. **Klein, Ansgar Sebastian:** Der Rolandsbogen und die preußische Denkmalpflege : „Ein modernes Gedicht Freiligrath's". – Ill. – In: Preußenadler über dem Rhein : eine Spurensuche rund um den Drachenfels ; [erscheint zur gleichnamigen Sonderausstellung im Siebengebirgsmuseum der Stadt Königswinter vom 21. Mai bis 18. Oktober 2015] / Siebengebirgsmuseum der Stadt Königswinter. Mit Fotografien von Axel Thünker. [Red.: Elmar Scheuren. Weitere Autoren: Gudrun Birkenstein ...]. – Bonn : Bouvier, 2015. – ISBN 978-3-416-03386-2. – S. [136]-145.

14. **Walz, Manfred:** Ferdinand Freiligrath und Laurian Moris – ein schwieriges Verhältnis / Manfred Walz. – Stuttgart, 2015. – 19 Bl. : Ill., Notenbeisp.

Zur Wirkungsgeschichte

15. **Fürsten zum Land hinaus** [Tonträger] : Hambacher Lieder / Hein & Oss Kröher. – [Homburg] : [Siebenpfeiffer-Stiftung], [2015]. – 1 CD ; 12 cm + Beil. – Lied Nr. 13: Trotz alledem / Freiligrath. Text im Booklet auf S. [10].

16. **Jansen, Hans Hermann:** Schwäbische Tugenden : dem Stuttgarter Freiligrath-Freund Manfred Walz. – In: Grabbe-Jahrbuch. – Bielefeld. – 33.2014 (2015), S. [215]-216.

17. **1976 – Gedenken zum 100. Todestag Ferdinand Freiligraths in Stuttgart** / Manfred Walz (Hrsg.). – Stuttgart, 2015. – 40 Bl. : Ill.

18. **Nitsch, Sabine:** Themenwanderung zeigt Szenen aus Freiligraths Leben : Dichter stand bei Führung an drei Stationen des Geschichtsvereins Unkel im Fokus / san. – Ill. – In: Rhein-Zeitung / A, Kreis Neuwied. – Koblenz. – 5.05.2015.

19. **Oschmann, Roswitha:** Freiligrath, Simrock und die Unkeler Tropfen : der Verein Gutenberg-Haus wandelt in Menzenberg auf historischen Spuren. – Ill. – In: General-Anzeiger. – Bonn. – 26.03.2015. – URL: http://www.

general-anzeiger-bonn.de/region/rhein-sieg-kreis/bad-honnef/Freilig-
rath-Simrock-und-die-Unkeler-Tropfern-article1597296.html
20. **Walz, Manfred:** Ein bislang unveröffentlichtes Porträt Ferdinand Freiligraths / Manfred Walz. – Stuttgart, 2015. – 8 Bl. : Ill.

Weerth-Bibliographie 2015
mit Nachträgen

Alle Links wurden geprüft am 28.6.2016.

Textausgaben
1. **Weerth, Georg:** Das Hungerlied. – Ill. – In: Tentakel. – Bielefeld. – 2015,2,
   S. 34. – Kurzbiografie S. 43.
2. **Ders.:** Die Natur. – In: Tentakel. – Bielefeld. – 2015,2, S. 33-34. – Kurzbiografie S. 43.

Zur Bibliographie
3. **Weerth-Bibliographie 2013** : mit Nachträgen / Claudia Dahl. – In:
   Grabbe-Jahrbuch. – Bielefeld. – 33.2014 (2015), S. 236-238. – URL:
   http://www.llb-detmold.de/sammlungen/literaturarchiv/weerth-archiv/
   bibliographie/2013.html

Zu Leben und Werk
4. **Cambon, Fernand:** Georg Weerth, le poète des exploités. – In: Europe :
   revue littéraire mensuelle. – Paris. – 89 (2011),988/989, S. [194]-200. –
   Mit einer Übersetzung der Gedichte: Es wurde dunkel auf den Gassen. –
   Die rheinischen Weinbauern. – Das Lied von der verunglückten Kartoffel.
   – Der Kanonengießer.
5. **Füllner, Bernd:** Ein unveröffentlichtes Empfehlungsschreiben Ferdinand
   Freiligraths für Georg Weerth an Gottfried Kinkel. – In: Grabbe-Jahrbuch.
   – Bielefeld. – 33.2014 (2015), S. [177]-189. – Mit Faksimile und Text des
   Briefes.

Zur Wirkungsgeschichte
6. **Rüth, Katharina:** Der Kampf um die Pressefreiheit im Vormärz : Wuppertal. Demokratiegeschichte: Das Historische Zentrum stellt Zeitungen und Karikaturen aus den Jahren 1830 bis 1849 aus. – In: Rhei-

nische Post. – Düsseldorf. – 2.10.2015. – Weerth erwähnt. – URL: http://www.rp-online.de/nrw/staedte/remscheid/freizeit/der-kampf-um-die-pressefreiheit-im-vormaerz-aid-1.5439251. – Mit 1 Abb. unter: URL: http://www.wz.de/lokales/wuppertal/ausstellung-zum-kampf-um-die-pressefreiheit-im-vormaerz-1.2028117

Adressen der MitarbeiterInnen dieses Bandes

Claudia Dahl
Lippische Landesbibliothek Detmold
Hornsche Str. 41
32756 Detmold

Dr. Joachim Eberhardt
Lippische Landesbibliothek
Detmold, Direktor
Hornsche Str. 41
32756 Detmold

Prof. Dr. Lothar Ehrlich
Rainer-Maria-Rilke-Str. 8
99425 Weimar

Arin Haideri
Universität Bielefeld
Fakultät für Linguistik
und Literaturwissenschaft
Universitätsstr. 25
33615 Bielefeld

Dr. Julian Kanning
Universität Paderborn
Institut für Germanistik und
vergleichende Literaturwissenschaft
Warburger Str. 100
33098 Paderborn

Dr. Christian Katzschmann
Landestheater Detmold, Chefdramaturg
Theaterplatz 1
32756 Detmold

Prof. Dr. Detlev Kopp
Aisthesis Verlag
Oberntorwall 21
33602 Bielefeld

Anna Lenz
Vulsiekshof 45
33619 Bielefeld

Prof. Dr. Ariane Martin
Johannes Gutenberg Universität Mainz
Deutsches Institut
Jakob-Welder-Weg 18
55128 Mainz

Sandra Muschol
Natruper Str. 142
49090 Osnabrück

Martin Pfaff
Landestheater Detmold,
Schauspieldirektor
Theaterplatz 1
32756 Detmold

Jürgen Popig
Theater und Orchester Heidelberg
Leitender Dramaturg Schauspiel
Theaterstr. 10
69117 Heidelberg

Dr. Peter Schütze
Grabbe-Gesellschaft, Präsident
Bruchstr. 27
32756 Detmold

Dr. Burkhard Stenzel
Am Weinberg 35
99425 Weimar

Philip Tiedemann
Bismarckstr. 67
12157 Berlin